TOSEL®
READING SERIES

JUNIOR

READING

FOR TEACHERS

ITC International TOSEL Committee

CONTENTS

TOSEL® Level Chart TOSEL 단계표

TOSEL은 비영어권 국가들의 영어 사용자들을 대상으로 영어 구사능력을 평가하여
그 결과를 공식 인증하는 영어 능력인증 시험제도입니다.

COCOON

아이들이 접할 수 있는 공식 인증 시험의 첫 단계로써 아이들의 부담을 줄이고
즐겁게 흥미를 유발할 수 있도록 다채로운 색상과 디자인으로 시험지를 구성하였습니다.

Pre-STARTER

친숙한 주제에 대한 단어, 짧은 대화, 짧은 문장을 사용한 기본적인 문장표현 능력을 평가합니다.

STARTER

일상과 관련된 주제 / 상황에 대한 짧은 대화 및 문장을 이해하고
알맞은 응답을 할 수 있는 기초적인 의사소통 능력을 평가합니다.

BASIC

개인 정보와 일상 활동, 미래 계획, 과거의 경험에 대해 구어와 문어의 형태로 의사소통을
할 수 있는 능력을 평가합니다.

JUNIOR

일반적인 주제와 상황을 다루는 회화와 짧은 단락, 실용문, 짧은 연설 등을 이해하고
알맞은 응답을 할 수 있는 의사소통 능력을 평가합니다.

HIGH JUNIOR

넓은 범위의 사회적, 학문적 주제에서 영어를 유창하고 정확하게 사용할 수 있는
능력 및 중문과 복잡한 문장을 포함한 다양한 문장구조의 파악 능력을 평가합니다.

ADVANCED

대학 수준의 영어를 사용하고 이해할 수 있는 능력 및 취업 또는 직업근무환경에 필요한 실용영어능력을 평가합니다.

About TOSEL®　———　TOSEL에 대하여

대상
유아, 초, 중, 고등학생,
대학생 및 직장인 등 성인

목적
한국을 비롯한 비영어권 국가
영어 사용자의 영어구사능력 증진

용도
실질적인 영어구사능력 평가 +
입학전형 / 인재선발 등에 활용 및
직무역량별 인재 배치

영어 사용자 중심의 맞춤식 영어능력 인증시험제도

획일적 평가에서 맞춤식 평가로의 전환

TOSEL은 응시자의 연령별 인지
단계, 학습 수준 등을 고려한
문항과 난이도를 적용하여 맞춤식
평가 시스템을 구축하였습니다.

공정성과 신뢰성 확보 국제토셀위원회의 역할

TOSEL은 대학입학 수학능력시험
출제위원 교수들이 중심이 된
국제토셀위원회가 출제하여
사회적 공정성과 신뢰성을 확보한
평가제도입니다.

수입대체 효과 외화유출 차단 및 국위선양

TOSEL은 해외 시험 응시로 인한
외화의 유출을 막는 수입대체
효과를 기대할 수 있습니다.
TOSEL의 문항과 시험제도는
비영어권 국가에 수출하여
국위선양에 기여하고 있습니다.

배점 및 등급

구분	배점	등급
COCOON	100점	
Pre-STARTER	100점	
STARTER	100점	1~10등급
BASIC	100점	으로 구성
JUNIOR	100점	
HIGH JUNIOR	100점	
ADVANCED	990점	

문항 수 및 시험시간

구분	Section I Listening & Speaking	Section II Reading & Writing
COCOON	15문항 / 15분	15문항 / 15분
Pre-STARTER	15문항 / 15분	20문항 / 25분
STARTER	20문항 / 15분	20문항 / 25분
BASIC	30문항 / 20분	30문항 / 30분
JUNIOR	30문항 / 20분	30문항 / 30분
HIGH JUNIOR	30문항 / 25분	35문항 / 35분
ADVANCED	70문항 / 45분	70문항 / 55분

응시 방법 안내

 → → → → →

01 홈페이지 접속　　02 온라인 접수　　03 응시료 결제　　04 접수확인 및 수정　　05 수험표 출력 및 고사장 확인　　06 시험응시

*지원서 작성은 온라인(www.tosel.org) 및 지역 본부를 통해 가능합니다. 학업성취기록부, 성적표 확인을 위해 회원가입은 필수입니다.

Evaluation —————— 평가

기본 원칙

TOSEL은 PBT(PAPER BASED TEST)를 통하여 간접평가와 직접평가를 모두 시행합니다.

> **TOSEL**은 언어의 네 가지 요소인 읽기, 듣기, 말하기, 쓰기 영역을 모두 평가합니다.

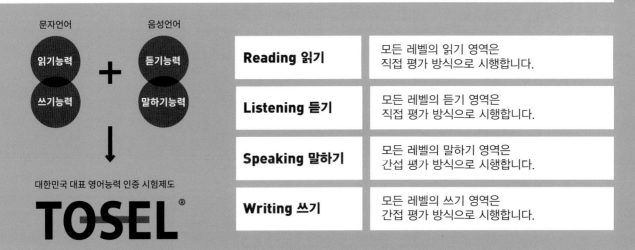

문자언어

읽기능력

쓰기능력

음성언어

듣기능력

말하기능력

대한민국 대표 영어능력 인증 시험제도

TOSEL®

Reading 읽기	모든 레벨의 읽기 영역은 직접 평가 방식으로 시행합니다.
Listening 듣기	모든 레벨의 듣기 영역은 직접 평가 방식으로 시행합니다.
Speaking 말하기	모든 레벨의 말하기 영역은 간섭 평가 방식으로 시행합니다.
Writing 쓰기	모든 레벨의 쓰기 영역은 간접 평가 방식으로 시행합니다.

> **TOSEL**은 연령별 인지단계를 고려하여 **7단계로 나누어 평가합니다.**

1 단계	**TOSEL®** COCOON	5~7세의 미취학 아동
2 단계	**TOSEL®** Pre-STARTER	초등학교 1~2학년
3 단계	**TOSEL®** STARTER	초등학교 3~4학년
4 단계	**TOSEL®** BASIC	초등학교 5~6학년
5 단계	**TOSEL®** JUNIOR	중학생
6 단계	**TOSEL®** HIGH JUNIOR	고등학생
7 단계	**TOSEL®** ADVANCED	대학생 및 성인

TOSEL® History ——— 연혁

2002 ~ 2010

2002. 02   국제토셀위원회 창설 (수능출제위원역임 전국대학 영어전공교수진 중심)

2004. 09   TOSEL 고려대학교 국제어학원 공동인증시험 실시

2006. 04   EBS 한국교육방송공사 주관기관으로 참여

2006. 05   민족사관고등학교 입학전형에 반영

2008. 12   고려대학교 편입학시험 TOSEL 유형으로 대체

2009. 01   서울시 공무원 근무평정에 TOSEL점수 가산점 부여

2009. 01   전국 대부분 외고, 자사고 입학전형에 TOSEL 반영
(한영외국어고등학교, 한일고등학교, 고양외국어고등학교, 과천외국어고등학교, 김포외국어고등학교, 명지외국어고등학교, 부산국제외국어고등학교, 부일외국어고등학교, 성남외국어고등학교,인천외국어고등학교, 전북외국어고등학교, 대전외국어고등학교, 청주외국어고등학교, 강원외국어고등학교, 전남외국어고등학교)

2009. 12   청심국제중, 고등학교 입학전형 TOSEL 반영

2009. 12   한국외국어교육학회, 팬코리아영어교육학회, 한국음성학회, 한국응용언어학회 TOSEL 인증

2010. 03   고려대학교, TOSEL 출제기관 및 공동 인증기관으로 참여

2010. 07   경찰청 공무원 임용 TOSEL 성적 가산점 부여

2011 ~ 현 재

2014. 04   전국 200개 초등학교 단체 응시 실시

2017. 03   중앙일보 주관기관으로 참여

2018. 11   관공서, 대기업 등 100여 개 기관에서 TOSEL 반영

2019. 06   미얀마 TOSEL 도입 발족식
베트남 TOSEL 도입 협약식

2019. 11   고려대학교 편입학전형에 TOSEL 반영

Why TOSEL® ——— 왜 TOSEL인가

01 학교 시험 폐지

중학교 이하 중간, 기말고사 폐지로 인해 객관적인 영어 평가 제도의 부재가 우려됩니다. 그러나 전국단위로 연간 4번 시행되는 TOSEL 정기시험을 통해 학생들은 정확한 역량과 체계적인 학습 방향을 꾸준히 진단받을 수 있습니다.

02 연령별 / 단계별 대비로 영어학습 점검

TOSEL은 응시자의 연령별 인지단계와 영어 학습 정도 등에 따라 총 7단계로 구성됩니다. 각 단계에 알맞은 문항 유형과 난이도를 적용해 연령 및 학습 과정에 맞추어 가장 효율적으로 영어실력을 평가할 수 있도록 개발된 영어시험입니다.

03 학교 내신성적 향상

TOSEL은 학년별 교과과정과 연계하여 학교에서 배우는 내용을 복습하고 평가할 수 있도록 문항 및 주제를 구성하여, 내신영어 향상을 위한 최적의 솔루션을 제공합니다.

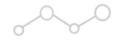

04 수능대비 직결

유아, 초, 중학시절 어렵지 않고 즐겁게 학습해 온 영어이지만, 수능시험준비를 위해 접하는 영어 문항의 유형과 난이도에 주춤하게 됩니다. 이를 대비하기 위해 TOSEL은 유아부터 성인까지 점진적인 학습을 통해 수능대비도 함께 해나갈 수 있도록 설계되어 있습니다.

05 진학과 취업에 대비한 필수 스펙관리

개인별 '학업성취기록부' 발급을 통해 영어학업성취이력을 꾸준히 기록한 영어학습 포트폴리오를 제공하여, 영어학습 이력을 관리할 수 있습니다.

06 자기소개서에 TOSEL 기재

개별적인 진로 적성 Report를 제공하여 진로를 파악하고 자기소개서 작성시 적극적으로 활용할 수 있는 객관적인 자료를 제공합니다.

07 영어학습 동기부여

시험실시 후 응시자 모두에게 수여되는 인증서는 영어학습에 대한 자신감과 성취감을 고취시키고 동기를 부여합니다.

08 미래형 인재 진로지능진단

문항의 주제 및 상황을 각 교과와 연계하여 정량적으로 진단하는 분석 자료를 통해 학생 개인에 대한 이해도를 향상하고 진로선택에 유용한 자료를 제공합니다.

09 명예의 전당, 우수협력기관 지정

성적우수자, 우수교육기관은 'TOSEL 명예의 전당'에 등재되고, 각 시/도별, 레벨별 만점자 및 최고득점자를 명예의 전당에 등재합니다.

TOSEL®

미래형 인재 진로적성지능 진단

십 수년간 전국단위 정기시험으로 축적된 **빅데이터**를 교육공학적으로 분석, 활용하여 산출한 **개인별 성적자료**

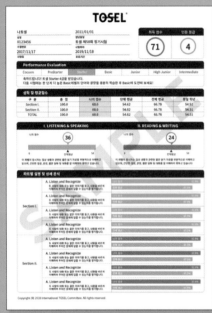
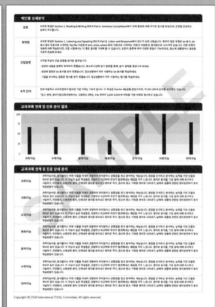

- 정확한 영어능력진단
- 응시지역, 동일학년, 전국에서의 학생의 위치
- 개인별 교과과정, 영어단어 숙지정도 진단
- 강점, 취약점, 오답문항 분석결과 제시

TOSEL 공식인증서

대한민국 초,중,고등학생의 영어숙달능력 평가 결과 공식인증

- 2010.03 고려대학교 인증획득
- 2009.10 팬코리아영어교육학회 인증획득
- 2009.11 한국응용언어학회 인증획득
- 2009.12 한국외국어교육학회 인증획득
- 2009.12 한국음성학회 인증획득

'학업성취기록부'에 TOSEL 인증등급 기재

개인별 '학업성취기록부' 평생 발급. 진학과 취업을 대비한 **필수 스펙관리**

명예의 전당

특별시, 광역시, 도 별 1등 선발 (7개시 9개도 1등 선발)

*홈페이지 로그인 – 시험결과 – 명예의 전당에서 해당자 상장 출력 가능

Reading **Series 특장점**

언어의 4대 영역 균형 학습 + 평가

말하기 연습	단어 학습	독해 학습	듣기 훈련	쓰기 훈련
각 단어 학습 도입부에 주제와 관련된 이미지와 질문에 대해 말하기 연습	각 Unit의 목표 단어가 레벨별로 4-6개 제시, 그림 또는 영문으로 단어 뜻을 제공하여 독해학습 전에 단어 숙지	같은 주제로 일반 독해와 실용문을 모두 연습할 수 있는 지문과 함께 Comprehension 문항을 10개씩 수록하여 이해도 확인 및 진단	숙지한 독해지문을 원어민 음성으로 들으며 듣기 전, 듣기 중, 듣기 후 활동을 통해 학습 (MP3 스트리밍: www.tosel.org)	단어 복습 및 요약연습을 통해 쓰기 연습

세분화된 레벨링

20년 간 대한민국 영어 평가 기관으로서 연간 4회 전국적으로 실시되는 정기시험에서 축적된 성적 데이터를 기반으로 정확하고 세분화된 레벨링을 통한 영어 학습 콘텐츠 개발

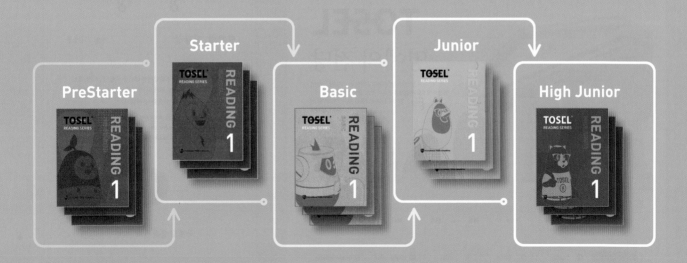

TOSEL 영어 학습 성장 프로그램

1 **TOSEL 평가:** 학생의 영어 능력을 정확하게 평가

2 **결과 분석 및 진단:** 시험 점수와 결과를 분석하여 학생의 강점, 취약점, 학습자 특성 등을 객관적으로 진단

3 **학습 방향 제시:** 객관적 진단 데이터를 기반으로 학습자 특성에 맞는 학습 방향 제시 및 목표 설정

4 **학습:** 제시된 방향과 목표에 따라 학생에게 적합한 콘텐츠 / 학습법으로 학습

5 **학습 목표 달성:** 학습 후 다시 평가를 통해 목표 달성 여부 확인 및 성장을 위한 다음 학습 목표 설정

학생이 공부하기 쉽고, 교사 / 학부모가 가르치기 편한 교재

교사 / 학부모

- **편의성**
  과학적인 교수설계에 따른 교수지도안 제공

- **활용성**
  풍부한 교수-학습 활용 자료 제공

- **학생 상담 데이터 축적**
  학생 학습 데이터 기록을 통한 전문 상담 도구 제공

학생

- **정확한 수준별 학습**
  학습자 데이터를 통해 레벨링하여 점진적으로 학습 가능

- **효율적 학습**
  1시간 학습으로 말하기, 단어, 독해, 듣기, 쓰기, TOSEL까지 학습 및 훈련

- **학습 성취 및 동기부여**
  수준별로 효율적인 학습을 통해 성취감을 고취, 영어 학습에 재미를 느끼며 동기 부여

About this book

TOSEL Reading Series는 영어 독해 학습에 특화된 교재로서 각 Unit 마다 대상 학생의 **인지능력 수준 및 학습 교과와 연계**한, 흥미롭고 유용한 주제의 읽기 지문을 중심으로 다양한 학습자료와 활동이 제시되어 있습니다.

TOSEL Section II. Reading and Writing에 해당하는 Comprehension Questions 10문항으로 지문에 대한 이해력을 확인하고, 주제에 대한 배경지식을 영어로 말해볼 수 있는 말하기 연습, 플래시카드 또는 영영 사전식 단어학습 및 쓰기 연습, 지문 듣고 받아쓰기 훈련, 요약문 쓰기 훈련 등의 **다양한 활동을 통해 지문을 여러 번 연습 / 복습하도록 구성**되었습니다.

Reading Series는 총 **5개의 레벨** (PreStarter, Starter, Basic, Junior, High Junior), 레벨 당 **1, 2, 3권**으로 이루어져 있습니다. 각 권은 3개의 Chapter, 총 12개의 Unit으로 구성되어 있으며 **Unit 당 1시간 학습**이 가능하도록 설계되었습니다.

레벨마다 **학생용 교재 3권**과 **교사용 교재 1권**으로 이루어져 있습니다.

학생용 교재 (Junior)

영어 원문과 문항이 수록되어 있으며 학습자들이 활용하는 교재입니다.

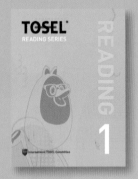  

학생용 교재 한 권은 주제에 따라 **3개의 Chapter, 총 12개의 Unit**으로 구성되었습니다.

Chapter 1
Unit 1-4

Chapter 2
Unit 5-8

Chapter 3
Unit 9-12

교사용 교재

원문 해석과 문항별 정답 및 해설이 수록되어 있으며, 학생용 교재를 가르치는 데 필요한 교수 가이드라인과 Reading Series 구성표 등을 제시합니다.

교사용 교재 한 눈에 보기

Syllabus	교사용 교재 활용 가이드
TOSEL Reading Series 모든 레벨의 Chapter, Unit별 주제 요목	1시간 학습 / 지도 가이드라인

Book 1 정답 및 해설	Book 2 정답 및 해설	Book 3 정답 및 해설
영어 원문 해석과 문항 풀이	영어 원문 해석과 문항 풀이	영어 원문 해석과 문항 풀이

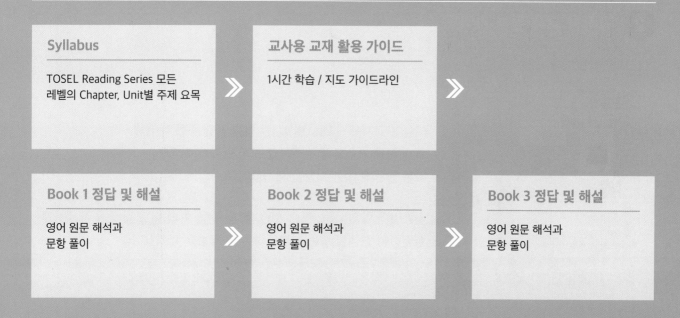

1 Syllabus

TOSEL Reading Series에 수록된 **각 Chapter와 Unit의 주제와 제목, 교과연계 정보**를 한눈에 보기 쉽게 정리했습니다.

전 레벨(PreStarter, Starter, Basic, Junior, High Junior)의 정리표를 통해 **단기 / 중·장기 수업 계획**을 수립하거나 학생 및 학부모와의 **학습 진도 / 수업 상담** 시 유용하게 활용할 수 있습니다.

2 교사용 교재 활용 가이드

교사용 교재에는 **Unit별 1시간 학습 플랜**을 돕기 위해 **교재 활용 가이드**를 수록하였으며, 한 Unit에 있는 모든 활동에 대한 지침을 제시합니다.

활동마다 학습 내용, 학습 시간, 학습 목적, 학습 지도 팁 등을 세세하게 설명하여 선생님 또는 학부모의 **지도 방향**을 제시합니다.

3 정답 및 해설

교사용 교재의 정답 및 해설 부분은 **영어 지문 해석, 정답, 풀이**를 상세하게 제공합니다. **문제 유형, 관련 문장, 새겨 두기** 등의 코너를 통해 학생 지도 시 유용하게 활용할 수 있도록 하였습니다.

주요 구성

- **빠른 정답**
  책 앞에는 전체 Unit 정답표, 각 Unit의 처음에는 빠른 정답표를 배치하여 채점의 용이성을 높였습니다.

- **해석**
  영어 지문과 문항 등 영어 원문에 대한 한국어 해석을 제공합니다.

- **풀이**
  정답을 먼저 자세히 설명하고, 어렵거나 헷갈릴 만한 오답에 대한 설명도 추가하였습니다.

PreStarter Syllabus

Book 1

All about Me

Chapter	Unit	Title	교과연계
1 Me & My Family	1	I Know My Friends' Names	초등학교 1, 2학년 - 봄, 국어
	2	Maria's Monday	초등학교 1, 2학년 - 봄, 국어
	3	Family at a Birthday Party	초등학교 1, 2학년 - 봄
	4	Birthday Gifts	초등학교 1, 2학년 - 수학
2 A Colorful World	5	Color Land	초등학교 3, 4학년 - 미술
	6	So Many Shapes!	초등학교 1, 2학년 - 수학
	7	Animals at the Zoo	초등학교 1, 2학년 - 봄
	8	Packing Clothes for Camping	초등학교 3, 4학년 - 사회
3 My House	9	Linda's New House	초등학교 1, 2학년 - 여름
	10	Guess What It Is!	초등학교 3, 4학년 - 과학
	11	Sandra's Dad Is a Great Cook!	초등학교 3, 4학년 - 사회
	12	Lars Loves Music	초등학교 3, 4학년 - 음악

Book 2

All about School

Chapter	Unit	Title	교과연계
1 In My Classroom	1	A Happy Art Class	초등학교 1, 2학년 - 봄
	2	In Math Class	초등학교 1, 2학년 - 봄
	3	How Taki Studies	초등학교 1, 2학년 - 봄
	4	The Class Rules	초등학교 1, 2학년 - 봄
2 My Day at School	5	Josef's Morning	초등학교 1, 2학년 - 수학 / 초등학교 3, 4학년 - 수학
	6	A School Festival	초등학교 1, 2학년 - 수학 / 초등학교 3, 4학년 - 수학
	7	A Busy Year	초등학교 1, 2학년 - 수학 / 초등학교 3, 4학년 - 수학
	8	Four Seasons	초등학교 1, 2학년 - 봄, 여름, 가을, 겨울
3 At School	9	Olaf's Day	초등학교 3, 4학년 - 국어
	10	Shopping with Your Family	초등학교 1, 2학년 - 수학
	11	Henry and His Bike	초등학교 3, 4학년 - 사회
	12	Tennis and Table Tennis	초등학교 3, 4학년 - 체육

Book 3

All around Me

Chapter	Unit	Title	교과연계
1 People	1	Who Is She?	초등학교 1, 2학년 - 봄
	2	Zoe Likes Korea	초등학교 3, 4학년 - 사회
	3	Kari's Neighbor	초등학교 3, 4학년 - 국어
	4	Anna and Hennie	초등학교 3, 4학년 - 국어, 도덕
2 Nature	5	Paul and the Weather	초등학교 3, 4학년 - 과학
	6	What Bug Is It?	초등학교 1, 2학년 - 봄
	7	A Family Trip	초등학교 3, 4학년 - 과학, 사회
	8	Giraffes	초등학교 3, 4학년 - 과학
3 Places	9	Martin Gets Cookies	초등학교 1, 2학년 - 가을 / 초등학교 3, 4학년 - 사회
	10	Kate Loves Her Teddy Bear	초등학교 3, 4학년 - 사회
	11	Finding Things	초등학교 3, 4학년 - 미술
	12	Finding a Place	초등학교 3, 4학년 - 사회

Starter Syllabus

Book 1

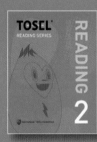

Talking to Friends

Chapter	Unit	Title	교과연계
1 Weekend Activities	1	Sarah's Strange Night	초등학교 3, 4학년 - 국어, 수학
	2	Sunday Morning at Carl's House	초등학교 3, 4학년 - 국어
	3	A Field Trip	초등학교 3, 4학년 - 국어, 체육
	4	Zoe's Busy Weekend	초등학교 3, 4학년 - 사회 / 초등학교 5, 6학년 - 국어
2 Find Out about Your Friends	5	All about Pumpkins	초등학교 3, 4학년 - 과학
	6	Chores at Home	초등학교 3, 4학년 - 도덕 / 초등학교 5, 6학년 - 실과
	7	Having a Party	초등학교 3, 4학년 - 국어
	8	Kelly Learns Chinese Sounds	초등학교 5, 6학년 - 사회
3 Ask More Questions	9	Andrea Loves Sports	초등학교 3, 4학년 - 수학, 체육
	10	Alec Gets Sick in Winter	초등학교 3, 4학년 - 체육 / 초등학교 5, 6학년 - 과학
	11	Mr. Wind and Mr. Sun	초등학교 3, 4학년 - 국어
	12	At the Theme Park	초등학교 3, 4학년 - 국어

Book 2

Family & House

Chapter	Unit	Title	교과연계
1 Daily Life	1	Going to the Movies	초등학교 3, 4학년 - 수학
	2	Tina's Day	초등학교 3, 4학년 - 국어, 수학
	3	Jisoo Cleans Her Room	초등학교 3, 4학년 - 도덕 / 초등학교 5, 6학년 - 실과
	4	At Blue Mountain	초등학교 3, 4학년 - 체육 / 초등학교 5, 6학년 - 국어
2 House	5	Lea's Dream House	초등학교 5, 6학년 - 수학
	6	Milo Sits in Chairs	초등학교 3, 4학년 - 미술
	7	Show and Tell Class	초등학교 3, 4학년 - 국어
	8	Summer Vacation	초등학교 3, 4학년 - 국어 / 초등학교 5, 6학년 - 수학
3 Family Occasion	9	Grandma's Birthday	초등학교 3, 4학년 - 도덕
	10	Eating Out vs. Eating at Home	초등학교 5, 6학년 - 실과
	11	Henry's Family	초등학교 3, 4학년 - 사회
	12	My Aunt's Wedding Day	초등학교 3, 4학년 - 사회

Book 3

School

Chapter	Unit	Title	교과연계
1 School Activity	1	Our Music Teacher	초등학교 3, 4학년 - 음악
	2	A Day at a Gallery	초등학교 3, 4학년 - 미술
	3	How Do You Make Salad?	초등학교 5, 6학년 - 실과
	4	A Book about Street Dogs	초등학교 3, 4학년 - 국어
2 School Festival	5	Field Trip to the Aquarium	초등학교 3, 4학년 - 사회
	6	The Book Fair	초등학교 3, 4학년 - 국어
	7	Fast Runners	초등학교 3, 4학년 - 체육
	8	Buying and Selling	초등학교 3, 4학년 - 사회
3 Fun with Friends	9	My New Best Friend	초등학교 3, 4학년 - 도덕
	10	Clubs Meet on Fridays	초등학교 3, 4학년 - 체육
	11	Word Game!	초등학교 3, 4학년 - 미술 / 초등학교 5, 6학년 - 실과
	12	Weekend Fun	초등학교 3, 4학년 - 도덕

Basic Syllabus

Book 1

My Town

Chapter	Unit	Title	교과연계
1 Neighbors	1	My Perfect Neighborhood	초등학교 5, 6학년 – 국어
	2	Asking People about Jobs	초등학교 5, 6학년 – 실과
	3	Volunteering for the Community	초등학교 5, 6학년 – 도덕
	4	A Great Man in Town	초등학교 5, 6학년 – 도덕
2 Neighborhood	5	Kali's Favorite Park	초등학교 5, 6학년 – 체육
	6	Problems at the Mall	초등학교 5, 6학년 – 사회
	7	A Horror Movie	초등학교 5, 6학년 – 미술
	8	The Best Library in the City	초등학교 5, 6학년 – 국어
3 Stadium in My Town	9	At the Baseball Game	초등학교 5, 6학년 – 체육
	10	A Favorite Sports Star	초등학교 5, 6학년 – 수학, 체육
	11	A Magic Show	초등학교 5, 6학년 – 미술
	12	Quiet Hip Hop Songs	초등학교 5, 6학년 – 음악

Book 2

General Interest

Chapter	Unit	Title	교과연계
1 Healthy Life	1	How to Keep Friends	초등학교 5, 6학년 – 국어
	2	Is Having a Dog Good for You?	초등학교 5, 6학년 – 실과
	3	What Is Hay Fever?	초등학교 5, 6학년 – 과학
	4	Smartphone Posture	초등학교 5, 6학년 – 과학, 국어(글쓴이의 주장)
2 Food Trend	5	Hawaiian Pizza	초등학교 5, 6학년 – 실과
	6	Fourth Meal	초등학교 5, 6학년 – 실과
	7	Jamie and Local Food	초등학교 5, 6학년 – 실과
	8	Good Avocados	초등학교 5, 6학년 – 과학, 실과
3 Arts and Crafts	9	Art Gallery of Saint Peter	초등학교 5, 6학년 – 미술
	10	What Is Origami?	초등학교 5, 6학년 – 미술
	11	Introduction to Webtoons	초등학교 5, 6학년 – 미술, 실과
	12	Haihat's Recycled Pig	초등학교 5, 6학년 – 사회, 미술

Book 3

Travel & the Earth

Chapter	Unit	Title	교과연계
1 Travel	1	Koh Lipe	초등학교 5, 6학년 – 국어, 사회
	2	Flying to London	초등학교 5, 6학년 – 실과
	3	Petronas Towers	초등학교 5, 6학년 – 수학, 미술
	4	Travel Manners	초등학교 5, 6학년 – 도덕
2 Culture	5	Thanksgiving in Detroit	초등학교 5, 6학년 – 사회
	6	Siesta	초등학교 5, 6학년 – 사회
	7	The Mystery of King Tut	초등학교 5, 6학년 – 사회, 미술
	8	The History of the Mexican Flag	초등학교 5, 6학년 – 사회, 미술
3 Nature & the Earth	9	Eric's Book about Habitats	초등학교 5, 6학년 – 과학, 국어
	10	Global Warming: The Sahara	초등학교 5, 6학년 – 사회, 과학
	11	Three Ways to Save the Earth	초등학교 5, 6학년 – 사회
	12	How Will 2035 Be Different?	초등학교 5, 6학년 – 사회

Junior Syllabus

Book 1

Math & Science

Chapter	Unit	Title	교과연계
1 Humans and Animals	1	Animal Communication	중학교 - 기술·가정
	2	Animals and Earthquakes	중학교 - 과학
	3	Super Babies	중학교 - 과학, 기술·가정
	4	Pigeons	중학교 - 기술·가정
2 Math	5	The Fields Medal	중학교 - 수학
	6	Statistics	중학교 - 수학, 사회
	7	The Golden Ratio	중학교 - 수학, 미술
	8	Barcodes	중학교 - 수학, 과학, 기술·가정
3 Science	9	The Water Cycle	중학교 - 과학
	10	Earth Day	중학교 - 과학
	11	Lightning	중학교 - 과학
	12	Superbugs	중학교 - 과학

Book 2

Cultural Life

Chapter	Unit	Title	교과연계
1 Sports	1	Sit-ups	중학교 - 체육
	2	The Skeleton	중학교 - 체육
	3	Doping in Sports	중학교 - 체육, 도덕
	4	Supersuits	중학교 - 체육
2 Art	5	Camera Shots	중학교 - 미술, 기술·가정
	6	The State Hermitage	중학교 - 미술
	7	Persian Miniatures	중학교 - 미술
	8	Animals Symbols	중학교 - 미술
3 Music	9	Musical vs. Opera	중학교 - 음악
	10	Vivaldi's "The Four Seasons"	중학교 - 음악
	11	Dynamics in Music	중학교 - 음악
	12	The Alphorn	중학교 - 음악

Book 3

Famous People

Chapter	Unit	Title	교과연계
1 Famous People 1	1	Linus Pauling	중학교 - 과학
	2	Maryam Mirzakhani	중학교 - 수학
	3	CV Raman	중학교 - 과학
	4	Ada Lovelace	중학교 - 기술·가정
2 Famous People 2	5	Tu Youyou	중학교 - 과학
	6	Rigoberta Menchú	중학교 - 사회
	7	Antoni Gaudi	중학교 - 미술
	8	Wangari Maathai	중학교 - 사회
3 Famous People 3	9	Mary Jackson	중학교 - 과학, 기술·가정
	10	Isabel Allende	중학교 - 국어
	11	Pius Mau Piailug	중학교 - 과학, 기술·가정
	12	Mary Anning	중학교 - 과학

High Junior Syllabus

Book 1

Awards and Award Winners

Chapter	Unit	Title	교과연계
1 Competitions 1	1	Toe Wrestling: UK	고등학교 – 체육
	2	Chessboxing	고등학교 – 체육
	3	The World Memory Championships	고등학교 – 체육
	4	The O Henry Pun-Off	고등학교 – 문학
2 Competitions 2	5	The Air Guitar Championships	고등학교 – 음악
	6	Mistakes at the Academy Awards	고등학교 – 미술
	7	Extreme Ironing	고등학교 – 체육
	8	The Heso Odori	고등학교 – 세계지리
3 Competitions 3	9	Making Faces	고등학교 – 체육
	10	The Argungu Fishing Festival	고등학교 – 세계지리
	11	ClauWau	고등학교 – 세계지리
	12	Competitive Chili Eating	고등학교 – 세계지리

Book 2

Health & Science

Chapter	Unit	Title	교과연계
1 Health	1	Health Literacy	고등학교 – 체육
	2	Yoga	고등학교 – 체육
	3	Digital Eye Strain	고등학교 – 생명과학
	4	Just One Food	고등학교 – 기술·가정
2 Environment	5	Climate Change	고등학교 – 통합사회, 지구과학
	6	Drone-based Delivery	고등학교 – 기술·가정
	7	The Nene	고등학교 – 통합과학
	8	The Amazon	고등학교 – 통합사회, 지구과학
3 Science	9	Memory	고등학교 – 생명과학
	10	Phases of the Moon	고등학교 – 지구과학
	11	Plasma	고등학교 – 물리, 화학
	12	Contagious Yawning	고등학교 – 생명과학

Book 3

Society & Technology

Chapter	Unit	Title	교과연계
1 Social Studies / Psychology	1	Forms of Government	고등학교 – 정치와 법
	2	A Violinist in the Station	고등학교 – 음악, 미술
	3	Biopiracy: The Neem Tree	고등학교 – 통합사회, 생활과 윤리
	4	A Hierarchy of Needs	고등학교 – 통합사회, 사회·문화
2 Culture	5	Mythical Creatures	고등학교 – 문학, 미술
	6	Ramadan: The Fast	고등학교 – 통합사회, 사회·문화
	7	The Bibliomotocarro	고등학교 – 문학, 통합사회
	8	Garífuna Punta	고등학교 – 통합사회, 음악
3 Technology	9	Virtual Reality	고등학교 – 통합과학, 기술·가정
	10	Suspension Bridges	고등학교 – 통합과학, 기술·가정
	11	Bone Conduction	고등학교 – 생명과학, 기술·가정
	12	Videophones	고등학교 – 과학, 기술·가정

TOSEL® READING SERIES FOR TEACHERS

교사용 교재
활용 가이드

1시간 학습 가이드라인

01
💡 Pre-reading Questions
3분

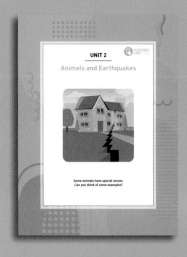

02
📖 Reading Passage
7분

05
🎧 Listening Practice
10분

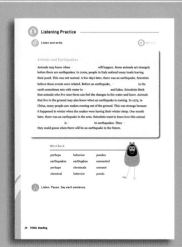

06
✏️ Writing Practice
5분

03 New Words

10분

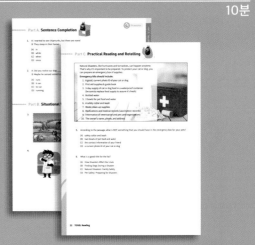

04 Comprehension Questions

10분

07 Word Puzzle

5분

08 오답노트

10분

Pre-reading Questions

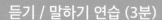

듣기 / 말하기 연습 (3분)

수업 전 Unit의 지문과 관련된 주제에 대해 영어로 대답해 보는 시간

- Unit과 관련된 Pre-reading Questions에 직접 답변하게 하여 수업에 대한 흥미 유발
- 본인의 경험과 연관지어 봄으로써 학생들의 능동적인 생각 촉진
- 일상생활과 관련된 주제를 통해 실생활에서 활용할 수 있는 표현을 학습

📝 학생용 교재 예시

📖 교사용 교재 예시

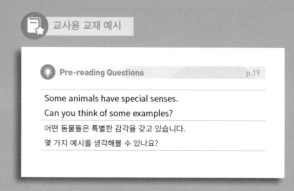

Pre-reading Questions p.19

Some animals have special senses.
Can you think of some examples?

어떤 동물들은 특별한 감각을 갖고 있습니다.
몇 가지 예시를 생각해볼 수 있나요?

👉 이렇게 지도하세요

- **학습 목표:** 그림과 질문을 통해 Unit의 내용을 추론해보고, 교사의 질문에 그림과 연계하여 대답할 수 있다.
- **학습 유의 사항:**

교사

질문에 나오는 그림을 통해 Unit의 주제를
추론해볼 수 있도록 1-2분 정도의 시간을
주도록 한다.

학생

그림과 질문을 연계하여 1-2 문장으로
대답한다.

- **학습 참고 지표:** 2015 개정교육과정 영어과 성취기준 [9영 02-03] (중학교 1-3학년 군의 말하기 영역)

Reading Passage

독해 연습 (7분)

Unit의 해당 지문 내용을 파악하는 시간

- 주어진 시간 내에 지문을 읽고 핵심 내용과 단어를 파악
- TOSEL 독해 문항을 전략적으로 준비 가능
- Unit에서 다루는 새로운 어휘는 학생용 교재 지문에 표시되어 있으며, 교사용 교재에서는 해석과 등장 어휘를 소개

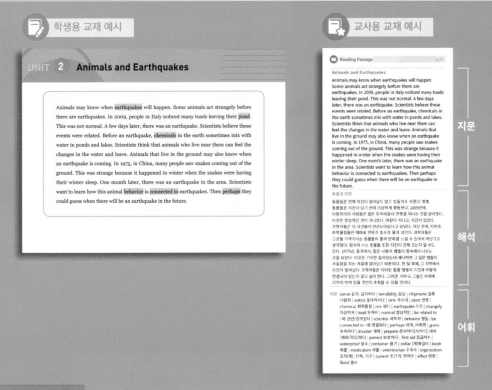

 이렇게 지도하세요

- **학습 목표:** Reading Passage를 읽은 후 중심 내용 / 주제 및 논리적 관계를 파악할 수 있다.
- **학습 유의 사항:**

  | 교사 | 학생들이 지문의 핵심 키워드 / 주제 문장을 주어진 시간 내 밑줄이나 형광펜 등으로 표시하게 함으로써 핵심 내용을 파악하는 훈련을 한다. |

   학생 — 지문의 중심 내용 / 주제를 파악하는데 단서가 될 수 있는 요소에 표시하여 중심 문장을 찾아본다.
  예) 결론을 나타내는 접속사에 표시하기 (Therefore, In short, In conclusion 등)

- **학습 참고 지표:** 2015 개정교육과정 영어과 성취기준 [9영 03-04] (중학교 1-3학년 군의 읽기 영역)

  ※ 문장 따라 읽기 / 소리 내어 읽기를 단순 반복하게 할 경우 수업이 지루해질 수 있다.
  따라서 홀수 / 짝수 번호 교대로 읽기, 짝과 교대로 읽기, 목소리 바꾸어서 읽기, 혼자 읽기 등 다양한 방법을 활용하도록 한다.

New Words

새로운 어휘 암기 연습 (10분)

지문 속 표시된 새로운 어휘를 배우는 시간

학생용 교재 예시

New Words

an earthquake *n* when the earth shakes suddenly and violently	**a chemical** *n* H_2O, CO_2, N_2······
a pond *n* an area of water that is smaller than a lake	**behavior** *n* the way that someone or something acts
connected to *adj* linked to	**perhaps** *adv* maybe

지문 속 표시된 새로운 어휘의 이해를 돕기 위해 **영문 뜻** 혹은 **영문 예문** 제공

새로운 어휘의 **품사**는 색깔과 약어로 표시

n 명사	*pron* 대명사	*v* 동사	*adj* 형용사
adv 부사	*prep* 전치사	*conj* 접속사	*int* 감탄사

- 두 단어 이상인 어휘의 경우 지문 내의 역할 기준으로 품사 표시

  예)

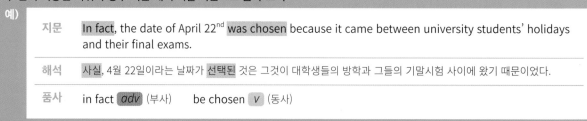

지문	In fact, the date of April 22nd was chosen because it came between university students' holidays and their final exams.
해석	사실, 4월 22일이라는 날짜가 선택된 것은 그것이 대학생들의 방학과 그들의 기말시험 사이에 왔기 때문이었다.
품사	in fact *adv* (부사) be chosen *v* (동사)

- 품사로 구분되기 어려운 관용어구나 표현(expressions) 등은 품사의 색깔이 표시되지 않음

  예) for more information about, that's why, virtually everyone 등

New Words 추가 활동

TOSEL 홈페이지(www.tosel.org)에서 New Words 학습을 위한 **Word Cards / Word List** 제공
(다운로드 후 출력 사용 가능)

Word Cards

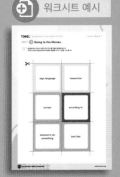
워크시트 예시

- **활용 방법:** 점선을 따라 오린 후 카드 뒷면에 단어의 뜻을 쓰거나 그림으로 뜻을 표현한다.

- **활용 예시:** ① Word Cards 한 개를 고른 뒤 카드 뒷면에 단어의 동의어 / 반의어 쓰기
  ② 카드 단어를 그림으로 표현하여 상대방이 맞추기 (Picturesque)
  ③ 팀을 나누어 카드의 철자를 팀원 한 명이 몸으로 표현하고 나머지 팀원이 카드의 단어를 맞추기 (Charades)
  ④ Word Cards를 활용하여 문장을 만든 후 품사의 문장 속 역할 파악하기

  예)

Word List

워크시트 예시

- **활용 방법:** 단어 / 어구의 품사 또는 expressions를 선택하여 뜻과 예문을 쓰게 한다.

- **활용 예시:** ① 수업 전 예습지 또는 수업 후 복습지로 활용
  ② Unit / Chapter 완료 시 New Words 평가지로 활용
  ③ 지문 외 다양한 장르(뉴스 기사, 책, 포스터 등)에서 New Words의 쓰임을 찾아 예문에 적어보기
  ④ 뜻을 영어로 재표현(paraphrase)하여 자신만의 단어로 만들기
  예) volunteering = helping others for free

Comprehension Questions

독해 문제 풀이 (10분)

새로운 어휘를 익히고 지문과 관련된 문제를 풀어보는 시간

4개의 파트로 구성된 Comprehension Questions를 통해 TOSEL 읽기와 간접 쓰기 유형에 해당하는 문항을 풀어봄으로써 시험을 전략적으로 대비할 수 있다.

---

1 Part A. Sentence Completion
문장 내 빈칸에 들어갈 알맞은 단어 고르기

- 문법적으로 가장 알맞은 단어를 골라 문장을 완성하는 유형으로 평서문, 의문문, 명령문 등으로 출제

- 동사의 시제·태·수 일치 / 동명사·부정사 / 분사 / 관계사 / 가정법 등의 문법 사항을 통해 문장 구조 파악 및 완성 능력 평가

📝 학생용 교재 예시

— Part A. **Sentence Completion**

1. A: I wanted to see chipmunks, but there are none!
   B: They sleep in their homes _____ winter.

   (A) in
   (B) while
   (C) when
   (D) since

❗ 지도 팁

학생은 제시된 문장의 빈칸에 들어갈 단어의 품사나 성분 등을 파악한 뒤 정답을 선택한다.

📙 교사용 교재 예시

1. A: I wanted to see chipmunks, but there are none!
   B: They sleep in their homes <u>in</u> winter.
   (A) in
   (B) while
   (C) when
   (D) since

해석 A: 얼룩 다람쥐를 보고싶었는데, 한 마리도 없어!
　　 B: 개네는 겨울에 자기 집에서 잠을 자.
　　 (A) ~에
　　 (B) ~동안
　　 (C) ~할 때
　　 (D) ~이후

풀이 계절 앞에서 전치사 'in'을 사용하여 '~에'라는 뜻을 나타내므로
(A)가 정답이다. (B)와 (C)는 접속사이므로, 뒤에는 명사가 아니라
절이 와야 적절하므로 오답이다. (D)의 경우, '~이래로'라는 뜻을
나타내는 'since'는 완료형 시제와 쓰여야 적절하므로 오답이다.

새겨 두기 '~동안'이라는 뜻을 나타낼 때 전치사 'during'을 사용하여
'during winter'라고 표현할 수 있다. 전치사 'during'
뒤에는 명사, 접속사 'while' 뒤에는 절이 온다는 차이점을
확실히 구분해두자.

관련 문장 This was strange because it happened in winter when
the snakes were having their winter sleep.

1 교사는 교사용 교재의 해석을 참고하여 문제와 선택지를 해석해준다.

2 풀이를 참고하여 정답 및 오답과 관련된 문법 사항을 설명한다.

3 문제 풀이 시 문법 사항은 새겨 두기를 참고한다.

4 관련 문장으로 정답의 근거가 되는 부분을 지문에서 복습한다.

2 Part B. Situational Writing
제시된 그림 / 상황에 가장 알맞은 단어 고르기

- 제시된 그림 / 상황에 일치하는 문장이 되도록 빈칸에 가장 알맞은 단어를 선택하는 유형
- 적절한 어휘 선택 및 사용 능력 평가

📝 학생용 교재 예시

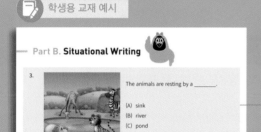

Part B. **Situational Writing**

3.

The animals are resting by a _____.

(A) sink
(B) river
(C) pond
(D) ocean

❗ 지도 팁

학생은 제시된 그림을 가장 잘 설명하는 문장이 되도록 빈칸에 알맞은 단어를 선택한다.

📑 교사용 교재 예시

3. The animals are resting by a <u>pond</u>.
   (A) sink
   (B) river
   (C) pond
   (D) ocean

해석 동물들이 연못 옆에서 쉬고 있다.
   (A) 개수대
   (B) 강
   (C) 연못
   (D) 바다

풀이 오목하게 팬 땅에 물이 고인 연못 근처에서 동물들이 쉬고 있으므로 (C)가 정답이다.

관련 문장 In 2009, people in Italy noticed many toads leaving their pond.

1 교사는 교사용 교재의 해석을 참고하여 문제와 선택지를 해석해준다.

2 풀이를 참고하여 관련 문법 사항과 그림을 연계시켜 정답과 오답을 설명한다.

3 관련 문장으로 정답의 근거가 되는 부분을 지문에서 복습한다.

3 Part C. Practical Reading and Retelling
실용문 읽고 정보 파악하기

- 실용적 주제와 관련된 자료나 지문을 읽고 구체적인 내용을 파악하여 답하는 유형으로,
  수능의 실용문 세부내용 파악 유형과 유사

- 실생활에서 자주 접할 수 있는 지문들을 통해 정보를 파악하고 이해하는 능력 평가

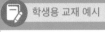 학생용 교재 예시

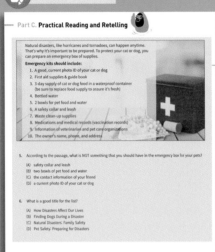

지도 팁

학생은 실용문의 종류를 파악한 뒤 지문 안에서 문제에 필요한
정보를 찾는다.

교사는 실용문의 종류에 따라 내용을 해석하는 방법을 지도한다.
- 예) • 그래프(가로·세로 막대, 원형 등): 최소 / 최대치 찾기
  - 벤 다이어그램: 공통점 / 차이점, 포함 관계가 의미하는 내용
  - 초대장: 일시 / 장소 / 대상 / 중심 내용 파악하기
  - 광고: 제목 / 일시 / 장소 / 혜택 등의 단서 찾기

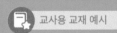 교사용 교재 예시

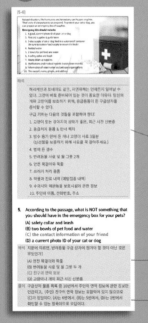

1 교사는 교사용 교재를 참고하여 문제와 선택지를 해석한다.

2 풀이를 참고하여 실용문의 주제 / 목적 / 내용 등과 연계시켜
  정답과 오답을 설명한다.

4 Part D. General Reading and Retelling
지문 읽고 내용 파악하기

- 교과나 학술적인 주제와 관련된 지문을 읽고 주제 / 내용을 파악하는 유형으로,
  수능의 제목 찾기·일치 / 불일치·세부내용 파악 유형과 유사

- 지문의 주제 및 세부 내용을 파악하고 이해하는 능력 평가

📝 학생용 교재 예시

Part D. **General Reading and Retelling**

Animals may know when earthquakes will happen. Some animals act strangely before there are earthquakes. In 2009, people in Italy noticed many toads leaving their pond. This was not normal. A few days later, there was an earthquake. Scientists believe these events were related. Before an earthquake, chemicals in the earth sometimes mix with water in ponds and lakes. Scientists think that animals who live near them can feel the changes in the water and leave. Animals that live in the ground may also know when an earthquake is coming. In 1975, in China, many people saw snakes coming out of the ground. This was strange because it happened in winter when the snakes were having their winter sleep. One month later, there was an earthquake in the area. Scientists want to learn how this animal behavior is connected to earthquakes. Then perhaps they could guess when there will be an earthquake in the future.

7. What is the main idea of the passage?
   (A) Animals leave their ponds after earthquakes.
   (B) Animals may know that earthquakes are coming.
   (C) Animals change their shape before an earthquake.
   (D) Animals come out of the ground only during winter.

8. According to the passage, what happened in Italy in 2009?
   (A) Snakes died underground.
   (B) Toads swam deeper into their pond.
   (C) Toads went far away from their pond.
   (D) Snakes and toads came out of the ground.

9. According to the passage, why was it strange for snakes to come out of the ground in 1975?
   (A) They never come out of the ground.
   (B) They usually like it when the ground shakes.
   (C) They often move around to find other homes.
   (D) They usually sleep underground during winter.

10. According to the passage, what might scientists study more closely?
    (A) the effects of floods on animals
    (B) people's behavior in China and Italy
    (C) chemicals in the earth during earthquakes
    (D) animal behavior around the time of earthquakes

❗ 지도 팁

학생은 지문을 읽고 문제에 따라 중심 / 세부 내용을 파악한다.

교사는 문제 유형별로 접근 방법을 지도한다.

예) • 주제(제목, 요지) 찾기 유형: 첫 문장과 마지막 문장, 접속사
  (Therefore, However, In short 등) 등을 활용한 주제문 찾기

  • 세부 내용 파악 유형: 고유명사·숫자·접속사 등을 활용하여 지문의
    내용을 단락별로 구분 지은 후 질문에서 요구하는 세부 내용 찾기

  • 내용 일치 / 불일치 유형: 질문의 단서를 지문에서 찾은 뒤 선택지를
    하나씩 지워나가기, 질문에서 요구하는 세부 정보를 먼저 파악한 뒤
    지문 읽기

📑 교사용 교재 예시

[7-10]

Animals may know when earthquakes will happen. Some animals act strangely before there are earthquakes. In 2009, people in Italy noticed many toads leaving their pond. This was not normal. A few days later, there was an earthquake. Scientists believe these events were related. Before an earthquake, chemicals in the earth sometimes mix with water in ponds and lakes. Scientists think that animals who live near them can feel the changes in the water and leave. Animals that live in the ground may also know when an earthquake is coming. In 1975, in China, many people saw snakes coming out of the ground. This was strange because it happened in winter when the snakes were having their winter sleep. One month later, there was an earthquake in the area. Scientists want to learn how this animal behavior is connected to earthquakes. Then perhaps they could guess when there will be an earthquake in the future.

해석
동물들은 언제 지진이 일어날지 알고 있을지도 모른다. 몇몇 동물들은 지진이 일어나기 전에 이상한 행동을하는 주제가 드러나 있다. 그 예에 2009년 이탈리아와 1975년 중국에서 강지된 동물들의 지진 발생 전 이상 행동에 관해 뒤에서 설명하고 있다. 따라서 글의 요지는 동물들이 지진 발생을 예측하여 이상 행동을 보인다는 것이므로 정답이다. (A) 동물이 이상 행동을 하는 것은 지진 전이 아닌 후이므로, (B)가 정답이다. (A)의 경우, 지진 후가 아닌 전에 해난다고 하였으며로 글의 일부만을 반영하는 문장이므로 오답이다.

7. What is the main idea of the passage?
   (A) Animals leave their ponds after earthquakes.
   (B) Animals may know that earthquakes are coming.
   (C) Animals change their shape before an earthquake.
   (D) Animals come out of the ground only during earthquakes.

해석 지문의 요지는 무엇인가?
   (A) 동물들은 지진 후에 그들의 연못을 떠난다.
   (B) 동물들은 지진이 온다는 것을 알고 있을지도모른다.
   (C) 동물들은 지진 전에 그들의 생김새를 바꾼다.
   (D) 동물들은 지진 동안에만 땅에서 나온다.

유형 전체 내용 파악

풀이 첫 두 문장 'Animals may know when earthquakes will happen. Some animals act strangely before there are earthquakes.'에서 동물이 지진이 일어나기 전에 보이는 이상 행동이라는 주제가 드러나 있다.

1 교사는 교사용 교재를 참고하여 해당 문제의
   유형을 파악한다.

2 교사는 교사용 교재를 참고하여 지문을 해석 후
   문제와 선택지를 해설한다.

3 풀이를 참고하여 지문에서 정답과 오답의 근거를
   찾아 설명한다.

Listening Practice

듣기 연습 (10분)

듣기 훈련을 통해 지문을 듣고 복습하는 시간

- **듣고 받아쓰기**: 음원을 들으며 키워드 위주로 빈칸 채우기

- Listening Practice를 **듣기 전 활동, 듣기 중 활동, 듣기 후 활동**으로 단계별로 나누어 지도

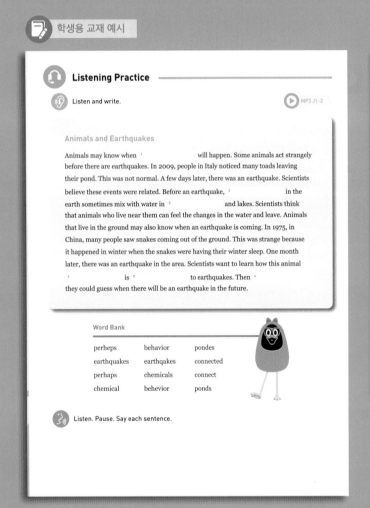

학생용 교재 예시

Listening Practice

Listen and write.　　　　　　　　　　　MP3 J1-2

Animals and Earthquakes

Animals may know when ¹_____ will happen. Some animals act strangely before there are earthquakes. In 2009, people in Italy noticed many toads leaving their pond. This was not normal. A few days later, there was an earthquake. Scientists believe these events were related. Before an earthquake, ²_____ in the earth sometimes mix with water in ³_____ and lakes. Scientists think that animals who live near them can feel the changes in the water and leave. Animals that live in the ground may also know when an earthquake is coming. In 1975, in China, many people saw snakes coming out of the ground. This was strange because it happened in winter when the snakes were having their winter sleep. One month later, there was an earthquake in the area. Scientists want to learn how this animal ⁴_____ is ⁵_____ to earthquakes. Then ⁶_____ they could guess when there will be an earthquake in the future.

Word Bank

perheps	behavior	pondes
earthquakes	earthqakes	connected
perhaps	chemicals	connect
chemical	behevior	ponds

Listen. Pause. Say each sentence.

교사용 교재 예시

Listening Practice　　　　J1-2　　p.24

Animals may know when <u>earthquakes</u> will happen. Some animals act strangely before there are earthquakes. In 2009, people in Italy noticed many toads leaving their pond. This was not normal. A few days later, there was an earthquake. Scientists believe these events were related. Before an earthquake, <u>chemicals</u> in the earth sometimes mix with water in <u>ponds</u> and lakes. Scientists think that animals who live near them can feel the changes in the water and leave. Animals that live in the ground may also know when an earthquake is coming. In 1975, in China, many people saw snakes coming out of the ground. This was strange because it happened in winter when the snakes were having their winter sleep. One month later, there was an earthquake in the area. Scientists want to learn how this animal <u>behavior</u> is <u>connected</u> to earthquakes. Then <u>perhaps</u> they could guess when there will be an earthquake in the future.

---

1. earthquakes
2. chemicals
3. ponds
4. behavior
5. connected
6. perhaps

1 듣기 전 활동

- 목표: 학생의 적극적인 참여 유도 및 듣기 이해도(listening comprehension)를 높인다.

- 예시: 지문과 관련된 배경 지식이나 주제를 간단히 설명

2 듣기 중 활동

 Dictation 음원을 들으면서 빈칸의 내용 받아쓰기

1 음원을 1회 들려주고 전체적인 내용이나 주제를 파악하도록 하기
   (음원에만 집중하도록 Word Bank는 가린다)

2 두번째 음원 재생 시 빈칸의 단어나 어구의 철자에 유념하여 Word Bank에서 찾아 쓴다.

3 빈칸의 정답 공개 후 학생이 쓴 내용 확인

4 틀린 부분을 반복 청취함으로써 세부 내용 파악 연습

5 마지막 음원 재생 시 빈칸을 처음부터 다시 채우게 하여 지문을 이해했는지 최종 점검 및 듣기 능력 향상 확인
   (음원에만 집중하도록 Word Bank는 가린다)

 Shadow Reading 듣고 바로 따라 읽기

듣기 / 말하기 영역 향상을 위해 음원을 들으며, 거의 동시에 한 문장씩 같이 읽기 또는 듣고 바로 따라하기

1 억양, 발음, 속도, 강세, 리듬, 끊어 읽는 구간 등을 최대한 따라하기

2 3~5번 정도 반복 훈련하기

3 학생의 shadow reading 음성을 녹음하거나 모습을 동영상으로 촬영 후,
   발음이나 억양, 속도, 강세 등에 대한 피드백 제공하기

3 듣기 후 활동

- 목표: 지문의 전체적인 내용을 이해할 수 있다.

- 예시: ① 지문의 핵심 문장을 빈칸으로 두고 지문을 전체적으로 다시 들은 뒤, 핵심 문장 채우기

  ② 핵심 내용 요약하기

Writing Practice

쓰기 연습 (10분)

Unit에서 익힌 단어를 글로 표현하는 시간

 New Words 단어 쓰기

Unit을 마치기 전 New Words 숙지 여부를 철자 쓰기를 통해 확인

학생용 교재 예시

Write the words.

an 1 _____
n when the earth shakes suddenly and violently

a 2 _____
n H₂O, CO₂, N₂······

a 3 _____
n an area of water that is smaller than a lake

4 _____
n the way that someone or something acts

5 _____
adj linked to

6 _____
adv maybe

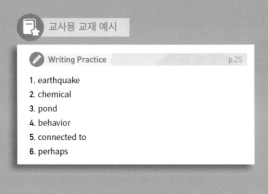

교사용 교재 예시

Writing Practice   p.25

1. earthquake
2. chemical
3. pond
4. behavior
5. connected to
6. perhaps

 Summary

수능에 고정적으로 출제되는 유형으로 한 Unit에서 다룬 지문을 요약하는 훈련 및 내용 정리

※ Summary 문장의 빈칸을 채울 때 수, 시제, 능동 / 수동태 등 문법 요소가 문맥에 맞게 잘 지켜졌는지 확인하기

학생용 교재 예시

Write one word in each blank.

Summary

Animals may know when _____ will happen. Some animals _____ strangely before earthquakes. Scientists _____ how these animal _____ are related to earthquakes.

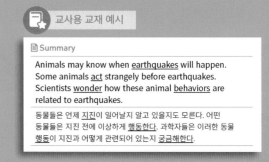

교사용 교재 예시

Summary

Animals may know when <u>earthquakes</u> will happen. Some animals <u>act</u> strangely before earthquakes. Scientists <u>wonder</u> how these animal <u>behaviors</u> are related to earthquakes.

동물들은 언제 <u>지진</u>이 일어날지 알고 있을지도 모른다. 어떤 동물들은 지진 전에 이상하게 <u>행동한다</u>. 과학자들은 이러한 동물 <u>행동</u>이 지진과 어떻게 관련되어 있는지 <u>궁금해한다</u>.

Writing Practice 추가 활동

Writing Practice 추가 활동의 워크시트는 TOSEL 홈페이지(www.tosel.org) 자료실에서 다운로드 후 사용 가능

워크시트 예시

- **목표:** 지문과 관련된 자신의 생각을 1문단으로 통일성 있게 쓸 수 있다.
- **예시:** ① 단계별(계획하기 → 쓰기 → 수정하기)로 영어 작문 연습하기
  ② 지문과 관련된 자신의 생각을 다양한 서식(리포트, 이메일, 문자 등)에 1문단으로 작성해 보기

Word Puzzle

어휘 퍼즐 (5분)

Unit에서 학습한 단어들을 퍼즐 속에서 찾기

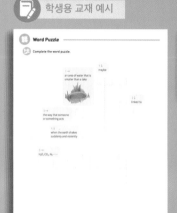

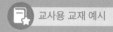

영영 사전의 뜻을 활용하여 영어 노출 최대화

- 한정된 시간 내 퍼즐 풀기나 퍼즐을 가장 빨리 푸는 학생에게 선물주기 등의 활동을 더하여, 해당 Unit의 복습 및 동기 부여를 하며 수업을 마무리

Amazing Stories

학생들과 가볍게 Chapter를 마무리하는 시간

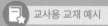

세계적인 미스테리, 기이한 이야기, 기발한 발명품 등의 흥미로운 이야기 수록

- Chapter를 재미있게 마무리하기 위한 독해 지문 / 활동

- 4개 Unit 완료 시 자유롭게 활용 가능, 교사용 교재에 해석 제공

오답노트

취약 부분 점검 (10분)

채점 후 오답노트 작성

Unit을 마친 뒤 학습자 스스로 틀린 문제를 적게 함으로써 해당 학습 내용에 대한 이해 여부와 취약점 등을 파악, 정리

- 한 Chapter가 끝나면 오답노트에 기록한 문제들을 모아 프린트 후 다시 풀어보게 하기
- **TOSEL 홈페이지(www.tosel.org) 자료실**에서 다운로드 후 사용 또는 오답노트 구매

📖 오답노트 작성 예시

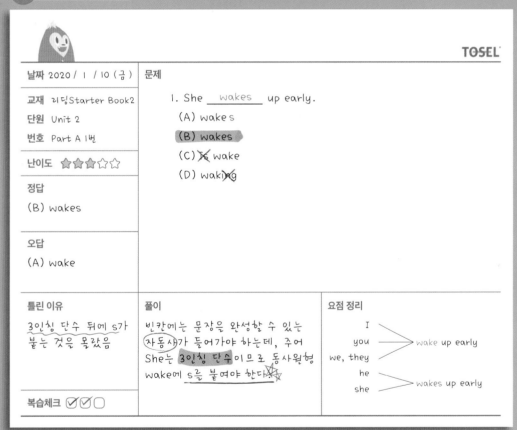

✏️ 오답노트 활용법

1 오답노트에 학습 날짜, Reading Series 책 번호, Unit, 틀린 번호를 적는다.

2 자신이 느끼는 난이도를 표시한다.

3 정답 및 내가 쓴 답(오답)을 적는다.

4 문제란에 틀린 문제와 틀린 이유, 풀이를 적는다.

5 요점 정리로 해당 문제를 마무리하며, 복습을 할 때마다 복습 체크란에 표시한다.

Voca Syllabus

Prestarter

Book	N.S	T.N.W	T.N.U.W
1	138	667	270
2	137	661	274
3	144	700	292

Starter

Book	N.S	T.N.W	T.N.U.W
1	269	1446	456
2	279	1560	409
3	279	1489	428

Basic

Book	N.S	T.N.W	T.N.U.W
1	333	2469	695
2	333	2528	710
3	340	2662	730

Junior

Book	N.S	T.N.W	T.N.U.W
1	289	3012	974
2	263	2985	985
3	232	3206	994

High Junior

Book	N.S	T.N.W	T.N.U.W
1	219	3432	1195
2	223	3522	1145
3	288	4170	1339

- N.S: Number of Sentences, 교재에 사용된 전체 문장 수
- T.N.W: Total Number of Words, 교재에 사용된 전체 단어 수 (중복 포함)
- T.N.U.W: Total Number of Unique Words, 교재에 사용된 전체 단어 수 (중복 미포함)

Reading Series는 각 레벨별 3권, 총 15권의 본교재와 5권의 교사용 교재로 이루어져 있으며, 학생의 수준에 맞는 난이도의 교재를 선택해 학습을 진행하실 수 있습니다. Prestarter 레벨부터 High Junior 레벨까지의 리딩시리즈 교재를 통해 총 3,766개의 문장과 10,866개의 단어를 학습하실 수 있습니다.

TOSEL vs 수학능력시험

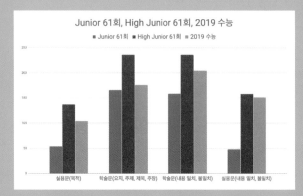

평균적으로 수학 능력 시험 (CSAT) 영어 과목 1등급을 받기 위해 요구되는 단어의 수는 5,000개 이상입니다. TOSEL Reading Series 교재를 통해 학습할 수 있는 단어의 수는 총 10,866개로, 이는 수학 능력 시험을 대비하기에 충분한 숫자입니다. Prestarter, Starter, Basic, Junior, High Junior 레벨의 TOSEL 문항은 각급 학교 내신 시험 및 수학 능력 시험과 높은 문항 일치율을 보인다는 점에서 내신 1등급과 수학 능력 시험 1등급이라는 결과를 동시에 기대할 수 있습니다.

TOSEL® Reading

Junior Book 1

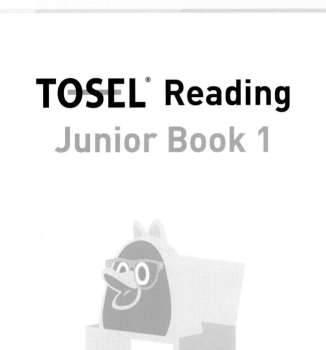

Junior Book 1

ANSWERS

CHAPTER 1 | Neighbors   p.10

UNIT 1 (J1-1) p.11
- ⏱ 1 (C) 2 (B) 3 (B) 4 (A) 5 (D) 6 (D) 7 (D) 8 (B) 9 (D) 10 (A)
- 🎧 1 sign language 2 researcher 3 certain 4 According to 5 allowed 6 looked like
- ✏ 1 sign language 2 researcher 3 certain 4 according to 5 be allowed to 6 look like
- 📄 different, gorilla, sign language, humans
- ▦ → 1 according to 6 look like ↓ 2 certain 3 sign language 4 be allowed to 5 researcher

UNIT 2 (J1-2) p.19
- ⏱ 1 (A) 2 (D) 3 (C) 4 (A) 5 (C) 6 (D) 7 (B) 8 (C) 9 (D) 10 (D)
- 🎧 1 earthquakes 2 chemicals 3 ponds 4 behavior 5 connected 6 perhaps
- ✏ 1 earthquake 2 chemical 3 pond 4 behavior 5 be connected to 6 perhaps
- 📄 earthquakes, act, wonder, behaviors
- ▦ → 1 pond 3 behavior 5 chemical ↓ 1 perhaps 2 be connected to 4 earthquake

UNIT 3 (J1-3) p.27
- ⏱ 1 (B) 2 (D) 3 (C) 4 (C) 5 (C) 6 (C) 7 (D) 8 (C) 9 (B) 10 (C)
- 🎧 1 incredible 2 incredibly 3 flexible 4 hold their breath 5 swallow 6 lungs
- ✏ 1 incredible 2 incredibly 3 flexible 4 swallow 5 hold your breath 6 lungs
- 📄 incredible, flexible, breath, superpowers
- ▦ → 2 lungs 5 incredible ↓ 1 hold your breath 3 flexible 4 swallow 6 incredibly

UNIT 4 (J1-4) p.35
- ⏱ 1 (B) 2 (C) 3 (B) 4 (D) 5 (B) 6 (D) 7 (C) 8 (C) 9 (D) 10 (D)
- 🎧 1 pigeons 2 residents 3 Tame 4 key to 5 crucial 6 In short
- ✏ 1 pigeon 2 resident 3 tame 4 key to 5 crucial 6 in short
- 📄 hate, history, wars, In short
- ▦ → 2 crucial 4 resident 6 key to ↓ 1 pigeon 3 in short 5 tame

CHAPTER 2 | Neighborhood   p.44

UNIT 5 (J1-5) p.45
- ⏱ 1 (A) 2 (B) 3 (C) 4 (A) 5 (A) 6 (A) 7 (D) 8 (C) 9 (A) 10 (D)
- 🎧 1 Athletes 2 mathematician 3 medal 4 ancient 5 criticize 6 honor
- ✏ 1 athlete 2 medal 3 mathematician 4 ancient 5 criticize 6 big honor
- 📄 mathematicians, research, 40, honor
- ▦ → 1 medal 5 big honor ↓ 1 mathmatician 2 athlete 3 ancient 4 criticize

UNIT 6 (J1-6) p.53
- ⏱ 1 (D) 2 (A) 3 (A) 4 (D) 5 (D) 6 (A) 7 (C) 8 (C) 9 (B) 10 (A)
- 🎧 1 statistics 2 predictions 3 diseases 4 cancer 5 strategies 6 make sure
- ✏ 1 statistic 2 make predictions 3 disease 4 cancer 5 strategy 6 make sure
- 📄 statistics, weather, diseases, sports, useful
- ▦ → 5 strategy 6 statistic ↓ 1 cancer 2 make sure 3 disease 4 make predictions

UNIT 7 (J1-7) p.61
- ⏱ 1 (C) 2 (B) 3 (B) 4 (A) 5 (D) 6 (B) 7 (C) 8 (C) 9 (B) 10 (C)
- 🎧 1 equals 2 approximately 3 ratio 4 spirals 5 hurricanes 6 Calculating
- ✏ 1 ratio 2 equal 3 approximately 4 hurricane 5 spiral 6 calculate
- 📄 Ratio, nature, number, world
- ▦ → 1 spiral 5 calculate ↓ 2 approximately 3 hurricane 4 ratio 6 equal

UNIT 8 (J1-8) p.69
- ⏱ 1 (B) 2 (A) 3 (D) 4 (A) 5 (C) 6 (B) 7 (D) 8 (A) 9 (C) 10 (C)
- 🎧 1 barcodes 2 Universal 3 product 4 input 5 add 6 multiply
- ✏ 1 barcode 2 universal 3 product 4 input 5 add 6 multiply
- 📄 Product, 7th, check, mathematical
- ▦ → 3 barcode 5 universal 6 input ↓ 1 product 2 add 4 multiply

CHAPTER 3 | Stadium in My Town   p.78

UNIT 9 (J1-9) p.79
- ⏱ 1 (A) 2 (A) 3 (B) 4 (A) 5 (D) 6 (B) 7 (B) 8 (A) 9 (B) 10 (C)
- 🎧 1 cycle 2 essential 3 puddles 4 vapo 5 At this point 6 some time
- ✏ 1 cycle 2 essential 3 puddle 4 vapor 5 at this point 6 after some time
- 📄 cycle, essential, condenses, ground
- ▦ → 1 essential 4 cycle 5 at this point 6 puddle ↓ 2 after some time 3 vapor

UNIT 10 (J1-10) p.87
- ⏱ 1 (B) 2 (D) 3 (A) 4 (A) 5 (B) 6 (D) 7 (A) 8 (D) 9 (C) 10 (D)
- 🎧 1 speeches 2 participated 3 chosen 4 silly 5 the environment 6 celebration
- ✏ 1 speech 2 participate in 3 be chosen 4 silly 5 environment 6 celebration
- 📄 22, silly, celebration, billion
- ▦ → 1 speech 4 be chosen 5 participate in ↓ 1 silly 2 environment 3 celebration

UNIT 11 (J1-11) p.95
- ⏱ 1 (A) 2 (B) 3 (A) 4 (B) 5 (C) 6 (A) 7 (C) 8 (C) 9 (C) 10 (D)
- 🎧 1 lightning 2 flash 3 bolt 4 helicopters 5 electrical 6 trigger
- ✏ 1 lightning 2 flash 3 lightning bolt 4 electrical current 5 helicopter 6 trigger
- 📄 Lightning, flashes, million, narrow
- ▦ → 1 lightning 4 flash 6 helicopter ↓ 2 trigger 3 electrical current 5 lightning bolt

UNIT 12 (J1-12) p.103
- ⏱ 1 (B) 2 (A) 3 (C) 4 (A) 5 (B) 6 (C) 7 (C) 8 (B) 9 (A) 10 (C)
- 🎧 1 dinosaurs 2 superbugs 3 bacteria 4 digest 5 In fact 6 eliminate
- ✏ 1 dinosaur 2 bacteria 3 superbug 4 digest 5 in fact 6 eliminate
- 📄 helpful, superbugs, medicines, eliminate
- ▦ → 3 superbug 6 in fact ↓ 1 dinosaur 2 digest 4 eliminate 5 bacteria

Chapter 1. **Humans and Animals**

Listening Practice p.16

1 sign language	2 researcher
3 certain	4 According to
5 allowed	6 looked like

Writing Practice p.17

1 sign language	2 researcher
3 certain	4 according to
5 be allowed to	6 look like

Summary different, gorilla, sign language, humans

Word Puzzle p.18

Across

1 according to   6 look like

Down

2 certain   3 sign language

4 be allowed to   5 researcher

💡 **Pre-reading Questions** p.11

Do you think humans and gorillas can have a conversation?

인간과 고릴라가 대화를 나눌 수 있다고 생각하나요?

📖 **Reading Passage** p.12

Animal Communication

Most animals "speak" a different language from humans. A famous exception was Koko. She was a gorilla who learned American sign language. Koko was born in a zoo, and lived most of her life at a special center. From the age of one, Koko learned sign language from a researcher named Penny Patterson. Patterson also taught Koko to recognize spoken English words. Koko could not use grammar in a sentence. However, she could form the signs for certain words. Using that system, she could ask Patterson and other researchers for things she wanted. According to Patterson, Koko asked for a pet. Therefore, in 1983, the researchers brought Koko some kittens. As a birthday present, she was allowed to keep one of them. She chose a small, gray kitten. He looked like a furry ball, so Koko named him "All Ball." After All Ball died, Koko used sign language to get other pets and to "talk" to humans. During her 46 years, Koko represented communication between humans and animals.

동물 의사소통

대부분의 동물은 인간과는 다른 언어를 "말한다." 유명한 예외는 Koko였다. 그녀는 미국 수화를 배운 고릴라였다. Koko는 동물원에서 태어났고, 그녀의 일생 대부분을 특수 센터에서 보냈다. 한 살 때부터, Koko는 Penny Patterson이라는 연구원으로부터 수화를 배웠다. Patterson은 또한 Koko에게 음성 영어 단어를 인식하도록 가르쳤다. Koko는 문장 속에서 문법을 사용하지는 못했다. 하지만, 그녀는 특정한 단어들의 수화 동작을 만들어 낼 수 있었다. 그 방식을 사용하여, 그녀는 Patterson과 다른 연구원들에게 그녀가 원하는 것들을 요구할 수 있었다. Patterson에 따르면, Koko는 애완동물을 요구했다. 그래서, 1983년에, 연구원들은 Koko에게 새끼 고양이 몇 마리를 데려왔다. 생일선물로, 그녀는 그중에 한 마리를 데리고 있는 것이 허락되었다. 그녀는 작고, 회색인 새끼 고양이를 선택했다. 그는 털이 복슬복슬한 공같이 생겨서, Koko는 그를 "All Ball"이라고 이름 지었다. All Ball이 죽은 후, Koko는 다른 애완동물을 얻기 위해 그리고 인간과 "말"하기 위해 수화를 사용했다. 그녀가 살았던 46년 동안, Koko는 인간과 동물 간의 의사소통을 상징했다.

어휘 conversation 대화 | allow 허락하다 | be allowed to V ~하는 것이 허락되다 | swear 맹세하다 | mean-looking 심술궂게 생긴, 사납게 생긴 | kitten 새끼고양이 | sign language 수화, 손짓(몸짓) 언어 | exception 이례; 예외 | be born 태어나다 | researcher 연구원 | recognize (어떤 사람·사물을 보거나 듣고 누구·무엇인지) 알아보다[알다]; 인지하다 | grammar 문법 | sentence 문장 | certain 특정한; 확실한 | according to ~에 따르면 | present 선물; 현재 | furry 털로 덮인 | represent 상징하다; 대표하다 | communication 의사소통 | several (몇)몇의 | identify 식별하다 | material 물질 | proper 적절한 | symbolize 상징하다

⏱ Comprehension Questions   p.13

1. A: Animals are not <u>allowed</u> to come inside.
   B: But my dog is cold.

   (A) allow
   (B) allows
   (C) allowed
   (D) allowing

해석   A: 동물은 안으로 들어올 수 없어.
   B: 하지만 내 개가 추워하는 걸.

   (A) 허락하다
   (B) 허락하다
   (C) 허락된
   (D) 허락하는

풀이   동사 'allow'의 수동형을 사용하여 'be allowed to V'라는 표현을 통해 '~하는 것이 허락되다'라는 뜻을 나타낼 수 있다. 따라서 (C)가 정답이다. (D)는 능동형을 사용하면 동물들이 허락한다는 의미가 되어 문맥상 어색하므로 오답이다.

관련 문장   As a birthday present, she was allowed to keep one of them.

2. A: I swear that mean-looking monkey talked to me.
   B: Monkeys can't talk, <u>can they</u>?

   (A) do they
   (B) can they
   (C) can't they
   (D) don't they

해석   A: 저 심술궂게 생긴 원숭이가 나에게 말을 했다고 맹세해.
   B: 원숭이들은 말을 할 수 없어, <u>그렇잖아</u>?

   (A) 조동사 do + 3인칭 복수 대명사 they
   (B) 조동사 can + 3인칭 복수 대명사 they
   (C) 조동사 can의 부정형 + 3인칭 복수 대명사 they
   (D) 조동사 do의 부정형 + 3인칭 복수 대명사 they

풀이   '그렇지?, 그렇지 않니?' 등을 의미하는 부가의문문은 '앞 문장의 조동사 + (not) + 앞 문장의 주어를 가리키는 인칭대명사'의 구조를 띤다. 앞 문장의 주어가 3인칭 복수이고, 조동사는 'can'이며, 앞 문장이 부정문이므로 긍정형으로 쓴 (B)가 정답이다. (C)는 앞 문장이 부정문이면 부가의문문의 조동사는 긍정형이어야 하므로 오답이다.

3. A cute little <u>kitten</u> is holding a fish in its mouth.

   (A) koala
   (B) kitten
   (C) puppy
   (D) penguin

해석   작고 귀여운 <u>새끼 고양이</u>가 입에 생선을 물고 있다.

   (A) 코알라
   (B) 새끼 고양이
   (C) 강아지
   (D) 펭귄

풀이   물고기를 물고 있는 새끼 고양이의 모습이므로 (B)가 정답이다.

관련 문장   She chose a small, gray kitten.

4. I'm learning <u>sign</u> language from my friend.

   (A) sign
   (B) help
   (C) stop
   (D) hand

해석   나는 내 친구에게서 <u>손짓[몸짓]</u> 언어를 배우고 있다.

   (A) 손짓[몸짓]
   (B) 도움
   (C) 멈춤
   (D) 손

풀이   손의 움직임과 몸짓 등으로 소통하는 언어인 수화를 배우고 있는 모습이다. 수화는 영어로 'sign language'이므로 (A)가 정답이다.

관련 문장   She was a gorilla who learned American sign language.

[5-6]

Animals That Could "Speak"

Hoover the Seal
- Where Maine, USA
- When 1971-1985
Had several children, but they could not talk.

Blackie the Cat
- Where Georgia, USA
- When 1980s
Was trained to say "I love you" and "I want my mama."

Alex the Parrot
- Where Illinois, USA
- When 1976-2007
Could identify 50 different objects. Knew colors, shapes, and materials.

Lucy the Chimp
- Where Oklahoma, USA
- When 1964-1987
Knew 250 American Sign Language signs.

해석

"말"할 수 있는 동물들

물개 Hoover	고양이 Blackie
• 어디에서 메인 주, 미국	• 어디에서 조지아 주, 미국
• 언제 1971-1985	• 언제 1980년대
여러 새끼들이 있었지만, 그들은 말할 줄 몰랐음.	"사랑해"와 "나의 엄마를 원해요"를 말하도록 훈련되었음.

앵무새 Alex	침팬지 Lucy
• 어디에서 일리노이 주, 미국	• 어디에서 오클라호마 주, 미국
• 언제 1976-2007	• 언제 1964-1987
50개의 다른 대상들을 식별할 수 있었음. 색깔들, 모양들, 그리고 물질들을 알았음.	250개의 미국 수화 동작을 알았음.

5. What is true about the animals?

(A) Two were birds.
(B) None could walk.
(C) Three lived underwater.
(D) All four lived in America.

해석 동물들에 관해 옳은 설명은 무엇인가?

(A) 두 마리는 새였다.
(B) 아무도 걸을 수 없었다.
(C) 세 마리는 물 속에 살았다.
(D) 네 마리 모두 미국에 살았다.

풀이 'Where'에서 네 마리 동물 모두 'USA'라고 나와 있으므로 (D)가 정답이다. (A)는 'Alex the Parrot'만 새이므로 오답이다.

6. According to the passage, which of the following is NOT true?

(A) Blackie lived in the 1980s.
(B) Alex lived to be 31 years old.
(C) Lucy knew some sign language.
(D) Hoover taught his children to talk.

해석 지문에 따르면, 다음 중 옳지 않은 설명은 무엇인가?

(A) Blackie는 1980년대에 살았다.
(B) Alex는 31살까지 살았다.
(C) Lucy는 몇몇 수화를 알았다.
(D) Hoover는 새끼들에게 말하기를 가르쳤다.

풀이 'Had several children, but they could not talk.'를 통해서는 Hoover가 직접 말하기를 가르쳤는지 알 수 없고, Hoover의 새끼들은 말을 하지 못했다고 했으므로 (D)가 정답이다. (A)는 '1980s'에서, (B)는 '1976-2007'에서, (C)는 'Knew 250 American Sign Language signs'에서 확인할 수 있으므로 오답이다.

[7-10]

Most animals "speak" a different language from humans. A famous exception was Koko. She was a gorilla who learned American sign language. Koko was born in a zoo, and lived most of her life at a special center. From the age of one, Koko learned sign language from a researcher named Penny Patterson. Patterson also taught Koko to recognize spoken English words. Koko could not use grammar in a sentence. However, she could form the signs for certain words. Using that system, she could ask Patterson and other researchers for things she wanted. According to Patterson, Koko asked for a pet. Therefore, in 1983, the researchers brought Koko some kittens. As a birthday present, she was allowed to keep one of them. She chose a small, gray kitten. He looked like a furry ball, so Koko named him "All Ball." After All Ball died, Koko used sign language to get other pets and to "talk" to humans. During her 46 years, Koko represented communication between humans and animals.

해석

대부분의 동물은 인간과는 다른 언어를 "말한다." 유명한 예외는 Koko였다. 그녀는 미국 수화를 배운 고릴라였다. Koko는 동물원에서 태어났고, 그녀의 일생 대부분을 특수 센터에서 보냈다. 한 살 때부터, Koko는 Penny Patterson이라는 연구원으로부터 수화를 배웠다. Patterson은 또한 Koko에게 음성 영어 단어를 인식하도록 가르쳤다. Koko는 문장 속에서 문법을 사용하지는 못했다. 하지만, 그녀는 특정한 단어들의 수화 동작을 만들어 낼 수 있었다. 그 방식을 사용하여, 그녀는 Patterson과 다른 연구원들에게 그녀가 원하는 것들을 요구할 수 있었다. Patterson에 따르면, Koko는 애완동물을 요구했다. 그래서, 1983년에, 연구원들은 Koko에게 새끼 고양이 몇 마리를 데려왔다. 생일선물로, 그녀는 그중에 한 마리를 데리고 있는 것이 허락되었다. 그녀는 작고, 회색인 새끼 고양이를 선택했다. 그는 털이 복슬복슬한 공같이 생겨서, Koko는 그를 "All Ball"이라고 이름 지었다. All Ball이 죽은 후, Koko는 다른 애완동물을 얻기 위해 그리고 인간과 "말" 하기 위해 수화를 사용했다. 그녀가 살았던 46년 동안, Koko는 인간과 동물 간의 의사소통을 상징했다.

7. What would be the best title for the passage?

    (A) How Koko Got a Cat
    (B) A Gorilla's Favorite Food
    (C) Why Humans Love Animals
    (D) The Gorilla Who Could "Talk"

해석 지문에 가장 적절한 제목은 무엇인가?

    (A) Koko가 고양이를 얻은 방법
    (B) 고릴라가 특히 좋아하는 음식
    (C) 왜 인간은 동물들을 사랑하는가
    (D) "말"할 수 있었던 고릴라

유형 전체 내용 파악

풀이 수화를 이용하여 인간과 말할 수 있었던 고릴라 Koko에
관해 중점적으로 다루고 있는 글이다. Koko에게 누가 수화를
가르쳤고, Koko가 어떻게 수화를 사용했는지 서술하고 있다.
따라서 (D)가 정답이다. (A)는 글의 전체 내용이 아니라 일부만을
반영하는 제목이므로 오답이다.

8. According to the passage, what is true about Koko?

    (A) She learned to recognize Spanish.
    (B) She learned sign language from Patterson.
    (C) She first used sign language when she was two.
    (D) She could make sentences with proper grammar.

해석 지문에 따르면, Koko에 관해 옳은 설명은 무엇인가?

    (A) 스페인어를 인지하는 것을 배웠다.
    (B) Patterson으로부터 수화를 배웠다.
    (C) 두 살 때 처음 수화를 사용하였다.
    (D) 적절한 문법으로 문장을 만들 수 있었다.

유형 세부 내용 파악

풀이 'From the age of one, Koko learned sign language from a
researcher named Penny Patterson.'에서 Patterson이 Koko
에게 수화를 가르쳤다는 사실을 알 수 있으므로 (B)가 정답이다.
(A)는 스페인어가 아니라 영어 단어를 배웠으므로 오답이다.
(C)는 Koko가 한 살 때부터 수화를 배웠으므로 오답이다. (D)는
'Koko could not use grammar in a sentence.'에서 문장
속에서 문법은 사용할 줄 몰랐다고 했으므로 오답이다.

9. According to the passage, what kind of cat did Koko
    choose?

    (A) a big one
    (B) an ill one
    (C) an old one
    (D) a gray one

해석 지문에 따르면, Koko는 어떤 고양이를 선택했는가?

    (A) 큰 것
    (B) 아픈 것
    (C) 나이든 것
    (D) 회색인 것

유형 세부 내용 파악

풀이 'She chose a small, gray kitten.'에서 Koko가 선택한 고양이가
작고 회색이라는 것을 알 수 있으므로 (D)가 정답이다.

10. According to the passage, why did Koko use sign
    language?

    (A) to get a pet
    (B) to drive a car
    (C) to make a movie
    (D) to go to the jungle

해석 지문에 따르면, Koko는 왜 수화를 사용했는가?

    (A) 애완동물을 얻기 위해
    (B) 자동차를 운전하기 위해
    (C) 영화를 만들기 위해
    (D) 정글에 가기 위해

유형 세부 내용 파악

풀이 'According to Patterson, Koko asked for a pet.', 'After All
Ball died, Koko used sign language to get other pets and
to "talk" to humans.'에서 KoKo가 애완동물을 얻기 위해
수화를 사용하였다는 것을 알 수 있으므로 (A)가 정답이다.

 Listening Practice   ▶ J1-1   p.16

Most animals "speak" a different language from
humans. A famous exception was Koko. She was a
gorilla who learned American sign language. Koko was
born in a zoo, and lived most of her life at a special
center. From the age of one, Koko learned sign language
from a researcher named Penny Patterson. Patterson
also taught Koko to recognize spoken English words.
Koko could not use grammar in a sentence. However,
she could form the signs for certain words. Using that
system, she could ask Patterson and other researchers
for things she wanted. According to Patterson, Koko
asked for a pet. Therefore, in 1983, the researchers
brought Koko some kittens. As a birthday present,
she was allowed to keep one of them. She chose a
small, gray kitten. He looked like a furry ball, so Koko
named him "All Ball." After All Ball died, Koko used sign
language to get other pets and to "talk" to humans.
During her 46 years, Koko represented communication
between humans and animals.

1. sign language

2. researcher

3. certain

4. According to

5. allowed

6. looked like

✏️ Writing Practice   p.17

1. sign language
2. researcher
3. certain
4. according to
5. be allowed to
6. look like

📄 Summary

Most animals "speak" a <u>different</u> language from humans. However, a <u>gorilla</u> named Koko learned American <u>sign language</u>. Koko symbolized communication between <u>humans</u> and animals.

대부분의 동물들은 인간과는 <u>다른</u> 언어를 "말한다." 하지만, Koko 라는 이름의 <u>고릴라</u>는 미국 <u>수화</u>를 배웠다. Koko는 <u>인간</u>과 동물 사이의 의사소통을 상징했다.

🔲 Word Puzzle   p.18

Across

1. according to
6. look like

Down

2. certain
3. sign language
4. be allowed to
5. researcher

Unit 2 | Animals and Earthquakes   p.19

Part A. Sentence Completion   p.21

  1 (A)   2 (D)

Part B. Situational Writing   p.21

  3 (C)   4 (A)

Part C. Practical Reading and Retelling   p.22

  5 (C)   6 (D)

Part D. General Reading and Retelling   p.23

  7 (B)   8 (C)   9 (D)   10 (D)

Listening Practice   p.24

1 earthquakes	2 chemicals
3 ponds	4 behavior
5 connected	6 perhaps

Writing Practice   p.25

1 earthquake	2 chemical
3 pond	4 behavior
5 be connected to	6 perhaps

Summary earthquakes, act, wonder, behaviors

Word Puzzle   p.26

Across

1 pond	3 behavior
5 chemical	

Down

1 perhaps	2 be connected to
4 earthquake	

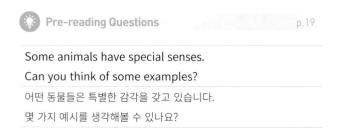

💡 Pre-reading Questions   p.19

Some animals have special senses.
Can you think of some examples?
어떤 동물들은 특별한 감각을 갖고 있습니다.
몇 가지 예시를 생각해볼 수 있나요?

📖 Reading Passage
p.20

Animals and Earthquakes

Animals may know when earthquakes will happen. Some animals act strangely before there are earthquakes. In 2009, people in Italy noticed many toads leaving their pond. This was not normal. A few days later, there was an earthquake. Scientists believe these events were related. Before an earthquake, chemicals in the earth sometimes mix with water in ponds and lakes. Scientists think that animals who live near them can feel the changes in the water and leave. Animals that live in the ground may also know when an earthquake is coming. In 1975, in China, many people saw snakes coming out of the ground. This was strange because it happened in winter when the snakes were having their winter sleep. One month later, there was an earthquake in the area. Scientists want to learn how this animal behavior is connected to earthquakes. Then perhaps they could guess when there will be an earthquake in the future.

동물과 지진

동물들은 언제 지진이 일어날지 알고 있을지도 모른다. 어떤 동물들은 지진이 있기 전에 이상하게 행동한다. 2009년에, 이탈리아의 사람들은 많은 두꺼비들이 연못을 떠나는 것을 알아챘다. 이것은 정상적인 것이 아니었다. 며칠이 지나고, 지진이 있었다. 과학자들은 이 사건들이 연관되어 있다고 믿는다. 지진 전에, 지면의 화학물질들은 때때로 연못과 호수의 물과 섞인다. 과학자들은 그곳들 가까이 사는 동물들이 물의 변화를 느낄 수 있어서 떠난다고 생각한다. 땅속에 사는 동물들 또한 지진이 언제 오는지 알 수도 있다. 1975년, 중국에서, 많은 사람들이 뱀들이 땅속에서 나오는 것을 보았다. 이것은 기이한 일이었는데 왜냐하면 그 일은 뱀들이 겨울잠을 자고 있었던 겨울에 일어났기 때문이다. 한 달 후에, 그 지역에서 지진이 일어났다. 과학자들은 이러한 동물의 행동이 지진과 어떻게 연관되어 있는지 알고 싶어 한다. 그러면 아마도 그들은 미래에 지진이 언제 있을 것인지 추측할 수 있을 것이다.

어휘 sense 감각; 감지하다 | sensibility 감성 | chipmunk 얼룩 다람쥐 | notice 알아차리다 | sink 개수대 | pond 연못 | chemical 화학물질 | mix 섞다 | earthquake 지진 | strangely 이상하게 | toad 두꺼비 | normal 정상적인 | be related to ~와 관련/관계있다 | scientist 과학자 | behavior 행동 | be connected to ~와 연결되다 | perhaps 아마, 어쩌면 | guess 추측하다 | disaster 재해 | prepare 준비하다[시키다]; 대비 [채비/각오]하다 | protect 보호하다 | first aid 응급처치 | waterproof 방수 | container (물건을 담을 수 있는) 용기 | collar (개)목걸이 | leash 목줄 | medication 약물 | veterinarian 수의사 | organization 조직(체), 단체, 기구 | current 최근의; 현재의 | effect 영향 | flood 홍수

⏱ Comprehension Questions
p.21

1. A: I wanted to see chipmunks, but there are none!
   B: They sleep in their homes <u>in</u> winter.

   (A) in
   (B) while
   (C) when
   (D) since

해석 A: 얼룩 다람쥐를 보고 싶었는데, 한 마리도 없어!
   B: 걔네는 겨울<u>에</u> 자기 집에서 잠을 자.

   (A) ~에
   (B) ~ 동안
   (C) ~할 때
   (D) ~ 이후

풀이 계절 앞에 전치사 'in'을 사용하여 '~에'라는 뜻을 나타내므로 (A)가 정답이다. (B)와 (C)는 접속사이기 때문에, 명사가 아닌 절이 뒤에 와야 적절하므로 오답이다. (D)는 '~ 이래로'라는 뜻을 나타내는 'since'가 완료형 시제와 쓰여야 적절하므로 오답이다.

새겨 두기 '~ 동안'이라는 뜻을 나타낼 때 전치사 'during'을 사용하여 'during winter'라고 표현할 수 있다. 전치사 'during' 뒤에는 명사, 접속사 'while' 뒤에는 절이 온다는 차이점에 주목한다.

관련 문장 This was strange because it happened in winter when the snakes were having their winter sleep.

2. A: Did you notice our dog <u>running</u> in circles for hours yesterday?
   B: Maybe he sensed something bad.

   (A) runs
   (B) it ran
   (C) to run
   (D) running

해석 A: 우리 개가 어제 몇 시간 동안 빙빙 돌며 <u>달리는</u> 것을 알아차렸니?
   B: 아마도 그가 뭔가 나쁜 걸 감지했나 봐.

   (A) 달리다
   (B) 그것이 달렸다
   (C) 달리기
   (D) 달리는

풀이 동사 'notice'가 지각동사이므로 동사원형이나 현재분사를 사용하여 'notice A V[V-ing]'의 구조로 'A가 V하는[하고 있는] 것을 알아차리다'라는 뜻을 나타낸다. 따라서 (D)가 정답이다. (C)는 'to + 동사원형'의 부정사로 지각동사와 함께 쓰이면 어색하므로 오답이다.

관련 문장 In 2009, people in Italy noticed many toads leaving their pond.

3. The animals are resting by a <u>pond</u>.

    (A) sink
    (B) river
    (C) pond
    (D) ocean

해석 동물들이 <u>연못</u> 옆에서 쉬고 있다.

    (A) 개수대
    (R) 강
    (C) 연못
    (D) 바다

풀이 연못 근처에서 동물들이 쉬고 있으므로 (C)가 정답이다.

관련 문장 In 2009, people in Italy noticed many toads leaving
their pond.

4. Be careful when you <u>mix</u> chemicals in the lab.

    (A) mix
    (B) burn
    (C) drink
    (D) wash

해석 실험실에서 화학물질을 <u>섞을</u> 때 조심해.

    (A) 섞다
    (B) 태우다
    (C) 마시다
    (D) 씻다

풀이 과학자가 화학 물질을 섞고 있는 모습이므로 (A)가 정답이다.

관련 문장 Before an earthquake, chemicals in the earth
sometimes mix with water in ponds and lakes.

[5-6]

Natural disasters, like hurricanes and tornadoes, can happen anytime.
That's why it's important to be prepared. To protect your cat or dog, you
can prepare an emergency box of supplies.

Emergency kits should include:
1. A good, current photo ID of your cat or dog
2. First aid supplies & guide book
3. 3-day supply of cat or dog food in a waterproof container
   (be sure to replace food supply to assure it's fresh)
4. Bottled water
5. 2 bowls for pet food and water
6. A safety collar and leash
7. Waste clean-up supplies
8. Medications and medical records (vaccination records)
9. Information of veterinarian and pet care organizations
10. The owner's name, phone, and address

해석

허리케인과 토네이도 같은, 자연재해는 언제든지 일어날
수 있다. 그것이 바로 준비되어 있어야 하는 것이 중요한
이유다. 당신의 개와 고양이를 보호하기 위해, (응급)용품이 든
구급상자를 준비할 수 있다.

구급 키트는 다음의 것들을 포함해야 한다:

1. 상태가 좋은, 최근 고양이 또는 강아지 신분 사진

2. 응급처치 용품 & 안내 책자

3. 방수 용기 안에 든 개나 고양이 사료 3일분
   (신선함을 보증하기 위해 사료를 꼭 교체하라)

4. 병에 든 생수

5. 반려동물 사료 및 물 그릇 2개

6. 안전 목걸이와 목줄

7. 쓰레기 처리 용품

8. 약물과 진료 내역 (예방접종 내역)

9. 수의사와 반려동물 보호시설에 관한 정보

10. 주인의 이름, 전화번호, 주소

5. According to the passage, what is NOT something that
    you should have in the emergency box for your pets?

    (A) safety collar and leash
    (B) two bowls of pet food and water
    (C) the contact information of your friend
    (D) a current photo ID of your cat or dog

해석 지문에 따르면, 반려동물 구급 상자에 챙겨야 할 것이 아닌 것은
무엇인가?

    (A) 안전 목걸이와 목줄
    (B) 반려동물 사료 및 물 그릇 두 개
    (C) 친구의 연락 정보
    (D) 고양이나 개의 최근 신분증 사진

풀이 구급상자 물품 목록 중 10번에서 주인의 연락 정보에 관한 정보만
언급되고, (주인) 친구의 연락 정보는 포함되어 있지 않으므로
(C)가 정답이다. (A)는 6번에서, (B)는 5번에서, (D)는 1번에서
확인할 수 있는 항목이므로 오답이다.

6. What is a good title for the list?

(A) How Disasters Affect Our Lives
(B) Finding Dogs During a Disaster
(C) Natural Disasters: Family Safety
(D) Pet Safety: Preparing for Disasters

해석 목록에 알맞은 제목은 무엇인가?

(A) 재난이 우리 삶에 어떻게 영향을 미치는가
(B) 재난 중 개들 찾기
(C) 자연 재해: 가족의 안전
(D) 반려동물의 안전: 재난에 대비하기

풀이 'Natural disasters, […]. To protect your cat or dog, you can prepare an emergency box of supplies.'에서 해당 목록은 재난 대비 반려동물용 구급상자 물품 목록이라는 사실을 알 수 있다. 또한 'cat, dog, pet food, collar, leash, owner' 등의 단어를 통해서도 이를 추측할 수 있으므로 (D)가 정답이다.

[7-10]

Animals may know when earthquakes will happen. Some animals act strangely before there are earthquakes. In 2009, people in Italy noticed many toads leaving their pond. This was not normal. A few days later, there was an earthquake. Scientists believe these events were related. Before an earthquake, chemicals in the earth sometimes mix with water in ponds and lakes. Scientists think that animals who live near them can feel the changes in the water and leave. Animals that live in the ground may also know when an earthquake is coming. In 1975, in China, many people saw snakes coming out of the ground. This was strange because it happened in winter when the snakes were having their winter sleep. One month later, there was an earthquake in the area. Scientists want to learn how this animal behavior is connected to earthquakes. Then perhaps they could guess when there will be an earthquake in the future.

해석

동물들은 언제 지진이 일어날지 알고 있을지도 모른다. 어떤 동물들은 지진이 있기 전에 이상하게 행동한다. 2009년에, 이탈리아의 사람들은 많은 두꺼비들이 연못을 떠나는 것을 알아챘다. 이것은 정상적인 것이 아니었다. 며칠이 지나고, 지진이 있었다. 과학자들은 이 사건들이 연관되어 있다고 믿는다. 지진 전에, 지면의 화학물질들은 때때로 연못과 호수의 물과 섞인다. 과학자들은 그곳들 가까이 사는 동물들이 물의 변화를 느낄 수 있어서 떠난다고 생각한다. 땅속에 사는 동물들 또한 지진이 언제 오는지 알 수도 있다. 1975년, 중국에서, 많은 사람들이 뱀들이 땅속에서 나오는 것을 보았다. 이것은 기이한 일이었는데 왜냐하면 그 일은 뱀들이 겨울잠을 자고 있었던 겨울에 일어났기 때문이다. 한 달 후에, 그 지역에서 지진이 일어났다. 과학자들은 이러한 동물의 행동이 지진과 어떻게 연관되어 있는지 알고 싶어 한다. 그러면 아마도 그들은 미래에 지진이 언제 있을 것인지 추측할 수 있을 것이다.

7. What is the main idea of the passage?

(A) Animals leave their ponds after earthquakes.
(B) Animals may know that earthquakes are coming.
(C) Animals change their shape before an earthquake.
(D) Animals come out of the ground only during earthquakes.

해석 지문의 요지는 무엇인가?

(A) 동물들은 지진 후에 그들의 연못을 떠난다.
(B) 동물들은 지진이 온다는 것을 알고 있을지도 모른다.
(C) 동물들은 지진 전에 그들의 생김새를 바꾼다.
(D) 동물들은 지진 동안에만 땅에서 나온다.

유형 전체 내용 파악

풀이 첫 두 문장 'Animals may know when earthquakes will happen. Some animals act strangely before there are earthquakes.'에서 동물이 지진이 일어나기 전에 보이는 이상 행동이라는 주제가 드러나고 있다. 그 후에 2009년 이탈리아와 1975년 중국에서 관찰된 동물들의 지진 발생 전 이상 행동에 관해 차례대로 설명하고 있으므로 (B)가 정답이다. (A)는 지진 후가 아닌 전에 떠난다고 하였고, 글의 일부만을 반영하는 문장이므로 오답이다.

8. According to the passage, what happened in Italy in 2009?

(A) Snakes died underground.
(B) Toads swam deeper into their pond.
(C) Toads went far away from their pond.
(D) Snakes and toads came out of the ground.

해석 지문에 따르면, 2009년에 이탈리아에서 일어난 일은 무엇인가?

(A) 뱀들이 땅속에서 죽었다.
(B) 두꺼비들이 연못 속으로 더 깊이 헤엄쳐 들어갔다.
(C) 두꺼비들이 연못으로부터 멀리 떠났다.
(D) 뱀과 두꺼비들이 땅속에서 나왔다.

유형 세부 내용 파악

풀이 'In 2009, people in Italy noticed many toads leaving their pond.'에서 2009년 이탈리아에서 두꺼비들이 연못을 떠났다는 것을 알 수 있으므로 (C)가 정답이다.

9. According to the passage, why was it strange for snakes to come out of the ground in 1975?

(A) They never come out of the ground.
(B) They usually like it when the ground shakes.
(C) They often move around to find other homes.
(D) They usually sleep underground during winter.

해석 지문에 따르면, 1975년에 뱀들이 땅속에서 나온 것이 이상했던 이유는 무엇인가?

(A) 그들은 땅속에서 절대 나오지 않는다.
(B) 그들은 보통 땅이 흔들리는 것을 좋아한다.
(C) 그들은 다른 거처를 찾기 위해 종종 돌아다닌다.
(D) 그들은 보통 겨울 동안 땅속에서 잠을 잔다.

유형 세부 내용 파악

풀이 'In 1975, in China, many people saw snakes coming out of the ground. This was strange because it happened in winter when the snakes were having their winter sleep.' 에서 이 현상이 이상했던 이유는 뱀들이 본래 잠자고 있어야 할 겨울에 땅 밖으로 나왔기 때문이라고 하고 있으므로 (D)가 정답이다.

10. According to the passage, what might scientists study more closely?

(A) the effects of floods on animals
(B) people's behavior in China and Italy
(C) chemicals in the earth during earthquakes
(D) animal behavior around the time of earthquakes

해석 지문에 따르면, 과학자들은 무엇을 더 면밀하게 연구하겠는가?

(A) 홍수가 동물들에게 미치는 영향
(B) 중국과 이탈리아에서의 사람들의 행동
(C) 지진 동안 지면의 화학물질
(D) 지진 발생 무렵의 동물의 행동

유형 세부 내용 파악

풀이 마지막 부분 'Scientists want to learn how this animal behavior is connected to earthquakes.'에서 과학자들이 동물의 행동과 지진 발생의 연관성을 더 알고 싶어 한다고 언급하였으므로 (D)가 정답이다.

 Listening Practice ▶ J1-2   p.24

Animals may know when <u>earthquakes</u> will happen. Some animals act strangely before there are earthquakes. In 2009, people in Italy noticed many toads leaving their pond. This was not normal. A few days later, there was an earthquake. Scientists believe these events were related. Before an earthquake, <u>chemicals</u> in the earth sometimes mix with water in <u>ponds</u> and lakes. Scientists think that animals who live near them can feel the changes in the water and leave. Animals that live in the ground may also know when an earthquake is coming. In 1975, in China, many people saw snakes coming out of the ground. This was strange because it happened in winter when the snakes were having their winter sleep. One month later, there was an earthquake in the area. Scientists want to learn how this animal <u>behavior</u> is <u>connected</u> to earthquakes. Then <u>perhaps</u> they could guess when there will be an earthquake in the future.

1. earthquakes
2. chemicals
3. ponds
4. behavior
5. connected
6. perhaps

 Writing Practice   p.25

1. earthquake
2. chemical
3. pond
4. behavior
5. be connected to
6. perhaps

📄 Summary

Animals may know when <u>earthquakes</u> will happen. Some animals <u>act</u> strangely before earthquakes. Scientists <u>wonder</u> how these animal <u>behaviors</u> are related to earthquakes.

동물들은 언제 <u>지진</u>이 일어날지 알고 있을지도 모른다. 어떤 동물들은 지진 전에 이상하게 <u>행동한다</u>. 과학자들은 이러한 동물 <u>행동</u>이 지진과 어떻게 관련되어 있는지 <u>궁금해한다</u>.

Word Puzzle p.26

Across

1. pond
3. behavior
5. chemical

Down

1. perhaps
2. be connected to
4. earthquake

Unit 3 | Super Babies p.27

Part A. Sentence Completion p.29

1 (B)   2 (D)

Part B. Situational Writing p.29

3 (C)   4 (C)

Part C. Practical Reading and Retelling p.30

5 (C)   6 (C)

Part D. General Reading and Retelling p.31

7 (D)   8 (C)   9 (B)   10 (C)

Listening Practice p.32

1 incredible   2 incredibly
3 flexible   4 hold their breath
5 swallow   6 lungs

Writing Practice p.33

1 incredible   2 incredibly
3 flexible   4 swallow
5 hold your breath 6 lungs
Summary incredible, flexible, breath, superpowers

Word Puzzle p.34

Across

2 lungs   5 incredible

Down

1 hold your breath 3 flexible
4 swallow   6 incredibly

 Pre-reading Questions p.27

Did you know that babies have special powers?

What could you do when you were a baby that you cannot do now?

아기들에게 특별한 능력이 있다는 사실을 알았나요?

지금은 할 수 없지만 당신이 아기였을 때 할 수 있었던 것에는 무엇이 있나요?

Reading Passage p.28

Super Babies

Babies are amazing. They have superpowers that adults do not have. Here are some of the incredible things that babies can do. First, they are incredibly flexible. Adults have only 206 bones, but babies have around 300 bones in their bodies. As babies grow, their bones connect. Before this, the body of a baby can bend very easily. Babies can even put their feet in their mouths! Another superpower of young babies happens when they are underwater. When babies are put into water, they hold their breath and begin to make swimming movements without even thinking. They lose this ability when they are about six months old. Babies can also swallow and breathe at the same time. When babies swallow, the opening to their lungs is not blocked. Older children and adults find this action impossible, because the inside of their mouth is different from a baby's mouth. These and other baby superpowers are lost as people get older.

슈퍼베이비

아기들은 놀랍다. 그들에게는 성인들이 가지고 있지 않은 초능력이 있다. 아기들이 할 수 있는 몇 가지 엄청난 것들은 다음과 같다. 먼저, 그들은 믿을 수 없을 정도로 유연하다. 성인에게는 206개의 뼈밖에 없지만, 아기들은 몸에 대략 300개의 뼈가 있다. 아기들이 자라면서 뼈들은 붙는다. 이것이 일어나기 전에는, 아기의 몸은 매우 쉽게 구부러질 수 있다. 아기들은 심지어 그들의 발을 입에 넣을 수도 있다! 어린 아기의 또 다른 초능력은 물속에 있을 때 나타난다. 아기들이 물에 잠길 때, 그들은 생각조차 하지 않고 숨을 참으며 수영 동작을 하기 시작한다. 그들은 이러한 능력을 6개월 즈음에 잃는다. 아기들은 또한 삼키고 숨 쉬는 것을 동시에 할 수 있다. 아기들이 삼킬 때, 폐의 개구부가 막히지 않는다. 나이가 더 많은 아이들과 성인들은 이 동작이 불가능하다고 여기는데, 왜냐하면 그들의 입 내부는 아기의 입과 다르기 때문이다. 이런 것(능력)들과 아기들의 다른 초능력들은 사람이 나이가 들면서 사라진다.

어휘 breathe 숨쉬다 | bone 뼈 | species 종 | silly 어리석은 | alligator 악어 | lighten 밝히다 | step on 올라서다 | swallow 삼키다 | lay down 내려놓다 | knee 무릎 | stretch 뻗다; 늘이다 | lift 들다 | hug 안다 | bend 굽히다 | straighten 똑바르게 하다 | incredible (믿기 힘들 정도로) 굉장한, 놀라운, 엄청난 | incredibly 믿을 수 없을 정도로, 엄청나게 | flexible 유연한; 신축성 있는 | connect 이어지다, 연결되다; 연결하다 | movement 움직임 | lose 잃어버리다 | ability 능력 | lung 폐 | impossible 불가능한 | appear 등장하다 | shape 생김새 | crawl 기다 | quickly 빨리 | oxygen 산소 | tubular 관[튜브]로 된; 관[튜브] 모양의 | fantastic 기막히게 좋은, 환상적인, 엄청난, 굉장한 | awesome 경탄할 만한, 어마어마한, 기막히게 좋은 | phenomenal 경이적인, 경탄스러운

 Comprehension Questions   p.29

1. A: How long can you hold <u>your</u> breath underwater?
   B: I don't know. Maybe two minutes.

   (A) its
   (B) your
   (C) one's
   (D) these

   해석 A: 물 속에서 얼마나 오래 <u>너의</u> 숨을 참을 수 있니?
   B: 글쎄. 아마 2분 정도.

   (A) 그것의
   (B) 너의
   (C) ~의
   (D) 이(것들)

   풀이 '숨을 참다'라는 뜻을 나타낼 때 'hold one's breath'라는 표현을 사용한다. 여기서 숨을 참는 주체인 주어가 'you'이기 때문에 명사 'breath'를 수식하는 소유격도 'your'가 되어야 한다. 따라서 (B)가 정답이다. (C)는 소유격 형태이지만 불특정한 대상을 지칭할 때 사용하므로 오답이다.

   새겨 두기 불특정 대상을 지칭할 때 사용하는 대명사 'one'은 3인칭이라는 점에 유의한다.

   관련 문장 When babies are put into water, they hold their breath […]

2. A: Interesting fact: adults have <u>fewer</u> bones than babies.
   B: What? Are babies a different species?

   (A) few
   (B) little
   (C) least
   (D) fewer

   해석 A: 흥미로운 사실: 성인들은 아기보다 뼈의 개수가 <u>더 적다</u>.
   B: 뭐? 아기들은 다른 종족인가?

   (A) 거의 없는
   (B) 거의 없는
   (C) 최소한의
   (D) ~보다 적은

   풀이 빈칸에는 셀 수 있는 명사 'bones'를 꾸밀 수 있는 수식어가 들어가야 한다. 또한 접속사 'than'이 있어 비교급 형태를 써야 하므로 (D)가 정답이다.

   새겨 두기 의미는 '거의 없는'으로 같지만 셀 수 있는 명사를 꾸미는 'few'와 셀 수 없는 명사를 꾸미는 'little'의 차이점을 알아두자. 각각의 비교급과 최상급 형태가 'few-fewer-fewest', 'little-less-least'인 것도 함께 기억해 두자.

   관련 문장 Adults have only 206 bones, but babies have around 300 bones in their bodies.

3. This silly alligator is trying to <u>swallow</u> the sun!

   (A) lighten
   (B) step on
   (C) swallow
   (D) lay down

   해석 이 어리석은 악어는 태양을 <u>삼키려</u> 하고 있어!

   (A) 밝히다
   (B) 올라서다
   (C) 삼키다
   (D) 내려놓다

   풀이 악어가 태양을 삼키려 하는 듯한 모습이므로 (C)가 정답이다.

   관련 문장 Babies can also swallow and breathe at the same time.

4. <u>Bend</u> your front knee like this and stretch your arms in the air.

   (A) Lift
   (B) Hug
   (C) Bend
   (D) Straighten

   해석 이렇게 앞 무릎을 <u>굽히고</u> 하늘로 팔을 쭉 뻗으세요.

   (A) 들다
   (B) 안다
   (C) 굽히다
   (D) 똑바르게 하다

   풀이 앞 무릎을 굽히고 있으므로 (C)가 정답이다.

   관련 문장 Before this, the body of a baby can bend very easily.

[5-6]

해석

초능력

Nak-Nak은 초인들로 구성된 Bonn 가족의 아기이다. Bonn 가족은 'The Awesomes'라는 만화책에 등장한다. 이 만화에서, Nak-Nak은 다른 어떤 Bonn 가족 구성원들보다 더 많은 힘을 가지고 있다. 그는 만화에서 다음의 5가지 초능력을 각각 다른 횟수로 사용한다:

생김새 바꾸기	= 26번
멀리 뛰기	= 14번
뛰어난 청각	= 10번
벽 타고 오르기	= 6번
자기 복제	= 4번

5. What is the name of the comic that Nak-Nak appears in?

(A) The Tubulars
(B) The Fantastics
(C) **The Awesomes**
(D) The Phenomenals

해석 Nak-Nak이 등장하는 만화의 제목은 무엇인가?

(A) The Tubulars
(B) The Fantastics
(C) The Awesomes
(D) The Phenomenals

풀이 'The Bonns appear in a comic book called 'The Awesomes.''에서 Nak-Nak이 'The Awesomes'라는 만화책에 등장한다는 것을 알 수 있으므로 (C)가 정답이다.

6. Nak-Nak uses his superpowers 60 times in the comic. Which superpower does he use 10% of the time?

(A) Self-copying
(B) Long Jumping
(C) **Wall Crawling**
(D) Powerful Hearing

해석 Nak-Nak은 만화책에서 그의 초능력을 60번 사용한다. 어떤 초능력을 10%만큼 사용하는가?

(A) 자기 복제
(B) 멀리 뛰기
(C) 벽 타고 오르기
(D) 뛰어난 청각

풀이 60번의 10%는 6번이며, Nak-Nak이 'Wall Crawling' (벽 타고 오르기) 능력을 6번 사용한다고 표시되어 있으므로 (C)가 정답이다.

[7-10]

Babies are amazing. They have superpowers that adults do not have. Here are some of the incredible things that babies can do. First, they are incredibly flexible. Adults have only 206 bones, but babies have around 300 bones in their bodies. As babies grow, their bones connect. Before this, the body of a baby can bend very easily. Babies can even put their feet in their mouths! Another superpower of young babies happens when they are underwater. When babies are put into water, they hold their breath and begin to make swimming movements without even thinking. They lose this ability when they are about six months old. Babies can also swallow and breathe at the same time. When babies swallow, the opening to their lungs is not blocked. Older children and adults find this action impossible, because the inside of their mouth is different from a baby's mouth. These and other baby superpowers are lost as people get older.

해석

아기들은 놀랍다. 그들에게는 성인들이 가지고 있지 않은 초능력이 있다. 아기들이 할 수 있는 몇 가지 엄청난 것들은 다음과 같다. 먼저, 그들은 믿을 수 없을 정도로 유연하다. 성인에게는 206개의 뼈밖에 없지만, 아기들은 몸에 대략 300개의 뼈가 있다. 아기들이 자라면서 뼈들은 붙는다. 이것이 일어나기 전에는, 아기의 몸은 매우 쉽게 구부러질 수 있다. 아기들은 심지어 그들의 발을 입에 넣을 수도 있다! 어린 아기의 또 다른 초능력은 물속에 있을 때 나타난다. 아기들이 물에 잠길 때, 그들은 생각조차 하지 않고 숨을 참으며 수영 동작을 하기 시작한다. 그들은 이러한 능력을 6개월 즈음에 잃는다. 아기들은 또한 삼키고 숨 쉬는 것을 동시에 할 수 있다. 아기들이 삼킬 때, 폐의 개구부가 막히지 않는다. 나이가 더 많은 아이들과 성인들은 이 동작이 불가능하다고 여기는데, 왜냐하면 그들의 입 내부는 아기의 입과 다르기 때문이다. 이런 것(능력)들과 아기들의 다른 초능력들은 사람이 나이가 들면서 사라진다.

7. What is the best title for this passage?

(A) Babies Can Swim
(B) Babies Are Beautiful
(C) Babies Grow Quickly
(D) Babies Have Superpowers

해석 지문에 가장 알맞은 제목은 무엇인가?

(A) 아기들은 수영할 수 있다
(B) 아기들은 아름답다
(C) 아기들은 빨리 자란다
(D) 아기들은 초능력이 있다

유형 전체 내용 파악

풀이 초반부 'They have superpowers that adults do not have. Here are some of the incredible things that babies can do.' 에서 아기들이 가지고 있는 초능력이라는 중심 소재를 드러내고, 그 후에 아기들의 초능력 세 가지를 소개하고 있는 글이다. 따라서 (D)가 정답이다.

8. How many bones do babies have in their bodies?

(A) 206
(B) 270
(C) 300
(D) 360

해석 아기는 몸에 뼈가 몇 개 있는가?

(A) 206
(B) 270
(C) 300
(D) 360

유형 세부 내용 파악

풀이 'Adults have only 206 bones, but babies have around 300 bones in their bodies.'에서 아기의 몸에 뼈가 300여 개 있다는 사실을 알 수 있으므로 (C)가 정답이다. (A)는 성인의 뼈의 개수이므로 오답이다.

9. Why can babies breathe and swallow at the same time?

(A) They have learned how to do it.
(B) They have a special inner mouth shape.
(C) They do not need as much oxygen as adults.
(D) They were swimming in their mother's bellies.

해석 아기들이 숨쉬기와 삼키기를 동시에 할 수 있는 이유는 무엇인가?

(A) 그것을 어떻게 하는지 배웠다.
(B) 특별한 입 내부 형태를 가지고 있다.
(C) 성인(이 필요로 하는) 만큼의 산소가 필요하지 않다.
(D) 어머니의 뱃속에서 수영을 했었다.

유형 세부 내용 파악

풀이 'Babies can also swallow and breathe at the same time. [...] because the inside of their mouth is different from a baby's mouth.'에서 아기의 입이 성인과는 다르게 특별한 내부 형태를 갖고 있기 때문에 숨쉬기와 삼키기를 동시에 할 수 있다는 것을 알 수 있으므로 (B)가 정답이다.

10. What is probably the main reason that babies can easily put their feet in their mouths?

(A) Their feet are clean.
(B) Their ankles are strong.
(C) Their bodies can bend easily.
(D) They do not walk on their feet.

해석 아기가 발을 입에 쉽게 넣을 수 있는 주된 이유는 무엇이겠는가?

(A) 발이 깨끗하다.
(B) 발목이 강하다.
(C) 몸이 쉽게 구부러진다.
(D) 두 발로 걷지 않는다.

유형 세부 내용 파악 & 추론하기

풀이 'First, they are incredibly flexible. [...] Before this, the body of a baby can bend very easily. Babies can even put their feet in their mouths!'에서 아기들의 몸이 쉽게 구부러지고 유연하기 때문에 입에 쉽게 발을 넣을 수 있다는 것을 알 수 있으므로 (C)가 정답이다. (A), (B), (D)는 언급되지 않았으므로 오답이다.

 Listening Practice  J1-3   p.32

Babies are amazing. They have superpowers that adults do not have. Here are some of the <u>incredible</u> things that babies can do. First, they are <u>incredibly</u> <u>flexible</u>. Adults have only 206 bones, but babies have around 300 bones in their bodies. As babies grow, their bones connect. Before this, the body of a baby can bend very easily. Babies can even put their feet in their mouths! Another superpower of young babies happens when they are underwater. When babies are put into water, they <u>hold their breath</u> and begin to make swimming movements without even thinking. They lose this ability when they are about six months old. Babies can also <u>swallow</u> and breathe at the same time. When babies swallow, the opening to their <u>lungs</u> is not blocked. Older children and adults find this action impossible, because the inside of their mouth is different from a baby's mouth. These and other baby superpowers are lost as people get older.

1. incredible

2. incredibly

3. flexible

4. hold their breath

5. swallow

6. lungs

✏️ Writing Practice   p.33

1. incredible
2. incredibly
3. flexible
4. swallow
5. hold your breath
6. lungs

📄 Summary

Babies can do <u>incredible</u> things. They are very <u>flexible</u> and can hold their <u>breath</u> underwater. They can also swallow and breathe at the same time. As babies grow, they lose these and other <u>superpowers</u>.

아기들은 <u>엄청난</u> 것들을 할 수 있다. 그들은 매우 <u>유연하고</u> 물속에서 <u>숨</u>을 참을 수 있다. 그들은 또한 삼키고 숨 쉬는 것을 동시에 할 수 있다. 아기들이 자라면서, 그들은 이러한 것들과 다른 <u>초능력들을</u> 잃는다.

⊞ Word Puzzle   p.34

Across	Down
2. lungs	1. hold your breath
5. incredible	3. flexible
	4. swallow
	6. incredibly

Unit 4 | Pigeons   p.35

Part A. Sentence Completion   p.37

1 (B)   2 (C)

Part B. Situational Writing   p.37

3 (B)   4 (D)

Part C. Practical Reading and Retelling   p.38

5 (B)   6 (D)

Part D. General Reading and Retelling   p.39

7 (C)   8 (C)   9 (D)   10 (D)

Listening Practice   p.40

1 pigeons	2 residents
3 Tame	4 key to
5 crucial	6 In short

Writing Practice   p.41

1 pigeon	2 resident
3 tame	4 key to
5 crucial	6 in short

Summary   hate, history, wars, In short

Word Puzzle   p.42

Across

2 crucial	4 resident
6 key to	

Down

1 pigeon	3 in short
5 tame	

☀️ Pre-reading Questions   p.35

Are pigeons common where you live?
What do you think of them?
당신이 사는 곳에 비둘기들이 흔한가요?
그들에 대해서 어떻게 생각하나요?

Reading Passage p.36

Pigeons

Humans have a strange relationship with pigeons. In many cities around the world, residents dislike these birds. They say that pigeons are ugly or messy. It is true that pigeons can be messy. However, they have a long, interesting link to humans. For example, pigeons were the first birds that humans made pets. Tame pigeons are seen in drawings from 5,000 years ago. Moreover, pigeons have been key to human communication. Long before we had the internet, we used messenger pigeons to deliver notes. Pigeons were crucial for messages during wartime, for example. And even in modern times, messages from a pigeon once reached people more quickly than the internet! Finally, pigeons know who humans are. They can recognize human faces and can even see differences in art by different painters. In short, even if pigeons are messy sometimes, they are still important birds in the history of humans.

비둘기

인간은 비둘기와 묘한 관계를 맺고 있다. 전 세계 많은 도시에서, 거주자들은 이 새들을 싫어한다. 그들은 비둘기가 못생겼다거나 지저분하다고 말한다. 비둘기들이 지저분할 수 있다는 것은 사실이다. 하지만, 그들에게는 인간의 오래되고 흥미로운 연결고리가 있다. 예를 들어, 비둘기는 인간이 애완동물로 만든 첫 번째 새였다. 길들여진 비둘기들은 5,000년 전의 그림에서 보인다. 게다가, 비둘기는 인간 의사소통의 열쇠였다. 우리에게 인터넷이 있기 한참 전에, 우리는 메모를 전달하기 위해 전령 비둘기를 이용했다. 예를 들어, 비둘기들은 전쟁 중 메시지 전달에 결정적이었다. 그리고 심지어 현대에 와서도, 한때 비둘기에게서 온 메시지가 인터넷보다 더 빨리 사람에게 도달하기도 했다! 마지막으로, 비둘기는 인간이 누구인지 안다. 그들은 인간의 얼굴을 인식할 수 있고 심지어 다른 화가들에 의해 그려진 그림의 차이점까지 알아볼 수 있다. 요약하자면, 비둘기들이 때때로 지저분할지라도, 그들은 인간의 역사에서 여전히 중요한 새이다.

어휘 pigeon 비둘기 | exercise 운동하다; 운동 | boring 지루한, 재미없는 | statue 조각상 | ceramic 도자기 | empty 텅 빈 | messy 지저분한 | strange 묘한, 이상한 | relationship 관계 | resident 거주자 | dislike 싫어하다 | ugly 못생긴 | link 연결(수단); 관련(성) | drawing 그림 | communication 의사소통 | deliver (물건·편지 등을) 배달하다 | crucial 결정적인, 중대한 | modern 현대의 | reach ~에 이르다 | recognize 인식하다 | difference 차이, 다름 | in short 요약하자면 | still 여전히 | location 위치 | transportation 교통수단 | source 근원, 원천 | donkey 당나귀 | reason 이유 | cage 새장; 우리 | ancient 고대의 | military 군사의 | weapon 무기 | intelligent 총명한, 똑똑한, 영리한; 지능적인

Comprehension Questions p.37

1. A: I don't like these pigeons in the street.
    B: I don't <u>either</u>. They are really dirty.
    (A) also
    (B) either
    (C) same
    (D) neither

해석 A: 나는 길에 있는 이 비둘기들이 싫어.
    B: 나도. 그것들은 정말 더러워.
    (A) 또한
    (B) ~도 역시
    (C) 같은
    (D) ~도 역시

풀이 '~도 그렇다'라는 뜻을 나타낼 때 문장 끝에 부사 'too'나 'either'를 사용할 수 있다. 긍정문에서는 'too'를, 부정문에서는 'either'를 사용해야 하므로 (B)가 정답이다.

2. A: I don't like to exercise. It is boring.
    B: <u>Even if</u> it is a bit boring sometimes, exercise is great for you.
    (A) But
    (B) In spite
    (C) Even if
    (D) Despite

해석 A: 나는 운동하는 것이 싫어. 지루해.
    B: 가끔 그것이 조금 지루하더라도, 운동은 너에게 유익해.
    (A) 그러나
    (B) 어색한 표현
    (C) ~일지라도
    (D) ~에도 불구하고

풀이 빈칸이 문장 앞에 위치하므로 (빈칸 뒤의) 종속절을 이끌면서, 두 개의 절 'it is a bit boring sometimes'와 'exercise is great for you'를 이어줄 수 있는 접속사구가 들어가야 한다. 이러한 접속사구에는 '~일지라도'를 뜻하는 'even if ~'가 있으므로 (C)가 정답이다. (A)는 'But'가 등위 접속사로서 문두에 올 수 없으므로 오답이다. (B)는 'in spite of + 명사'의 형태로 쓰여야 적절하므로 오답이다. (D)는 'Despite'가 전치사이기 때문에 뒤에 명사(구)가 와야 하므로 오답이다.

관련 문장 In short, even if pigeons are messy sometimes, they are still important birds in the history of humans.

3. He did a <u>painting</u> of a large pigeon.

   (A) statue
   (B) **painting**
   (C) ceramic
   (D) message

해석 그는 커다란 비둘기 <u>그림</u>을 그렸다.

   (A) 조각상
   (B) 그림
   (C) 도자기
   (D) 메시지

풀이 화가가 비둘기 그림을 그리고 있으므로 (B)가 정답이다.

관련 문장 Tame pigeons are seen in drawings from 5,000 years ago.

4. Your room is very <u>messy</u>.

   (A) white
   (B) clean
   (C) empty
   (D) **messy**

해석 네 방은 정말 <u>지저분하다</u>.

   (A) 흰 색의
   (B) 깨끗한
   (C) 텅 빈
   (D) 지저분한

풀이 방이 지저분하고 어수선하므로 (D)가 정답이다.

관련 문장 It is true that pigeons can be messy.

[5-6]

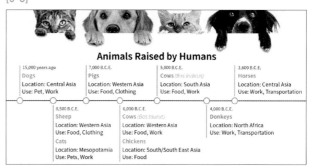

Animals Raised by Humans

15,000 years ago	7,000 B.C.E.	5,000 B.C.E.	3,600 B.C.E.
Dogs	Pigs	Cows *(Bos indicus)*	Horses
Location: Central Asia	Location: Western Asia	Location: South Asia	Location: Central Asia
Use: Pet, Work	Use: Food, Clothing	Use: Food, Work	Use: Work, Transportation

8,500 B.C.E.	6,000 B.C.E.	4,000 B.C.E.
Sheep	Cows *(Bos taurus)*	Donkeys
Location: Western Asia	Location: Western Asia	Location: North Africa
Use: Food, Clothing	Use: Food, Work	Use: Work, Transportation
Cats	Chickens	
Location: Mesopotamia	Location: South/South East Asia	
Use: Pets, Work	Use: Food	

해석

인간에 의해 길러진 동물들	
15,000년 전	기원전 8,500년
개	양
위치: 중앙아시아	위치: 서아시아
목적: 애완동물, 노동	목적: 음식, 옷
	고양이
	위치: 메소포타미아
	용도: 애완동물, 노동
기원전 7,000년	기원전 6,000년
돼지	소 *(Bos taurus)*
위치: 서아시아	위치: 서아시아
목적: 음식, 옷	목적: 음식, 노동
	닭
	위치: 남/동남아시아
	목적: 음식
기원전 5,000년	기원전 4,000년
소 *(Bos indicus)*	당나귀
위치: 남아시아	위치: 북아프리카
목적: 음식, 노동	목적: 노동, 교통수단
기원전 3,600년	
말	
위치: 중앙아시아	
목적: 노동, 교통수단	

5. Out of the animals in this timeline, what was the most used for?

(A) food

(B) **work**

(C) clothing

(D) transportation

해석 연대표에 있는 동물들을 통틀어, 가장 많이 쓰인 목적은 무엇인가?

(A) 음식

(B) 노동

(C) 옷

(D) 교통수단

풀이 음식('Food')으로 쓰인 동물이 다섯 종류, 노동('Work') 하는 데 연대표의 용도('Use') 부분을 보면 쓰인 동물이 여섯 종류, 옷('Clothing')으로 쓰인 동물이 두 종류, 교통수단 ('Transportation')으로 쓰인 동물이 두 종류, 애완동물('Pet') 로 길러진 동물이 두 종류이므로, 이 중에 가장 많이 쓰인 용도는 노동이라는 것을 알 수 있다. 따라서 (B)가 정답이다.

6. Which of the following statements is true?

(A) Cows were only ever used as a food source.

(B) Horses were used by humans before donkeys.

(C) Humans raised pigs long before they raised cats.

(D) Chickens have been used as food for over 8,000 years.

해석 다음 중 옳은 설명은 무엇인가?

(A) 소는 늘 오직 식량원으로만 사용되었다.

(B) 말은 당나귀보다 먼저 인간에 의해 사용되었다.

(C) 인간은 고양이를 기르기 한참 전부터 돼지를 길렀다.

(D) 닭은 8,000년이 넘게 음식으로 사용되어왔다.

풀이 닭은 인간이 기원전 6,000년부터 길렀다고 나와 있다. 따라서 21세기 시점에서 인간이 그동안 닭을 8,000년(6,000년 + 2,000년 + @)이 넘게 음식으로 사용했다는 사실을 알 수 있으므로 (D)가 정답이다. (A)는 소가 음식 외에도 노동하는 데에도 이용했다고 나와 있으므로 오답이다. (B)는 말이 당나귀보다 더 늦게 사용되었으므로 오답이다. (C)는 인간이 돼지보다 고양이를 약 1500년 더 먼저 기르기 시작했으므로 오답이다.

[7-10]

Humans have a strange relationship with pigeons. In many cities around the world, residents dislike these birds. They say that pigeons are ugly or messy. It is true that pigeons can be messy. However, they have a long, interesting link to humans. For example, pigeons were the first birds that humans made pets. Tame pigeons are seen in drawings from 5,000 years ago. Moreover, pigeons have been key to human communication. Long before we had the internet, we used messenger pigeons to deliver notes. Pigeons were crucial for messages during wartime, for example. And even in modern times, messages from a pigeon once reached people more quickly than the internet! Finally, pigeons know who humans are. They can recognize human faces and can even see differences in art by different painters. In short, even if pigeons are messy sometimes, they are still important birds in the history of humans.

해석

인간은 비둘기와 묘한 관계를 맺고 있다. 전 세계 많은 도시에서, 거주자들은 이 새들을 싫어한다. 그들은 비둘기가 못생겼다거나 지저분하다고 말한다. 비둘기들이 지저분할 수 있다는 것은 사실이다. 하지만, 그들에게는 인간의 오래되고 흥미로운 연결고리가 있다. 예를 들어, 비둘기는 인간이 애완동물로 만든 첫 번째 새였다. 길들여진 비둘기들은 5,000년 전의 그림에서 보인다. 게다가, 비둘기는 인간 의사소통의 열쇠였다. 우리에게 인터넷이 있기 한참 전에, 우리는 메모를 전달하기 위해 전령 비둘기를 이용했다. 예를 들어, 비둘기들은 전쟁 중 메시지 전달에 결정적이었다. 그리고 심지어 현대에 와서도, 한때 비둘기에게서 온 메시지가 인터넷보다 더 빨리 사람에게 도달하기도 했다! 마지막으로, 비둘기는 인간이 누구인지 안다. 그들은 인간의 얼굴을 인식할 수 있고 심지어 다른 화가들에 의해 그려진 그림의 차이점까지 알아볼 수 있다. 요약하자면, 비둘기들이 때때로 지저분할지라도, 그들은 인간의 역사에서 여전히 중요한 새이다.

7. What is the passage mainly about?

(A) the cost of raising birds as pets

(B) the most popular birds in the world

(C) **the link between humans and pigeons**

(D) the reason most humans dislike pigeons

해석 지문은 주로 무엇에 관한 내용인가?

(A) 새를 애완동물로 키우는 데 들어가는 비용

(B) 세계에서 가장 인기 있는 새들

(C) 인간과 비둘기 사이의 관계

(D) 대부분의 인간이 비둘기를 싫어하는 이유

유형 전체 내용 파악

풀이 'However, they have a long, interesting link to humans.' 라는 문장을 통해 인간과 비둘기의 관계라는 중심 내용을 밝히고 있고, 그 후에 인간과 비둘기가 역사 속에서 어떤 연결고리를 가졌는지 예를 들어 설명하고 있는 글이다. 따라서 (C)가 정답이다.

8. According to the passage, where are pigeons seen?
   (A) in golden cages
   (B) on top of buildings
   (C) in ancient drawings
   (D) on historical statues

해석 지문에 따르면, 어디에서 비둘기들을 볼 수 있는가?
   (A) 금색 새장 안에서
   (B) 건물 꼭대기에서
   (C) 고대 그림에서
   (D) 역사적 조각상에서

유형 세부 내용 파악

풀이 'Tame pigeons are seen in drawings from 5,000 years ago.'
에서 5,000년 전 그림에서 비둘기들이 목격된다고 했으므로
(C)가 정답이다.

9. According to the passage, what is true?
   (A) Pigeons can read human writing.
   (B) A pigeon drew a picture of a person.
   (C) Most residents in cities love pigeons as pets.
   (D) A pigeon delivered a message faster than the internet.

해석 지문에 따르면, 옳은 설명은 무엇인가?
   (A) 비둘기는 인간의 글을 읽을 수 있다.
   (B) 한 비둘기는 인간의 그림을 그렸다.
   (C) 도시 거주자 대부분은 비둘기를 애완동물로서 아주 좋아한다.
   (D) 비둘기는 인터넷보다 더 빠르게 메시지를 전달했다.

유형 세부 내용 파악

풀이 'And even in modern times, messages from a pigeon
once reached people more quickly than the internet!'에서
비둘기가 한때 인터넷보다 더 빠르게 사람에게 메시지를 전달한
이력이 있다는 것을 알 수 있으므로 (D)가 정답이다. (C)는 'In
many cities around the world, residents dislike these
birds.'에서 도시 거주자들이 비둘기를 싫어한다고 하였으므로
오답이다.

10. Which is NOT mentioned as a pigeon skill?
    (A) seeing differences in art
    (B) recognizing human faces
    (C) delivering messages during wars
    (D) dropping military weapons on humans

해석 비둘기의 능력으로 언급되지 않은 것은 무엇인가?
    (A) 그림에서 차이점을 발견하는 것
    (B) 인간의 얼굴을 인식하는 것
    (C) 전쟁 중에 메시지를 전달하는 것
    (D) 인간에게 군사 무기를 투하하는 것

유형 세부 내용 파악

풀이 인간에게 군사 무기를 투하하는 것은 비둘기의 능력으로
언급되지 않았으므로 (D)가 정답이다. (A)와 (B)는 'They can
recognize human faces and can even see differences in
art by different painters.'에서, (C)는 'Pigeons were crucial
for messages during wartimes, for example.'에서 확인할 수
있으므로 오답이다.

 Listening Practice J1-4 p.40

Humans have a strange relationship with <u>pigeons</u>. In many cities around the world, <u>residents</u> dislike these birds. They say that pigeons are ugly or messy. It is true that pigeons can be messy. However, they have a long, interesting link to humans. For example, pigeons were the first birds that humans made pets. <u>Tame</u> pigeons are seen in drawings from 5,000 years ago. Moreover, pigeons have been <u>key to</u> human communication. Long before we had the internet, we used messenger pigeons to deliver notes. Pigeons were <u>crucial</u> for messages during wartime, for example. And even in modern times, messages from a pigeon once reached people more quickly than the internet! Finally, pigeons know who humans are. They can recognize human faces and can even see differences in art by different painters. <u>In short</u>, even if pigeons are messy sometimes, they are still important birds in the history of humans.

1. pigeons
2. residents
3. Tame
4. key to
5. crucial
6. In short

 Writing Practice p.41

1. pigeon
2. resident
3. tame
4. key to
5. crucial
6. in short

Summary

Although many people <u>hate</u> them, pigeons have a long <u>history</u> with humans. They have helped in <u>wars</u> and in communication. They are also intelligent. <u>In short</u>, even if pigeons are messy sometimes, they are still important.

비록 많은 사람이 그것들을 <u>싫어</u>하지만, 비둘기들은 인간과 오랜 <u>역사</u>를 가지고 있다. 그것들은 <u>전쟁</u>과 의사소통에서 도움을 주었다. 그것들은 또한 영리하다. <u>요약하자면</u>, 비둘기들이 때때로 지저분할지라도, 그것들은 여전히 중요하다.

Word Puzzle p.42

Across	Down
2. crucial	**1.** pigeon
4. resident	**3.** in short
6. key to	**5.** tame

AMAZING STORIES p.43

Shrek the Sheep

For many years, one sheep from the Bendigo Sheep Station in New Zealand lived just like all the other sheep. He ate on the farm. He slept on the farm. He got his wool shorn (got a haircut) every single year. This is normal for Merino sheep, which have very heavy wool coats.

However, one day this sheep decided he was not going to get a haircut. Instead, he escaped from the farm. Then he hid in caves in the mountains. Somehow, he managed to avoid being caught for six long years. By the time he was caught, his wool was so big he looked like a monster. People started calling him "Shrek the Sheep," after Shrek, a cartoon movie monster.

Shrek's owners finally gave him a haircut. Normally, when a Merino sheep is shorn, there are about 4.5 kilograms of wool. With Shrek, there were 27 kilograms of wool! This would be enough wool to make twenty men's suits.

Shrek became a hero of New Zealand. He even met the leader of the country. Shrek the Sheep died at the age of sixteen. However, his name lives on in New Zealand sheep history.

Shrek 양

여러 해 동안, 뉴질랜드에 있는 Bendigo 양 목장의 한 양은 그저 그렇게 다른 모든 양처럼 살았다. 그는 목장에서 먹이를 먹었다. 그는 목장에서 잤다. 그는 매년 양털을 깎였다 (이발했다). 이는 양털이 매우 풍성한, Merino 양에게는 평범한 것이다.

그런데, 어느 날 이 양은 그가 털을 깎이지 않을 것이라고 결심했다. 대신에, 그는 목장에서 탈출했다. 그런 다음 산속의 동굴에 숨었다. 어찌 된 일인지, 그는 긴 6년 동안이나 붙잡히는 것을 가까스로 피했다. 그가 잡혔을 때, 그의 털이 너무 거대해서 그는 괴물처럼 보였다. 사람들은 그를 만화영화 괴물, Shrek의 이름을 따서 "Shrek 양"이라고 부르기 시작했다.

Shrek의 주인들은 마침내 그의 털을 깎았다. 보통, Merino 양의 털을 깎으면, 4.5kg 정도의 양모가 나온다. Shrek에게서는, 27kg의 양모가 나왔다! 이것은 남성 정장 20벌을 만들기에 충분할 정도의 양모였다.

Shrek은 뉴질랜드의 영웅이 되었다. 그는 심지어 국가의 지도자도 만났다. Shrek은 16살의 나이에 죽었다. 하지만, 그의 이름은 뉴질랜드 양 역사에 살아있다.

Chapter 2. **Math**

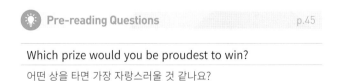 **Pre-reading Questions**　　　p.45

Which prize would you be proudest to win?

어떤 상을 타면 가장 자랑스러울 것 같나요?

 Reading Passage　　　p.46

The Fields Medal

Athletes may work towards an Olympic medal. Politicians often want to receive the Nobel Prize. Mathematicians, on the other hand, may hope to receive the Fields Medal. The Fields Medal was named after the Canadian mathematician John Charles Fields. It was first awarded in 1936 to one winner. Since 1950, the medal has been given out every four years. These days, there can be up to four winners at one time. A total of sixty people have won this important award. To get a Fields Medal, a mathematician needs to do some exciting research in mathematics. The winner must also be younger than 40 years old on January 1st that year. Also, Fields Medals are not just for the honor. Medalists also each receive $15,000 in prize money and a gold medal. On the medal is the face of Archimedes, the ancient Greek mathematician. Some people criticize the Fields Medal because older mathematicians cannot receive it. However, this medal is still a big honor in the world of mathematics.

필즈상

운동선수들은 올림픽 메달을 향해 노력할 것이다. 정치가들은 종종 노벨상 받기를 원한다. 수학자들은, 한편, 필즈상 수상을 바랄지도 모른다. 필즈상은 캐나다 수학자인 John Charles Fields의 이름을 따서 지어졌다. 그것은 1936년에 한 수상자에게 처음으로 수여되었다. 1950년부터, 이 메달은 4년마다 주어졌다. 오늘날에는, 한 번에 최대 네 명까지 수상자가 있을 수 있다. 총 육십 명이 이 중요한 상을 받았다. 필즈상을 받기 위해서는, 수학자는 수학에 관해서 흥미로운 연구를 해야 한다. 수상자는 또한 그해 1월 1일에 40세보다 어려야만 한다. 또한, 필즈상은 단지 명예를 위한 것만은 아니다. 메달 수상자들은 각각 상금 15,000달러와 금메달을 받기도 한다. 메달에는 고대 그리스의 수학자인 Archimedes(아르키메데스)의 얼굴이 있다. 어떤 사람들은 나이 든 수학자들은 받을 수 없다는 이유로 필즈상을 비판한다. 하지만 이 메달은 여전히 수학계에서 큰 영광이다.

어휘　huge 거대한, 막대한 | in person 직접 | honor 영광; 명예 | Fields Medal 필즈상(수학의 노벨상) | mathematician 수학자 | tie 넥타이; 묶다 | trophy 트로피 | square 정사각형 모양의 | fit (모양이나 크기가) 맞다 | up to ~까지 | at least 적어도[최소한] | more than ~보다 많이 | not as many as ~만큼은 아닌 | athlete 운동선수 | politician 정치가 | receive 받다, 받아들이다 | on the other hand 다른 한편으로는, 반면에 | award 수여하다; 상 | important 중요한 | research 연구 | ancient 고대의 | criticize 비판하다 | mathematics 수학 | extremely 극도로 | stinky 악취 나는 | raspberry 산딸기; 야유 소리 | worst 최악의 | statue 조각상 | across 가로질러, 건너서 | contract 계약 | celebrate 축하하다, 기념하다 | footwear 신발 | odor 냄새; 악취 | cure 치료하다 | disease 질병 | terrible 끔찍한 | cyclist 자전거 타는 사람, 사이클리스트 | electrical 전기의

1. A: It is a huge <u>honor</u> to meet you in person.
   B: I feel the same way. I am a big fan of your work!

   (A) honor
   (B) honors
   (C) honored
   (D) honoring

   해석 A: 당신을 직접 만나게 되어 큰 <u>영광</u>이에요.
   B: 저도 마찬가지예요. 저는 당신의 작품의 열렬한 팬입니다!

   (A) 영광
   (B) (명예로운) 칭호
   (C) 영광스러운
   (D) 영광을 베푸는

   풀이 빈칸에는 관사 'a'와 형용사 'huge'가 함께 수식할 수 있도록 명사가 들어가야 한다. 단수 명사를 수식하는 관사 'a'가 있으므로 (A)가 정답이다. 해당 문장에서 'it'이 가주어라는 점에는 유의한다.

   새겨 두기 'honor'는 주로 단수로 쓰이며, 복수로 쓰일 때는 '칭호, 타이틀' 등을 의미한다는 점에 유의한다.

   관련 문장 However, this medal is still a big honor in the world of mathematics.

2. A: Who won the Fields Medals this time?
   B: One of the medals was <u>given</u> to a German mathematician.

   (A) give
   (B) given
   (C) giving
   (D) to give

   해석 A: 이번에는 누가 필즈상을 수상했니?
   B: 메달 중 하나는 독일의 수학자에게 <u>주어졌어</u>.

   (A) 주다
   (B) 주어진
   (C) 주는
   (D) 주기

   풀이 앞에 be 동사 'was'가 있으므로 '-ed'나 '-ing'와 같이 동사의 활용형이 들어가야 한다. 문맥상 주어인 'One of the medals'가 수학자들에게 '주어진다'는 수동의 의미가 적절하므로 과거분사 형태인 (B)가 정답이다.

   관련 문장 Since 1950, the medal has been given out every four years.

3. The winner is wearing a <u>medal</u> around her neck.

   (A) tie
   (B) scarf
   (C) medal
   (D) trophy

   해석 우승자가 목에 <u>메달</u>을 걸고 있다.

   (A) 넥타이
   (B) 스카프
   (C) 메달
   (D) 트로피

   풀이 우승자가 목에 메달을 걸고 있으므로 (C)가 정답이다.

   관련 문장 On the medal is the face of Archimedes, the ancient Greek mathematician.

4. <u>Up to</u> four blue squares can fit in one big red square.

   (A) Up to
   (B) At least
   (C) More than
   (D) Not as many as

   해석 파란 정사각형은 큰 빨간 정사각형 하나 안에 최대 네 개<u>까지</u> 들어갈 수 있다.

   (A) ~까지
   (B) 적어도
   (C) ~보다 많이
   (D) ~만큼은 아닌

   풀이 2×2 사이즈의 빨간 정사각형이므로 1×1 사이즈인 파란 정사각형이 최대 네 개까지 들어갈 수 있다. 따라서 (A)가 정답이다. (B)는 'At least'(적어도)라는 말은 네 개보다 더 많이 들어갈 수 있다는 뜻이므로 그림과 맞지 않아 오답이다.

   관련 문장 These days, there can be up to four winners at one time.

[5-6]

Interesting Awards

Award Name	How to Win the Award	Prize
Stinky Shoe Award	Be a child between 5-15 years with extremely smelly running shoes.	$US 2,500
Golden Raspberry Award	Make the worst movies.	A statue of a raspberry painted gold.
The Lanterne Rouge Award	Finish last in the Tour de France bicycle race that goes across France.	A title. Also, sometimes winning the award leads to advertising contracts.

해석

흥미로운 상들		
상 이름	어떻게 수상하는가	상품
악취가 나는 신발 상	극도로 심한 냄새가 나는 운동화를 가진 5-15세 사이의 어린이어야 한다.	2,500 미국 달러
금색 산딸기 상	최악의 영화를 만들어라.	금으로 칠해진 산딸기 조각상.
붉은 등불 상	프랑스를 가로지르는 Tour de France (투르 드 프랑스) 자전거 경주에서 꼴찌를 해라.	칭호. 또한, 수상이 때때로 광고 계약으로도 이어진다.

5. Which award celebrates footwear with bad odors?

   (A) The Stinky Shoe
   (B) The Golden Raspberry
   (C) The Lanterne Rouge
   (D) all of them

해석 어떤 상이 나쁜 냄새가 나는 신발을 축하하는가?

   (A) 악취가 나는 신발
   (B) 금색 산딸기
   (C) 붉은 등불
   (D) 모두

풀이 'Be a child between 5-15 years with extremely smelly running shoes.'에서 극도로 냄새나는 신발을 축하하는 상이 'Stinky Shoe Award'라는 것을 알 수 있다. 따라서 (A)가 정답이다.

6. Who would most likely get the Golden Raspberry Award?

   (A) the director of a terrible film
   (B) a 10-year-old Hollywood star
   (C) a cyclist in a French bicycle race
   (D) the winner of the Tour de France

해석 금색 산딸기 상을 받을 가능성이 가장 높은 사람은 누구인가?

   (A) 끔찍한 영화의 감독
   (B) 10살 된 할리우드 스타
   (C) 프랑스 자전거 경주의 사이클 선수
   (D) Tour de France의 우승자

풀이 'Golden Raspberry Award'를 수상하려면 최악의 영화를 제작하라고 하였으므로 (A)가 정답이다.

[7-10]

Athletes may work towards an Olympic medal. Politicians often want to receive the Nobel Prize. Mathematicians, on the other hand, may hope to receive the Fields Medal. The Fields Medal was named after the Canadian mathematician John Charles Fields. It was first awarded in 1936 to one winner. Since 1950, the medal has been given out every four years. These days, there can be up to four winners at one time. A total of sixty people have won this important award. To get a Fields Medal, a mathematician needs to do some exciting research in mathematics. The winner must also be younger than 40 years old on January 1st that year. Also, Fields Medals are not just for the honor. Medalists also each receive $15,000 in prize money and a gold medal. On the medal is the face of Archimedes, the ancient Greek mathematician. Some people criticize the Fields Medal because older mathematicians cannot receive it. However, this medal is still a big honor in the world of mathematics.

해석

운동선수들은 올림픽 메달을 향해 노력할 것이다. 정치가들은 종종 노벨상 받기를 원한다. 수학자들은, 한편, 필즈상 수상을 바랄지도 모른다. 필즈상은 캐나다 수학자인 John Charles Fields의 이름을 따서 지어졌다. 그것은 1936년에 한 수상자에게 처음으로 수여되었다. 1950년부터, 이 메달은 4년마다 주어졌다. 오늘날에는, 한 번에 최대 네 명까지 수상자가 있을 수 있다. 총 육십 명이 이 중요한 상을 받았다. 필즈상을 받기 위해서는, 수학자는 수학에 관해서 흥미로운 연구를 해야 한다. 수상자는 또한 그해 1월 1일에 40세보다 어려야만 한다. 또한, 필즈상은 단지 명예를 위한 것만은 아니다. 메달 수상자들은 각각 상금 15,000달러와 금메달을 받기도 한다. 메달에는 고대 그리스의 수학자인 Archimedes (아르키메데스)의 얼굴이 있다. 어떤 사람들은 나이 든 수학자들은 받을 수 없다는 이유로 필즈상을 비판한다. 하지만 이 메달은 여전히 수학계에서 큰 영광이다.

7. What is the main idea of the passage?

(A) Most athletes hope to win a Fields Medal.
(B) Many politicians have won the Nobel Prize.
(C) The Nobel Prize is older than the Olympics.
(D) **The Fields Medal is a big honor for mathematicians.**

해석 지문의 요지는 무엇인가?

(A) 대부분의 운동선수가 필즈상 수상을 바란다.
(B) 많은 정치가가 노벨상을 받아왔다.
(C) 노벨상은 올림픽보다 오래되었다.
(D) 필즈상은 수학자들에게 큰 영광이다.

유형 전체 내용 파악

풀이 글쓴이는 필즈상이 수학자들이 받고 싶어 하는 상이라고 초반부에 언급하고 있으며, 이어서 필즈상 이름의 유래, 필즈상 수상 정보 등을 설명하고 있다. 또한 글의 마지막 'However, this medal is still a big honor in the world of mathematics.' 에서 필즈상이 수학자들에게 영예로운 상이라고 다시 강조하고 있으므로 (D)가 정답이다.

8. How did the Fields Medal get its name?

(A) from a company
(B) from a famous soccer player
(C) **from a Canadian mathematician**
(D) from a large area of grass in Canada

해석 필즈상은 어떻게 그 이름을 얻었는가?

(A) 회사로부터
(B) 유명한 축구선수로부터
(C) 캐나다 수학자로부터
(D) 캐나다의 넓은 잔디밭으로부터

유형 세부 내용 파악

풀이 'The Fields Medal was named after the Canadian mathematician John Charles Fields.'에서 캐나다 수학자의 이름을 따서 필즈상이라고 명명했다는 사실을 알 수 있으므로 (C)가 정답이다. (D)는 'field'의 다른 뜻인 '들판, 밭, 경기장' 등을 이용해 혼동을 유도한 오답이다.

9. What is true about the Fields Medal?

(A) **It is given every four years.**
(B) Winners must be over forty years old.
(C) There can be fourteen winners each time.
(D) The first one was given in ancient Greece.

해석 필즈상에 관해 옳은 설명은 무엇인가?

(A) 4년마다 주어진다.
(B) 수상자는 나이가 40살보다 많아야 한다.
(C) 매번 열네 명의 수상자가 있을 수 있다.
(D) 첫 번째 상은 고대 그리스에서 주어졌다.

유형 세부 내용 파악

풀이 'Since 1950, the medal has been given out every four years.'에서 4년마다 필즈상을 수여한다고 하였으므로 (A)가 정답이다. (B)는 수상자는 수상하는 해에 40세보다 어려야 한다고 했으므로 오답이다. (C)는 'These days, there can be up to four winners at one time.'에서 매번 최대 네 명의 수상자가 있을 수 있다고 하였으므로 오답이다.

10. Who would most likely win a Fields Medal?

(A) someone who wrote a hit song
(B) someone who cured a disease
(C) someone who invented an electrical device
(D) **someone who solved a hard number problem**

해석 필즈상을 가장 수상할 것 같은 사람은 누구인가?

(A) 히트곡을 쓴 사람
(B) 병을 치료한 사람
(C) 전자기기를 발명한 사람
(D) 어려운 숫자 문제를 해결한 사람

유형 세부 내용 파악 & 추론하기

풀이 필즈상은 수학자들에게 주어지는 상이며, 'To get a Fields Medal, a mathematician needs to do some exciting research in mathematics.'에서 흥미로운 수학 연구를 하면 수상할 수 있다고 언급하고 있다. 어려운 숫자 문제('number problem')를 해결한 것은 흥미로운 수학 연구 성과라고 할 수 있으므로 (D)가 정답이다.

 Listening Practice ▶ J1-5 p.50

Athletes may work towards an Olympic medal. Politicians often want to receive the Nobel Prize. Mathematicians, on the other hand, may hope to receive the Fields Medal. The Fields Medal was named after the Canadian mathematician John Charles Fields. It was first awarded in 1936 to one winner. Since 1950, the medal has been given out every four years. These days, there can be up to four winners at one time. A total of sixty people have won this important award. To get a Fields Medal, a mathematician needs to do some exciting research in mathematics. The winner must also be younger than 40 years old on January 1st that year. Also, Fields Medals are not just for the honor. Medalists also each receive $15,000 in prize money and a gold medal. On the medal is the face of Archimedes, the ancient Greek mathematician. Some people criticize the Fields Medal because older mathematicians cannot receive it. However, this medal is still a big honor in the world of mathematics.

1. Athletes
2. mathematician
3. medal
4. ancient
5. criticize
6. honor

✏ Writing Practice — p.51

1. athlete
2. medal
3. mathematician
4. ancient
5. criticize
6. big honor

📄 Summary

The Fields Medal is for <u>mathematicians</u> who did some interesting <u>research</u>. Although criticized by some because it is only given to people under <u>40</u>, the Fields Medal is still a big <u>honor</u> for mathematicians.

필즈상은 흥미로운 <u>연구</u>를 한 <u>수학자들</u>을 위한 것이다. 비록 <u>40</u>세 미만의 사람들에게만 주어지기 때문에 일부 사람들에 의해 비판을 받지만, 필즈상은 여전히 수학자들에게 큰 <u>영광</u>이다.

▦ Word Puzzle — p.52

Across	Down
1. medal	1. mathematician
5. big honor	2. athlete
	3. ancient
	4. criticize

Unit 6 | Statistics — p.53

Part A. Sentence Completion — p.55

1 (D)   2 (A)

Part B. Situational Writing — p.55

3 (A)   4 (D)

Part C. Practical Reading and Retelling — p.56

5 (D)   6 (D)

Part D. General Reading and Retelling — p.57

7 (C)   8 (C)   9 (B)   10 (A)

Listening Practice — p.58

1 statistics	2 predictions
3 diseases	4 cancer
5 strategies	6 make sure

Writing Practice — p.59

1 statistic	2 make predictions
3 disease	4 cancer
5 strategy	6 make sure

Summary statistics, weather, diseases, sports, useful

Word Puzzle — p.60

Across

5 strategy	6 statistic

Down

1 cancer	2 make sure
3 disease	4 make predictions

💡 Pre-reading Questions — p.53

Are you interested in reading charts and graphs?
If so, about what? If not, why not?

차트와 그래프 읽는 것에 관심이 있나요?
그렇다면, (차트와 그래프가) 무엇에 관한 것인가요? 그렇지 않다면, 왜 관심이 없나요?

Statistics

Statistics are very useful in our lives. Predicting future weather is one way we use statistics daily. The TV reporters use information in weather models to make predictions. These weather models are computer programs that are built using statistics. A second use of statistics is for our health. Statistics about diseases are in the news a lot. With statistics we can have a better idea of how a disease may hurt us. For example, studies show that 95 percent of lung cancer is linked to smoking. This statistic tells us that there is a good chance of avoiding lung cancer if we don't smoke. Finally, professional sports teams use data to make decisions on playing strategies and finding new players. Sports media also use statistics to make sure sports fans are happy with their team. The weather, diseases, and sports are three areas where statistics are useful in our lives.

통계

통계는 우리의 삶에서 매우 유용하다. 미래의 날씨를 예측하는 것은 매일 우리가 통계를 사용하는 한 방법이다. 텔레비전 기자들은 예측하기 위해 기상 모형의 정보를 사용한다. 이 기상 모형은 통계를 사용하여 구축된 컴퓨터 프로그램이다. 두 번째 통계 사용은 우리의 건강을 위한 것이다. 질병에 관한 통계는 뉴스에 많이 나온다. 통계를 통해 우리는 질병이 우리에게 어떻게 해를 끼칠 수 있는지 더 잘 알 수 있다. 예를 들면, 연구들은 폐암의 95%가 흡연과 연관되어 있다는 것을 보여준다. 이 통계는 우리가 흡연하지 않는다면 폐암을 피할 가능성이 높다는 것을 말해준다. 마지막으로, 프로 스포츠팀들은 전략 실행과 새로운 선수 선발에 대한 결정을 내리기 위해 자료를 사용한다. 스포츠 매체들은 또한 스포츠 팬들이 확실히 그들의 팀에 만족하도록 하기 위해 통계를 사용한다. 날씨, 질병, 그리고 스포츠는 통계가 우리 삶에서 유용한 세 분야이다.

어휘 be interested in ~에 관심[흥미]있다 | chart 도표 | graph 그래프 | match 경기 | predict 예측하다 | chance 가능성; 기회 | cure 치료법; 치료하다 | lung 폐 | cancer 암 | brain 뇌 | tumor 종양 | presenter 발표자 | poetry 시 | statistic 통계 | useful 유용한 | daily 매일 | reporter 기자 | information 정보 | link 연관[관련]되다 | avoid 피하다 | professional 전문적인 | data 자료, 데이터 | strategy (특정 목표를 위한) 계획[전략] | area (특정 주제·활동의) 분야[부문]; 지역 | participant 참가자 | survey (설문)조사 | frequently 자주, 흔히 | discovery 발견 | encyclopedia 백과사전 | brochure 책자 | search 찾아[살펴]보다

1. A: Do you think our team will win in the final match?
    B: <u>Predicting</u> who will win is not that simple.

    (A) Predict
    (B) Predicted
    (C) Prediction
    (D) Predicting

해석 A: 결승전에서 우리 팀이 이길 것이라고 생각하니?
    B: 누가 이길지 <u>예상하는 것</u>은 그렇게 단순한 일이 아니야.

    (A) 예상하다
    (B) 예상했다
    (C) 예상
    (D) 예상하는 것

풀이 '_____ who will win'이 주어 부분이기 때문에 빈칸에는 명사 역할을 하면서 'who will win'이라는 목적어절도 취할 수 있는 동사의 활용형이 들어가야 한다. to 부정사나 동명사가 그런 역할을 할 수 있으므로 동명사에 해당하는 (D)가 정답이다. (C)는 명사이기는 하지만 뒤에 'who will win'이라는 목적어절을 취할 수 없으므로 오답이다.

관련 문장 Predicting future weather is one way we use statistics daily.

2. A: Why did you bring an umbrella?
    B: There <u>is</u> a good chance of rain later today.

    (A) is
    (B) are
    (C) were
    (D) could

해석 A: 우산을 왜 가져 왔니?
    B: 오늘 이따가 비가 올 가능성이 많이 <u>있어</u>.

    (A) ~이다
    (B) ~이다
    (C) ~였다
    (D) ~할 수 있었다

풀이 '~가 있다'를 뜻하는 'there is/are ~' 형태의 구문이다. 문장의 주어 'a good chance of rain'이 3인칭 단수이므로 이에 알맞은 be 동사 (A)가 정답이다.

관련 문장 This statistic tells us that there is a good chance of avoiding lung cancer if we don't smoke.

3. The scientists are looking for a cure for lung cancer.

(A) lung cancer
(B) brain tumors
(C) foot problems
(D) mouth disease

해석 과학자들이 폐암을 치료할 방법을 찾고 있다.

(A) 폐암
(B) 뇌종양
(C) 발 문제
(D) 구강 질환

풀이 폐에 악성 종양이 생긴 모습의 그림이므로 (A)가 정답이다.

관련 문장 For example, studies show that 95 percent of lung cancer is linked to smoking.

4. The presenter showed some statistics charts.

(A) travel photos
(B) poetry books
(C) comedy films
(D) statistics charts

해석 발표자가 어떤 통계 그래프를 보여주었다.

(A) 여행 사진
(B) 시집
(C) 코미디 영화
(D) 통계 그래프

풀이 발표자가 수치가 적혀 있는 원형 도표를 제시하고 있으므로 (D)가 정답이다.

관련 문장 Statistics are very useful in our lives.

[5-6]

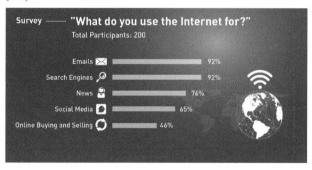

해석

설문 - "인터넷으로 무엇을 합니까?"
　　　총 참여자 수: 200

이메일: 92%

검색 엔진: 92%

뉴스: 76%

소셜미디어: 65%

온라인 매매: 46%

5. According to the survey, what is the internet used for the second least frequently?

(A) News
(B) E-mails
(C) Buy and Sell
(D) Social Media

해석 설문에 따르면, 인터넷에서 두 번째로 사용 빈도가 적은 것은 무엇인가?

(A) 뉴스
(B) 이메일
(C) 매매
(D) 소셜 미디어

풀이 두 번째로 사용 빈도가 적은 인터넷 활동은 65%로 표시된 'Social Media'이므로 (D)가 정답이다.

6. Which internet activity did exactly 92 participants say they do?

(A) sending e-mails
(B) searching the web
(C) reading news articles
(D) buying and selling online

해석 정확히 92명의 참여자가 한다고 말한 인터넷 활동은 무엇인가?

(A) 이메일 보내기
(B) 웹 검색하기
(C) 뉴스 기사 읽기
(D) 온라인 매매

풀이 총 참여자 수가 200명이므로 92명은 총 참여자 수의 46%라는 것을 알 수 있다. 따라서 설문 결과에서 46%로 표시된 (D)가 정답이다. (A)와 (B)는 퍼센트(%)가 92이고, 실제 사람 수는 184명(200 × 0.92)이므로 오답이다. 퍼센트(%)와 같이 비율 정보를 바탕으로 계산할 때 총 참여자 수를 고려해야 한다는 점에 주목한다.

Statistics are very useful in our lives. Predicting future weather is one way we use statistics daily. The TV reporters use information in weather models to make predictions. These weather models are computer programs that are built using statistics. A second use of statistics is for our health. Statistics about diseases are in the news a lot. With statistics we can have a better idea of how a disease may hurt us. For example, studies show that 95 percent of lung cancer is linked to smoking. This statistic tells us that there is a good chance of avoiding lung cancer if we don't smoke. Finally, professional sports teams use data to make decisions on playing strategies and finding new players. Sports media also use statistics to make sure sports fans are happy with their team. The weather, diseases, and sports are three areas where statistics are useful in our lives.

해석

통계는 우리의 삶에서 매우 유용하다. 미래의 날씨를 예측하는 것은 매일 우리가 통계를 사용하는 한 방법이다. 텔레비전 기자들은 예측하기 위해 기상 모형의 정보를 사용한다. 이 기상 모형은 통계를 사용하여 구축된 컴퓨터 프로그램이다. 두 번째 통계 사용은 우리의 건강을 위한 것이다. 질병에 관한 통계는 뉴스에 많이 나온다. 통계를 통해 우리는 질병이 우리에게 어떻게 해를 끼칠 수 있는지 더 잘 알 수 있다. 예를 들면, 연구들은 폐암의 95%가 흡연과 연관되어 있다는 것을 보여준다. 이 통계는 우리가 흡연하지 않는다면 폐암을 피할 가능성이 높다는 것을 말해준다. 마지막으로, 프로 스포츠팀들은 전략 실행과 새로운 선수 선발에 대한 결정을 내리기 위해 자료를 사용한다. 스포츠 매체들은 또한 스포츠 팬들이 확실히 그들의 팀에 만족하도록 하기 위해 통계를 사용한다. 날씨, 질병, 그리고 스포츠는 통계가 우리 삶에서 유용한 세 분야이다.

7. What would be a good title for this passage?
   (A) Statistics in History
   (B) Beginner's Statistics
   (C) The Power of Statistics
   (D) New Discoveries in Statistics

해석 지문에 알맞은 제목은 무엇인가?
   (A) 역사 속 통계
   (B) 초심자의 통계
   (C) 통계의 힘
   (D) 통계학에서의 새로운 발견

유형 전체 내용 파악

풀이 첫 문장 'Statistics are very useful in our lives.'에서부터 일상에서 유용하게 사용되는 통계라는 중심 소재가 드러나고 있다. 그 후에 날씨, 질병, 스포츠 세 분야에서 통계가 어떤 식으로 유용하게 사용되는지 설명하고 있는 글이므로 (C)가 정답이다.

8. What do modern weather reports use to make predictions about the weather?
   (A) sky charts
   (B) farming calendars
   (C) computer programs
   (D) encyclopedia articles

해석 날씨를 예측하기 위해 현대의 기상 예보가 사용하는 것은 무엇인가?
   (A) 천문 지도
   (B) 농사 달력
   (C) 컴퓨터 프로그램
   (D) 백과사전 글

유형 세부 내용 파악

풀이 'The TV reporters use information in weather models to make predictions. These weather models are computer programs that are built using statistics.'에서 오늘날에는 기상 모형을 통해 날씨를 예측하며, 이 기상 모형이 컴퓨터 프로그램이라고 했으므로 (C)가 정답이다.

9. Which of the following is NOT mentioned as a way that statistics are used in our daily lives?
   (A) sports
   (B) cooking
   (C) weather
   (D) diseases

해석 다음 중 일상에서 통계가 사용되는 방법으로 언급된 분야가 아닌 것은 무엇인가?
   (A) 스포츠
   (B) 요리
   (C) 날씨
   (D) 질병

유형 세부 내용 파악

풀이 통계가 요리에서 사용되는 사례는 본문에서 언급되지 않았으므로 (B)가 정답이다.

10. Where are you most likely to find this passage?
   (A) a textbook
   (B) a sports news website
   (C) a brochure for a high school
   (D) a no-smoking advertisement

해석 이 지문을 볼 가능성이 가장 높은 곳은 어디인가?
   (A) 교과서
   (B) 스포츠 뉴스 웹사이트
   (C) 고등학교 책자
   (D) 금연 광고

유형 추론하기

풀이 본문은 날씨, 질병, 스포츠라는 세 분야를 예시로 들어 통계가 어떻게 일상에서 유용하게 사용되는지 설명하고 있는 글이다. 이는 주로 학문을 다루는 교과서에 수록될 만한 내용이므로 (A)가 정답이다.

🎧 Listening Practice   ▶ J1-6   p.58

Statistics are very useful in our lives. Predicting future weather is one way we use <u>statistics</u> daily. The TV reporters use information in weather models to make <u>predictions</u>. These weather models are computer programs that are built using statistics. A second use of statistics is for our health. Statistics about <u>diseases</u> are in the news a lot. With statistics we can have a better idea of how a disease may hurt us. For example, studies show that 95 percent of lung <u>cancer</u> is linked to smoking. This statistic tells us that there is a good chance of avoiding lung cancer if we don't smoke. Finally, professional sports teams use data to make decisions on playing <u>strategies</u> and finding new players. Sports media also use statistics to <u>make sure</u> sports fans are happy with their team. The weather, diseases, and sports are three areas where statistics are useful in our lives.

1. statistics
2. predictions
3. diseases
4. cancer
5. strategies
6. make sure

✏️ Writing Practice   p.59

1. statistic
2. make predictions
3. disease
4. cancer
5. strategy
6. make sure

📄 Summary

The power of <u>statistics</u> in our lives is very strong. The <u>weather</u>, <u>diseases</u>, and <u>sports</u> are three areas where statistics are <u>useful</u> in our lives.

우리 삶 속에서 <u>통계</u>의 힘은 매우 강력하다. <u>날씨</u>, <u>질병</u>, 그리고 <u>스포츠</u>는 우리 삶에서 통계가 <u>유용한</u> 세 분야이다.

🧩 Word Puzzle   p.60

Across	Down
5. strategy	1. cancer
6. statistic	2. make sure
	3. disease
	4. make predictions

Unit 7 | The Golden Ratio   p.61

Part A. Sentence Completion   p.63

1 (C)   2 (B)

Part B. Situational Writing   p.63

3 (B)   4 (A)

Part C. Practical Reading and Retelling   p.64

5 (D)   6 (B)

Part D. General Reading and Retelling   p.65

7 (C)   8 (C)   9 (B)   10 (C)

Listening Practice   p.66

1 equals	2 approximately
3 ratio	4 spirals
5 hurricanes	6 Calculating

Writing Practice   p.67

1 ratio	2 equal
3 approximately	4 hurricane
5 spiral	6 calculate

Summary Ratio, nature, number, world

Word Puzzle   p.68

Across

1 spiral	5 calculate

Down

2 approximately	3 hurricane
4 ratio	6 equal

💡 Pre-reading Questions   p.61

Do you know what this shape is?

Does it remind you of anything?

이 모양이 무엇인지 알고 있나요?

무언가를 연상시키나요?

The Golden Ratio

The Golden Ratio is a special number found in many surprising places. It equals approximately 1.618, but it actually goes on forever without repeating any pattern. Instead of writing it out all the time, mathematicians use the Greek letter Phi (φ) when they write equations. But it is not only mathematicians who have used the Golden Ratio. It has also been used by famous architects and artists. We would not have ancient wonders like the Great Egyptian Pyramids and the Greek Parthenon without this ratio. Da Vinci, Michelangelo, Rembrandt, and Dali all used the Golden Ratio in their artwork as well. These artists felt that if the size of their art followed the Golden Ratio it would be more beautiful. Even nature uses this special number. For example, you can find the Golden Ratio in the spirals of shells, hurricanes, and the Milky Way. Calculating and using the Golden Ratio lets us create beauty and understand the universe we live in.

황금비

황금비는 많은 놀라운 곳에서 발견되는 특별한 숫자이다. 그것은 대략 1.618과 같지만, 사실 어떠한 패턴의 반복 없이 영원히 계속된다. 매번 그것을 쓰는 대신, 수학자들은 방정식을 쓸 때 그리스 문자인 파이(φ)를 사용한다. 그러나 황금비를 사용해왔던 이들은 수학자들뿐만이 아니다. 그것은 또한 유명한 건축가들과 예술가들에 의해 사용됐다. 이 비율이 없었다면 우리는 이집트의 피라미드(Pyramids)와 그리스 파르테논(Parthenon) 신전과 같은 고대 불가사의를 가질 수 없었을 것이다. Da Vinci, Michelangelo, Rembrandt, 그리고 Dali 또한 모두 그들의 예술작품에 황금비를 사용했다. 이 예술가들은 만약 그들의 예술작품의 크기가 황금비를 따른다면 더 아름다워질 것이라고 느꼈다. 심지어 자연도 이 특별한 숫자를 사용한다. 예를 들어, 껍데기, 허리케인, 그리고 은하수의 나선에서 황금비를 발견할 수 있다. 황금비를 계산하고 사용하는 것은 우리로 하여금 아름다움을 창조하게 하고 우리가 사는 우주를 이해하게 한다.

어휘 shape 모양, 형태 | remind 상기시키다 | remind (a person) of 연상시키다 | multiply 곱하다 | calculator 계산기 | shell 껍데기 | spiral 나선형(의) | square 정사각형(의) | architect 건축가 | zoologist 동물학자 | eye doctor 안과 의사 | Golden Ratio 황금비 | ratio 비율 | approximately 대략, 거의 | repeat 반복하다 | pattern 패턴 | instead of ~ 대신에 | mathematician 수학자 | equation 방정식 | ancient 고대의 | wonder 경이(로운 것), 불가사의; 궁금해하다 | follow 따르다 | Milky Way 은하수 | create 창조하다 | understand 이해하다 | universe 우주 | sequence 수열 | rectangle 직사각형(의) | triangle 삼각형(의) | medicine 의학 | architecture 건축학

1. A: This painting looks perfect, <u>doesn't</u> it?
    B: Yeah, the artist worked on it for months.

    (A) don't
    (B) can't
    (C) **doesn't**
    (D) couldn't

해석 A: 이 그림은 완벽해요, <u>그렇죠</u>?
    B: 네, 화가가 몇 달 동안 이것에 공들였어요.

    (A) 조동사 do 부정형
    (B) 조동사 can 부정형
    (C) 조동사 does 부정형
    (D) 조동사 could 부정형

풀이 '그렇지 (않니)?' 등을 의미하는 부가의문문은 '앞 문장의 조동사 + (not) + 앞 문장의 주어를 가리키는 인칭대명사'의 구조를 띤다. 빈칸 앞 문장의 동사가 일반동사 'looks'이므로 3인칭 단수 주어에 맞는 'does'가 필요하고, 앞 문장이 긍정문이므로 부가의문문은 부정문으로 써야 한다. 따라서 (C)가 정답이다.

관련 문장 These artists felt that if the size of their art followed the Golden Ratio it would be more beautiful.

2. A: How should I multiply these numbers?
    B: <u>Using</u> a calculator might be the easiest way.

    (A) Use
    (B) **Using**
    (C) If use
    (D) If using

해석 A: 이 수들을 어떻게 곱하니?
    B: 계산기를 <u>사용하는 것</u>이 가장 쉬운 방법일지도 몰라.

    (A) 사용하다
    (B) 사용하는 것
    (C) 접속사 if + 사용하다
    (D) 접속사 if + 사용하는 것

풀이 '_____ a calculator'가 주어 부분이기 때문에 빈칸에는 명사 역할을 하면서 'a calculator'라는 목적어도 취할 수 있는 동사의 활용형이 들어가야 한다. to 부정사나 동명사가 그러한 역할을 할 수 있으므로 동명사에 해당하는 (B)가 정답이다.

관련 문장 Calculating and using the Golden Ratio lets us create beauty and understand the universe we live in.

3. This shell has a <u>spiral</u> shape.

(A) line
(B) spiral
(C) square
(D) rectangular

해석 이 껍데기는 <u>나선</u> 모양이다.

(A) 선
(B) 나선
(C) 정사각형
(D) 직사각형

풀이 그림에 있는 껍데기에서 흔히 소용돌이 모양이라 부르는 나선을 발견할 수 있으므로 (B)가 정답이다.

관련 문장 For example, you can find the Golden Ratio in the spirals of shells, hurricanes, and the Milky Way.

4. Jenna wants to be a successful <u>architect</u>.

(A) architect
(B) zoologist
(C) fire fighter
(D) eye doctor

해석 Jenna는 성공적인 <u>건축가</u>가 되고 싶다.

(A) 건축가
(B) 동물학자
(C) 소방관
(D) 안과 의사

풀이 건축 설계도에 대해 설명하고 있는 모습이므로 (A)가 정답이다.

관련 문장 It has also been used by famous architects and artists.

5. What is the next number in the Fibonacci Sequence after 8?

(A) 5
(B) 8
(C) 11
(D) 13

해석 피보나치 수열에서 8 다음에 나오는 숫자는 무엇인가?

(A) 5
(B) 8
(C) 11
(D) 13

풀이 'To find a number in the Fibonacci Sequence, you add the two numbers before it.'에서 피보나치 수열의 숫자를 찾으려면 앞 숫자 두 개를 더하라고 설명하고 있다. 따라서 앞에 나온 숫자 5와 8을 더하면 다음에 나오는 숫자는 13이므로 (D)가 정답이다.

6. What word should go in blank [A]?

(A) lines
(B) squares
(C) triangles
(D) rectangles

해석 빈칸 [A]에 들어갈 단어로 알맞은 것은 무엇인가?

(A) 선
(B) 정사각형
(C) 삼각형
(D) 직사각형

풀이 그림을 보면 변의 길이가 1인 정사각형 두 개를 붙이는 것으로 시작하고 있으므로 (B)가 정답이다.

[5-6]

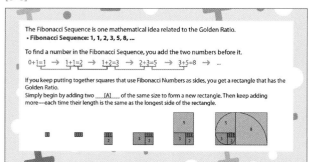

해석

피보나치 수열은 황금비와 관련된 하나의 수학 개념이다.

• 피보나치 수열: 1, 1, 2, 3, 5, 8, …

피보나치 수열의 숫자를 찾기 위해서, 앞에 두 숫자들을 더해야 한다.

$0+1=1 \rightarrow 1+1=2 \rightarrow 1+2=3 \rightarrow 2+3=5 \rightarrow 3+5=8 \rightarrow \cdots$

피보나치 숫자를 변의 길이로 사용하는 사각형을 계속 붙여나가면, 황금비를 가진 직사각형을 얻게 된다.

같은 크기의 두 <u>정사각형</u>을 붙이는 것으로 간단히 시작해서 새로운 직사각형을 만들어라. 그런 다음 계속 붙여라—매번 그것들의 길이는 직사각형의 가장 긴 변과 같다.

[7-10]

The Golden Ratio is a special number found in many surprising places. It equals approximately 1.618, but it actually goes on forever without repeating any pattern. Instead of writing it out all the time, mathematicians use the Greek letter Phi (φ) when they write equations. But it is not only mathematicians who have used the Golden Ratio. It has also been used by famous architects and artists. We would not have ancient wonders like the Great Egyptian Pyramids and the Greek Parthenon without this ratio. Da Vinci, Michelangelo, Rembrandt, and Dali all used the Golden Ratio in their artwork as well. These artists felt that if the size of their art followed the Golden Ratio it would be more beautiful. Even nature uses this special number. For example, you can find the Golden Ratio in the spirals of shells, hurricanes, and the Milky Way. Calculating and using the Golden Ratio lets us create beauty and understand the universe we live in.

해석

황금비는 많은 놀라운 곳에서 발견되는 특별한 숫자이다. 그것은 대략 1.618과 같지만, 사실 어떠한 패턴의 반복 없이 영원히 계속된다. 매번 그것을 쓰는 대신, 수학자들은 방정식을 쓸 때 그리스 문자인 파이(φ)를 사용한다. 그러나 황금비를 사용해왔던 이들은 수학자들뿐만이 아니다. 그것은 또한 유명한 건축가들과 예술가들에 의해 사용됐다. 이 비율이 없었다면 우리는 이집트의 피라미드(Pyramids)와 그리스 파르테논(Parthenon) 신전과 같은 고대 불가사의를 가질 수 없었을 것이다. Da Vinci, Michelangelo, Rembrandt, 그리고 Dali 또한 모두 그들의 예술작품에 황금비를 사용했다. 이 예술가들은 만약 그들의 예술작품의 크기가 황금비를 따른다면 더 아름다워질 것이라고 느꼈다. 심지어 자연도 이 특별한 숫자를 사용한다. 예를 들어, 껍데기, 허리케인, 그리고 은하수의 나선에서 황금비를 발견할 수 있다. 황금비를 계산하고 사용하는 것은 우리로 하여금 아름다움을 창조하게 하고 우리가 사는 우주를 이해하게 한다.

7. What is the main idea of this passage?

(A) Artists should start using the Golden Ratio more.
(B) Ancient architects did not need math to build things.
(C) The Golden Ratio is seen in both nature and man-made things.
(D) Mathematicians are searching for a pattern in the Golden Ratio.

해석 지문의 요지는 무엇인가?

(A) 예술가들이 황금비를 더 많이 사용하기 시작해야 한다.
(B) 고대 건축가들은 건물을 지을 때 수학이 필요하지 않았다.
(C) 황금비는 자연과 인간이 만든 것 둘 다에서 볼 수 있다.
(D) 수학자들은 황금비의 패턴을 찾고 있다.

유형 전체 내용 파악

풀이 초반부에 황금비의 개념을 소개한 뒤, 수학, 건축, 예술, 자연을 예로 들며 황금비를 이용하고 발견할 수 있는 분야를 설명하고 있다. 따라서 자연과 인간이 만든 것 모두에서 황금비를 찾을 수 있다는 내용이 본문의 요지이므로 (C)가 정답이다.

8. Which is NOT mentioned as a field that has used the Golden Ratio?

(A) Art
(B) Math
(C) Medicine
(D) Architecture

해석 다음 중 황금비를 사용한 분야로 언급되지 않은 것은 무엇인가?

(A) 예술
(B) 수학
(C) 의학
(D) 건축

유형 세부 내용 파악

풀이 본문에서 황금비를 사용한 분야로 'Medicine'(의학)은 언급되지 않았으므로 (C)가 정답이다.

9. According to the passage, what shape in nature commonly uses the Golden Ratio?

(A) circles
(B) spirals
(C) triangles
(D) diamonds

해석 지문에 따르면, 자연에서 어떤 모양이 보통 황금비를 사용하는가?

(A) 원
(B) 나선
(C) 삼각형
(D) 마름모

유형 세부 내용 파악

풀이 'For example, you can find the Golden Ratio in the spirals of shells, hurricanes, and the Milky Way.'에서 껍데기, 허리케인, 은하수의 나선에서 황금비를 발견할 수 있다고 하였으므로 (B)가 정답이다.

10. According to the passage, which of the following statements is true?

(A) The Milky Way is a giant golden hurricane.
(B) Rembrandt was a world-famous gold architect.
(C) **The Golden Ratio has no pattern in its numbers.**
(D) Egyptians learned the Golden Ratio from the Greeks.

해석 지문에 따르면, 다음 중 옳은 내용은 무엇인가?

(A) 은하수는 거대한 황금 허리케인이다.
(B) Rembrandt는 세계에서 유명한 금 건축가였다.
(C) 황금비는 숫자들에 패턴이 전혀 없다.
(D) 이집트인들은 그리스인들로부터 황금비를 배웠다.

유형 세부 내용 파악

풀이 'It equals approximately 1.618, but it actually goes on forever without repeating any pattern.'에서 황금비의 값이 어떤 패턴의 반복 없이 영원히 계속된다고 하였으므로 (C)가 정답이다.

 **Listening Practice**   ▶ J1-7   p.66

The Golden Ratio is a special number found in many surprising places. It <u>equals</u> <u>approximately</u> 1.618, but it actually goes on forever without repeating any pattern. Instead of writing it out all the time, mathematicians use the Greek letter Phi (φ) when they write equations. But it is not only mathematicians who have used the Golden Ratio. It has also been used by famous architects and artists. We would not have ancient wonders like the Great Egyptian Pyramids and the Greek Parthenon without this <u>ratio</u>. Da Vinci, Michelangelo, Rembrandt, and Dali all used the Golden Ratio in their artwork as well. These artists felt that if the size of their art followed the Golden Ratio it would be more beautiful. Even nature uses this special number. For example, you can find the Golden Ratio in the <u>spirals</u> of shells, <u>hurricanes</u>, and the Milky Way. <u>Calculating</u> and using the Golden Ratio lets us create beauty and understand the universe we live in.

1. equals
2. approximately
3. ratio
4. spirals
5. hurricanes
6. Calculating

 **Writing Practice**   p.67

1. ratio
2. equal
3. approximately
4. hurricane
5. spiral
6. calculate

Summary

The Golden <u>Ratio</u> is a special number found in many surprising places. Mathematicians, architects, and artists have used it. Even <u>nature</u> uses this special <u>number</u>. We can create beauty and understand the <u>world</u> with the Golden Ratio.

황금비는 많은 놀라운 곳에서 발견되는 특별한 숫자이다. 수학자, 건축가, 그리고 예술가들이 그것을 사용해왔다. 심지어 <u>자연</u>도 이 특별한 <u>숫자</u>를 사용한다. 우리는 황금비를 통해 아름다움을 만들어 내고 <u>세상</u>을 이해할 수 있다.

Word Puzzle   p.68

Across
1. spiral
5. calculate

Down
2. approximately
3. hurricane
4. ratio
6. equal

Pre-reading Questions
p.69

Where can you see barcodes in your daily life?

Do you know how they work?

당신의 일상에서 바코드를 어디에서 볼 수 있나요?

어떻게 작동하는지 알고 있나요?

Reading Passage
p.70

Barcodes

In a supermarket, you can see many black and white barcodes. The barcodes connect to something called a "Universal Product Code." The first number in the code says what kind of product it is. For example, a "3" means that it is a beauty product. The 2nd to 6th digits show information about the product maker. The 7th to 11th numbers are about the store. And very importantly, each bar code has a "check digit." It is the 12th number in a bar code. The check digit is to see that the other numbers in the barcode are input correctly. So how can you make a check digit? First, add the 1st, 3rd, 5th, 7th, 9th, and 11th digits. Take the sum and multiply it by 3. Then, add the 2nd, 4th, 6th, 8th, and 10th digits. Add the first total to that total. After that, do a couple more mathematical operations and finally get the check digit.

바코드

슈퍼마켓에서, 많은 흑백 바코드를 볼 수 있다. 바코드는 "보편적 상품 코드"라는 것과 연결된다. 코드의 첫 번째 숫자는 그 상품이 어떤 종류인지를 알려준다. 예를 들어, "3"은 그것이 미용 제품이라는 것을 의미한다. 2번째부터 6번째 숫자들은 상품 제조자에 관한 정보를 보여준다. 7번째부터 11번째 숫자들은 가게에 대한 것이다. 그리고 매우 중요하게도, 각각의 바코드는 "검사 숫자"를 가진다. 그것은 바코드에서 12번째 숫자이다. 검사 숫자는 바코드에 있는 다른 숫자들이 정확하게 입력되었는지를 확인하기 위한 것이다. 그렇다면 검사 숫자는 어떻게 생성할 수 있는가? 먼저, 1번째, 3번째, 5번째, 7번째, 9번째, 그리고 11번째 숫자를 더한다. 합을 구하고 그것을 3으로 곱한다. 다음에, 2번째, 4번째, 6번째, 8번째, 그리고 10번째 숫자를 더한다. 그 총합에 첫 번째 총합을 더한다. 그 후에, 수학적 연산을 두어 번 더 하고 마침내 검사 숫자를 구하게 된다.

어휘 barcode 바코드 | multiply 곱하다 | mobile phone 휴대폰 | scanner 스캐너 | add 더하다 | divide 나누다 | subtract 빼다 | connect 연결되다; 연결하다 | universal 보편적인; 전 세계적인; 일반적인 | kind 종류, 유형 | information 정보 | maker 제조자 | digit (0에서 9까지의 아라비아) 숫자 | input 입력하다 | correctly 정확하게 | sum 합 | a couple more 두어 번 더 | mathematical 수학의 | operation 연산; (기계, 특히 컴퓨터의) 작업; (기계·시스템의) 운용[작동] | represent 표시하다; 대표하다 | damaged 손상을 입은 | missing (흔히 있어야 할 것이) 빠진[누락된] | laser 레이저 | direction 방향 | letter 문자 | symbol 기호 | variety 다양성 | correction 교정 | capability 기능; 역량 | prove 증명하다

⏱ **Comprehension Questions** p.71

1. A: What do the numbers under this barcode mean?
   B: Each number <u>has</u> special uses.

   (A) do
   (B) has
   (C) can
   (D) have

해석 A: 이 바코드 아래에 있는 숫자들은 무엇을 의미하니?
   B: 각 숫자에는 특별한 용도가 <u>있어</u>.

   (A) 하다
   (B) 가지다
   (C) 할 수 있다
   (D) 가지다

풀이 빈칸은 동사 자리이며, 주어가 3인칭 단수 'Each number'이므로
   이와 어울리는 (B)가 정답이다. (C)는 'can'이 조동사로서 홀로
   쓰일 수 없고 본동사가 필요하므로 오답이다.

새겨 두기 'each'가 들어간 명사구는 단수라는 점에 유의한다.

2. A: Why did you buy six water bottles? It's the two of
   us.
   B: We usually drink three each. So I multiplied 2 <u>by</u> 3.

   (A) by
   (B) on
   (C) for
   (D) with

해석 A: 물을 왜 여섯 병 샀니? 우리 두 명인데.
   B: 우리 보통 각자 세 병씩 마시잖아. 그래서 2를 3<u>으로</u> 곱했어.

   (A) ~으로 / ~만큼
   (B) ~(위)에
   (C) ~을 위해
   (D) ~와 함께

풀이 수량이나 정도를 나타낼 때 '~만큼' 등으로 해석되는 전치사 'by'
   를 사용하므로 (A)가 정답이다. 곱셈('multiply')이나 나눗셈
   ('divide')을 표현할 때 주로 전치사 'by'가 사용된다는 것을
   기억하자.

관련 문장 Take the sum and multiply it by 3.

3. He uses a <u>barcode scanner</u> at work.

   (A) diving mask
   (B) mobile phone
   (C) digital camera
   (D) barcode scanner

해석 그는 직장에서 <u>바코드 판독기</u>를 이용한다.

   (A) 잠수 마스크
   (B) 휴대전화
   (C) 디지털 카메라
   (D) 바코드 판독기

풀이 바코드 판독기로 바코드를 스캔하고 있으므로 (D)가 정답이다.

관련 문장 The check digit is to see that the other numbers in
   the barcode are input correctly.

4. You need to <u>add</u> those two numbers to get 9.

   (A) add
   (B) divide
   (C) multiply
   (D) subtract

해석 9를 얻으려면 그 두 숫자를 <u>더해야</u> 한다.

   (A) 더하다
   (B) 나누다
   (C) 곱하다
   (D) 빼다

풀이 그림에 표시된 두 숫자 7과 2를 더해서 9가 되므로 (A)가
   정답이다.

관련 문장 First, add the 1st, 3rd, 5th, 7th, 9th, and 11th digits. [...]
   Then, add the 2nd, 4th, 6th, 8th, and 10th digits. Add the
   first total to that total.

[5-6]

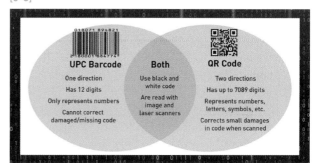

해석

UPC 바코드	둘 다	QR 코드
일방향	흑백 코드를 사용함	쌍방향
12개의 자릿수가 있음	이미지와 레이저 판독기로 읽힘	7089개까지의 자릿수가 있음
숫자들만 표시함		숫자, 문자, 기호 등을 표시함
손상/누락된 코드를 교정할 수 없음		판독 시 코드의 작은 손상들을 교정함

5. What do QR codes have that UPC barcodes do not have?
   (A) fewer digits
   (B) color variety
   (C) **self-correction**
   (D) laser capability

해석 UPC 바코드에는 없고 QR 코드에 있는 것은 무엇인가?
   (A) 더 적은 자릿수
   (B) 색깔 다양성
   (C) 자동 교정
   (D) 레이저 기능

풀이 'Corrects small damages in code […]'에서 QR 코드는 교정이 가능하다는 것을 알 수 있고, 이와 반대로 'Cannot correct damaged/missing code'에서 UPC 코드는 교정 기능이 없다는 것을 알 수 있으므로 (C)가 정답이다. (A)는 QR 코드에 자릿수가 훨씬 더 많으므로 오답이다. (B)는 두 코드 모두 흑백 코드를 사용한다고 나와 있으므로 오답이다.

6. Which type of code can store "19A9BQ45839"?
   (A) a UPC barcode
   (B) **a QR code**
   (C) both
   (D) neither

해석 다음 중 "19A9BQ45839"를 저장할 수 있는 코드는 무엇인가?
   (A) UPC 바코드
   (B) QR 코드
   (C) 둘 다
   (D) 둘 다 아님

풀이 해당 문구는 총 11자로서 숫자와 문자를 모두 포함하고 있다. 'Represents numbers, letters, symbols, etc.'에서 QR 코드가 숫자와 문자 등을 모두 표시할 수 있다고 하였으므로 (B)가 정답이다. (A)와 (C)는 UPC 바코드가 12자까지 저장할 수 있지만 'Only represents numbers'에서 숫자만 표시한다고 나와 있으므로 오답이다.

[7-10]

In a supermarket, you can see many black and white barcodes. The barcodes connect to something called a "Universal Product Code." The first number in the code says what kind of product it is. For example, a "3" means that it is a beauty product. The 2nd to 6th digits show information about the product maker. The 7th to 11th numbers are about the store. And very importantly, each bar code has a "check digit." It is the 12th number in a bar code. The check digit is to see that the other numbers in the barcode are input correctly. So how can you make a check digit? First, add the 1st, 3rd, 5th, 7th, 9th, and 11th digits. Take the sum and multiply it by 3. Then, add the 2nd, 4th, 6th, 8th, and 10th digits. Add the first total to that total. After that, do a couple more mathematical operations and finally get the check digit.

해석

슈퍼마켓에서, 많은 흑백 바코드를 볼 수 있다. 바코드는 "보편적 상품 코드"라는 것과 연결된다. 코드의 첫 번째 숫자는 그 상품이 어떤 종류인지를 알려준다. 예를 들어, "3"은 그것이 미용 제품이라는 것을 의미한다. 2번째부터 6번째 숫자들은 상품 제조자에 관한 정보를 보여준다. 7번째부터 11번째 숫자들은 가게에 대한 것이다. 그리고 매우 중요하게도, 각각의 바코드는 "검사 숫자"를 가진다. 그것은 바코드에서 12번째 숫자이다. 검사 숫자는 바코드에 있는 다른 숫자들이 정확하게 입력되었는지를 확인하기 위한 것이다. 그렇다면 검사 숫자는 어떻게 생성할 수 있는가? 먼저, 1번째, 3번째, 5번째, 7번째, 9번째, 그리고 11번째 숫자를 더한다. 합을 구하고 그것을 3으로 곱한다. 다음에, 2번째, 4번째, 6번째, 8번째, 그리고 10번째 숫자를 더한다. 그 총합에 첫 번째 총합을 더한다. 그 후에, 수학적 연산을 두어 번 더 하고 마침내 검사 숫자를 구하게 된다.

7. Which of the following is the best title for the passage?
   (A) The Six Numbers in a Barcode
   (B) Why Barcodes Are No Longer Popular
   (C) How to Save Money at the Supermarket
   (D) **The Numbers in Universal Product Codes**

해석 지문에 가장 알맞은 제목은 무엇인가?
   (A) 바코드의 여섯 개 숫자들
   (B) 바코드가 더 이상 인기가 없는 이유
   (C) 슈퍼마켓에서 돈을 아끼는 방법
   (D) 공통 상품 코드의 숫자들

유형 전체 내용 파악

풀이 초반부에 'Universal Product Code'라는 중심 소재를 소개한 뒤, 바코드의 각 숫자가 무엇을 의미하는지 차례대로 설명하고 있다. 따라서 (D)가 정답이다. (A)는 여섯 개의 숫자가 아니라 열두 개의 숫자를 설명하고 있는 글이므로 오답이다.

8. According to the passage, what does the first code number show?

   (A) **type of product**
   (B) color of product
   (C) when a product is sold
   (D) where a product is made

해석 지문에 따르면, 첫 번째 코드 숫자는 무엇을 나타내는가?

   (A) 상품의 종류
   (B) 상품의 색깔
   (C) 상품이 팔린 시기
   (D) 상품이 만들어진 장소

유형 세부 내용 파악

풀이 'The first number in the code says what kind of product it is.'에서 첫 번째 숫자는 상품의 종류를 보여준다고 했으므로 (A)가 정답이다. (D)는 두 번째에서 여섯 번째 숫자에 해당하므로 오답이다.

9. Which digits are about the store?

   (A) first and second
   (B) second to sixth
   (C) **seventh to eleventh**
   (D) twelfth and over

해석 가게에 관한 것은 어떤 숫자들인가?

   (A) 첫 번째와 두 번째
   (B) 두 번째부터 여섯 번째
   (C) 일곱 번째부터 열한 번째
   (D) 열두 번째 이상

유형 세부 내용 파악

풀이 The 7th to 11th numbers are about the store.'에서 일곱 번째에서 열한 번째 숫자가 가게에 관한 숫자라고 했으므로 (C)가 정답이다.

10. What is true about the check digit?

   (A) It is always the number 10.
   (B) It is the first digit in the code.
   (C) **It shows that inputting is correct.**
   (D) It proves that the product is new.

해석 검사 숫자에 관해 옳은 설명은 무엇인가?

   (A) 언제나 숫자 10이다.
   (B) 코드의 첫 번째 숫자이다.
   (C) 입력이 정확한지 보여준다.
   (D) 상품이 새것이라는 것을 증명한다.

유형 세부 내용 파악

풀이 'The check digit is to see that the other numbers in the barcode are input correctly.'에서 검사 숫자는 바코드의 숫자가 정확히 입력되어 있는지 확인하기 위한 숫자라고 했으므로 (C)가 정답이다. (B)는 코드의 첫 번째 숫자는 상품의 종류에 관한 숫자이므로 오답이다.

 Listening Practice   ▶ J1-8   p.74

In a supermarket, you can see many black and white <u>barcodes</u>. The barcodes connect to something called a "<u>Universal</u> Product Code." The first number in the code says what kind of product it is. For example, a "3" means that it is a beauty product. The 2nd to 6th digits show information about the <u>product</u> maker. The 7th to 11th numbers are about the store. And very importantly, each bar code has a "check digit." It is the 12th number in a bar code. The check digit is to see that the other numbers in the barcode are <u>input</u> correctly. So how can you make a check digit? First, <u>add</u> the 1st, 3rd, 5th, 7th, 9th, and 11th digits. Take the sum and <u>multiply</u> it by 3. Then, add the 2nd, 4th, 6th, 8th, and 10th digits. Add the first total to that total. After that, do a couple more mathematical operations and finally get the check digit.

1. barcodes
2. Universal
3. product
4. input
5. add
6. multiply

 Writing Practice   p.75

1. barcode
2. universal
3. product
4. input
5. add
6. multiply

📄 Summary

Barcodes connect to a "Universal <u>Product</u> Code." The first number says the type of product, the 2nd to 6th digits are about the product maker, and the <u>7th</u> to 11th numbers are about the store. The 12th number is a "<u>check</u> digit." You can get the check digit by doing some <u>mathematical</u> operations.

바코드는 "보편적 <u>상품</u> 코드"와 연결된다. 첫 번째 숫자는 상품의 종류를 말해주고, 2번째부터 6번째 숫자들은 상품 제조자에 관한 것이며, <u>7번째</u>부터 11번째 숫자들은 가게에 관한 것이다. 12번째 숫자는 "<u>검사</u> 숫자"이다. 몇 차례의 <u>수학적</u> 연산으로 검사 숫자를 구할 수 있다.

Word Puzzle

p.76

Across	Down
3. barcode	1. product
5. universal	2. add
6. input	4. multiply

AMAZING STORIES

p.77

A Math Genius

People often write to professors with crazy theories and ideas. In 1913, G.E. Hardy, an English mathematics professor, received ten pages from a stranger in India. The pages contained 120 mysterious math statements and formulas. At first Hardy probably thought the formulas meant nothing. But then he looked more closely. The formulas and statements were real. He thought they might be from a genius. That genius was Srinivasa Ramanujan.

Ramanujan loved math. However, his path to life as a mathematician was not easy. As a teenager, he did well in school. But when he was 16, he started studying for a very difficult math test. As he was studying, he became obsessed with the formulas in his exam preparation book. He used the formulas in the book to figure out new discoveries in math. He became so interested in math that he started to ignore all his other academic subjects. He failed his university exams many times. Eventually, he dropped out of university. He worked as a clerk until he wrote to Hardy.

Hardy wrote a reply to Ramanujan and they started to work together. Ramanujan's way of thinking about math was a mystery to Hardy and others. Ramanujan said that some of his ideas came to him while he was dreaming. By the time he died at the early age of 32, he had produced about 3,000 mathematical theories, formulas, and statements.

수학 천재

사람들은 종종 말도 안 되는 이론과 아이디어로 교수들에게 편지를 쓴다. 1913년에, 영국 수학 교수인, G.E. Hardy는 인도의 낯선 이로부터 열 장을 받았다. 그 장들에는 120개의 불가사의한 수학 진술과 공식이 담겨있었다. 처음에 Hardy는 그 공식들이 아무것도 의미하지 않는다고 생각했다. 하지만 그는 더 자세히 보았다. 그 공식들과 진술은 실제였다. 그는 그것들이 천재로부터 온 것일지도 모른다고 생각했다. 그 천재는 Srinivasa Ramanujan이었다.

Ramanujan은 수학을 아주 좋아했다. 그러나, 수학자로서의 인생에 가기까지 그의 행로는 쉽지 않았다. 10대일 때, 그는 학교에서 좋은 성적을 받았다. 하지만 16살일 때, 그는 몹시 어려운 수학 시험을 위해 공부하기 시작했다. 그가 공부하면서, 그는 시험 준비 서적에 있던 공식에 사로잡혔다. 그는 수학에서 새로운 발견을 하고자 책의 공식을 이용했다. 그는 수학에 관심이 너무 많아져서 다른 학문 과목을 등한시하기 시작했다. 그는 대학 시험에 여러 번 떨어졌다. 결국, 그는 대학을 중퇴했다. 그는 Hardy에게 편지를 쓰기 전까지 점원으로 일했다.

Hardy는 Ramanujan에게 답장을 썼고 그들은 함께 작업하기 시작했다. Ramanujan의 수학에 관한 사고방식은 Hardy와 다른 이들에게 수수께끼였다. Ramanujan은 그의 일부 아이디어들이 꿈꾸고 있는 동안 그에게 떠올랐다고 말했다. 32세의 이른 나이에 세상을 떠날 무렵, 그는 3,000여 개의 수학 이론, 공식, 그리고 계산식을 만들어냈다.

Chapter 3. **Science**

 **Pre-reading Questions**   p.79

Using the picture, can you explain the water cycle?

그림을 활용해서, 물 순환에 관해 설명할 수 있나요?

 Reading Passage   p.80

The Water Cycle

The water cycle is essential for everything on our planet. How does it work? First, the sun's energy heats up the earth. The world's lakes, oceans, and even tiny puddles get warmer. At this point, some of the water turns into a gas called "vapor." This process is called "evaporation." Water also comes off of plant leaves. That process is called "transpiration." Water gas from evaporation and transpiration rises up into the air. When it gets high in the sky, it becomes colder and turns into clouds. This process is called "condensation." When there is too much condensation, water drops in the clouds become too heavy. At this point, the water falls to the earth in the form of rain or snow. This is called "precipitation." Some of the water goes back into the lakes, oceans, and puddles. This process is called "collection." Some more of the water goes into the ground. After some time, the water in the ground goes back to the lakes or oceans. And then the whole cycle starts again!

물 순환

물 순환은 우리 행성의 모든 것에 필수적이다. 그것은 어떻게 작동하는가? 먼저, 태양 에너지가 지구를 데운다. 세계의 호수, 바다, 그리고 심지어 작은 물웅덩이들이 더 따뜻해진다. 이 시점에서, 어느 정도의 물이 "수증기"라고 불리는 기체로 변한다. 이 과정은 "증발"이라고 불린다. 물은 또한 식물의 잎에서도 나온다. 이 과정은 "증산"이라고 불린다. 증발과 증산으로부터 나오는 물 기체는 공기 중으로 떠오른다. 그것이 하늘로 높이 올라가면, 차가워져서 구름으로 변한다. 이 과정은 "응결"이라고 부른다. 너무 많은 응결이 일어나면, 구름 속의 물방울들이 너무 무거워진다. 이 시점에서, 물은 비나 눈의 형태로 지면에 떨어진다. 이것은 "강수"라고 불린다. 어느 정도의 물은 호수, 바다, 그리고 물웅덩이로 되돌아간다. 이 과정은 "집결"이라고 불린다. 더 많은 물은 땅속으로 들어간다. 시간이 조금 지난 후에, 땅속의 물은 호수나 바다로 되돌아간다. 그러고 나서 전체 순환이 다시 시작된다!

어휘 explain 설명하다 | cycle 순환, 회전 | happen 일어나다 | turn into ~로 변하다 | rise 올라가다 | through ~을 통해 | process 과정 | evaporation 증발 | transpiration 증산 | lab (laboratory) 실험실 | equipment 도구, 장비 | gum 껌 | vapor 증기 | chart 도표 | typical 전형적인; 보통의 | diet 식단; 다이어트 | habit 습관 | common 공동의, 공통의; 흔한 | essential 필수적인 | planet 행성 | puddle 물웅덩이 | condensation 응결 | precipitation 강수 | collection 집결 | solar still 태양 증류기 | escape 빠져나가다, 탈출하다 | dome 돔 | container 용기; 그릇 | leather 가죽 | evaporate (액체가[를]) 증발하다[시키다] | freeze 얼다 | prevent 예방하다, 막다 | pollution 오염 | disappear 사라지다 | dam 댐 | bucket 양동이 | condense 응결되다 | pollination 수분(작용)

1. A: What happens after water turns into a gas and rises up?

    B: When it gets really <u>high</u> up in the sky, it turns into clouds.

    (A) high
    (B) highs
    (C) height
    (D) heighten

해석 A: 물이 기체로 변하고 위로 올라간 후에 무슨 일이 일어나니?

    B: 정말 하늘 <u>높이</u> 올라가면, 구름으로 변해.

    (A) 높은
    (B) 최고치
    (C) 높이
    (D) 고조되다

풀이 '(점점) ~해지다'라는 뜻을 나타낼 때 'get + 형용사' 형태를 사용할 수 있으므로 (A)가 정답이다.

새겨 두기 해당 문장에서 'get'은 형용사를 보어로 취하는 2형식 동사로 쓰이고 있다는 점에 유의한다.

관련 문장 When it gets high in the sky, it becomes colder and turns into clouds.

2. A: Water moves into the air through a plant's leaves.
    B: That's a process <u>called</u> "transpiration."

    (A) called
    (B) to call
    (C) calling
    (D) be called

해석 A: 물은 식물의 잎을 통해 공기 중으로 이동해.
    B: 그건 "증산"이라고 <u>불리는</u> 과정이야.

    (A) 불리는
    (B) 부르기
    (C) 부르는
    (D) 불리다

풀이 '~라 불리는'이라는 뜻을 나타낼 때 동사 'call'의 수동형을 사용하여 '(be) called ~'라고 표현하므로 (A)가 정답이다.

관련 문장 That process is called "transpiration."

3. You can see pink <u>vapor</u> coming out of the top of the lab equipment.

    (A) gum
    (B) vapor
    (C) plants
    (D) flowers

해석 실험 도구 꼭대기에서 분홍색 <u>증기</u>가 나오는 것을 볼 수 있다.

    (A) 껌
    (B) 증기
    (C) 식물
    (D) 꽃

풀이 액체를 가열하자 둥근 플라스크 위로 분홍색 증기가 나오고 있으므로 (B)가 정답이다.

관련 문장 At this point, some of the water turns into a gas called "vapor."

4. This chart shows the <u>life cycle</u> of a frog.

    (A) life cycle
    (B) typical diet
    (C) hunting habits
    (D) common enemies

해석 이 도표는 개구리의 <u>생애 주기</u>를 보여준다.

    (A) 생애 주기
    (B) 전형적인 식단
    (C) 사냥 습관
    (D) 공동의 적

풀이 알에서 올챙이, 올챙이에서 개구리, 개구리에서 다시 알로 순환되는 개구리의 생애 주기를 나타내고 있다. 따라서 (A)가 정답이다.

관련 문장 The water cycle is essential for everything on our planet. [...] And then the whole cycle starts again!

[5-6]

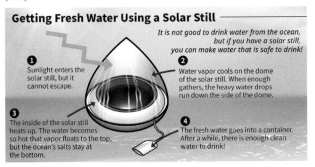

Getting Fresh Water Using a Solar Still

It is not good to drink water from the ocean, but if you have a solar still, you can make water that is safe to drink!

❶ Sunlight enters the solar still, but it cannot escape.

❷ Water vapor cools on the dome of the solar still. When enough gathers, the heavy water drops run down the side of the dome.

❸ The inside of the solar still heats up. The water becomes so hot that vapor floats to the top, but the ocean's salts stay at the bottom.

❹ The fresh water goes into a container. After a while, there is enough clean water to drink!

해석

태양 증류기로 신선한 물 얻기

바닷물을 마시는 것은 좋지 않지만, 만약 태양 증류기가 있다면, 마시기에 안전한 물을 제조할 수 있다!

1. 빛이 태양 증류기로 들어오지만, 빠져나갈 수는 없다.

2. 수증기가 태양 증류기의 돔에서 식는다. 충분히 모이면, 무거운 물방울들이 돔의 벽을 타고 내려온다.

3. 태양 증류기의 내부는 여전히 데워진다. 물이 너무 뜨거워져서 증기는 위쪽으로 뜨지만, 바다의 소금은 밑에 머무른다.

4. 신선한 물이 용기로 들어간다. 잠시 후에, 마실만큼 충분한 (양의) 깨끗한 물이 생긴다!

5. What is true about a solar still?

(A) It cools down water.
(B) It blocks the sunlight.
(C) It turns salt into vapor.
(D) It is used to get safe water.

해석 태양 증류기에 관해 옳은 설명은 무엇인가?

(A) 물을 식힌다.
(B) 햇빛을 차단한다.
(C) 소금을 증기로 변화시킨다.
(D) 안전한 물을 얻기 위해 사용된다.

풀이 '[...] but if you have a solar still, you can make water that is safe to drink!'에서 태양 증류기를 이용해 마셔도 안전한 물을 얻을 수 있다는 것을 알 수 있으므로 (D)가 정답이다. 태양 증류기의 내부는 데워지고, 물은 뜨거워진다고 했으므로 물을 식힌다고 설명한 (A)는 오답이다. (B)는 태양 증류기가 햇빛을 이용하여 물을 데우는 원리로 작동하는데 햇빛을 차단한다는 설명은 적절치 않으므로 오답이다. (C)는 소금은 증류기 밑에 남아 있다고 하였으므로 오답이다.

6. What material is the solar still's dome most likely made of?

(A) hard wood
(B) clear plastic
(C) frozen water
(D) brown leather

해석 태양 증류기 돔이 만들어졌을 재료로 가장 적절한 것은 무엇인가?

(A) 딱딱한 나무
(B) 투명한 플라스틱
(C) 언 물
(D) 갈색 가죽

풀이 태양 증류기의 돔은 햇빛이 통과하고 수증기가 닿는 부분이다. 햇빛이 통과할 수 있고 물에 닿아도 변형이 일어나지 않는 재료에는 투명한 플라스틱이 있다. 따라서 (B)가 정답이다.

[7-10]

The water cycle is essential for everything on our planet. How does it work? First, the sun's energy heats up the earth. The world's lakes, oceans, and even tiny puddles get warmer. At this point, some of the water turns into a gas called "vapor." This process is called "evaporation." Water also comes off of plant leaves. That process is called "transpiration." Water gas from evaporation and transpiration rises up into the air. When it gets high in the sky, it becomes colder and turns into clouds. This process is called "condensation." When there is too much condensation, water drops in the clouds become too heavy. At this point, the water falls to the earth in the form of rain or snow. This is called "precipitation." Some of the water goes back into the lakes, oceans, and puddles. This process is called "collection." Some more of the water goes into the ground. After some time, the water in the ground goes back to the lakes or oceans. And then the whole cycle starts again!

해석

물 순환은 우리 행성의 모든 것에 필수적이다. 그것은 어떻게 작동하는가? 먼저, 태양 에너지가 지구를 데운다. 세계의 호수, 바다, 그리고 심지어 작은 물웅덩이들이 더 따뜻해진다. 이 시점에서, 어느 정도의 물이 "수증기"라고 불리는 기체로 변한다. 이 과정은 "증발"이라고 불린다. 물은 또한 식물의 잎에서도 나온다. 이 과정은 "증산"이라고 불린다. 증발과 증산으로부터 나오는 물 기체는 공기 중으로 떠오른다. 그것이 하늘로 높이 올라가면, 차가워져서 구름으로 변한다. 이 과정은 "응결"이라고 부른다. 너무 많은 응결이 일어나면, 구름 속의 물방울들이 너무 무거워진다. 이 시점에서, 물은 비나 눈의 형태로 지면에 떨어진다. 이것은 "강수"라고 불린다. 어느 정도의 물은 호수, 바다, 그리고 물웅덩이로 되돌아간다. 이 과정은 "집결"이라고 불린다. 더 많은 물은 땅속으로 들어간다. 시간이 조금 지난 후에, 땅속의 물은 호수나 바다로 되돌아간다. 그리고 나서 전체 순환이 다시 시작된다!

7. What is the passage mainly about?

   (A) how water freezes
   (B) how the water cycle works
   (C) how people can save water
   (D) how to prevent water pollution

해석 지문은 주로 무엇에 관한 내용인가?

   (A) 물이 어떻게 어는가
   (B) 물 순환은 어떻게 작동하는가
   (C) 사람들이 어떻게 물을 저장하는가
   (D) 수질 오염을 어떻게 예방하는가

유형 전체 내용 파악

풀이 첫 문장 'The water cycle is essential for everything on our planet'에서 물 순환이라는 중심 소재를 언급한 뒤, 다음 문장 'How does it work?'를 통해 다음에 이어질 내용을 암시하고 있다. 이에 따라 'evaporation', 'transpiration', 'condensation', 'precipitation', 'collection' 단계를 차례대로 설명하며 물 순환의 작동 원리를 중점적으로 다루고 있으므로 (B)가 정답이다.

8. What can happen when there is too much condensation in a cloud?

   (A) It rains or snows.
   (B) The cloud evaporates.
   (C) Water rises from plants.
   (D) Puddles begin to disappear.

해석 구름에 너무 많은 응결이 일어나면 무엇이 일어날 수 있는가?

   (A) 비가 내리거나 눈이 온다.
   (B) 구름이 증발한다.
   (C) 물이 식물로부터 떠오른다.
   (D) 물웅덩이가 사라지기 시작한다.

유형 세부 내용 파악 & 추론하기

풀이 'When there is too much condensation, water drops in the clouds become too heavy. At this point, the water falls to the earth in the form of rain or snow.'에서 응결이 너무 많이 일어나면 구름이 무거워지고, 물방울들이 비나 눈의 형태로 지면에 떨어진다고 하였으므로 (A)가 정답이다. (C)는 'transpiration' 단계에 해당하므로 오답이다.

9. Which stage is NOT mentioned?

   (A) collection
   (B) pollination
   (C) precipitation
   (D) condensation

해석 언급되지 않은 단계는 무엇인가?

   (A) 집결
   (B) 수분 (작용)
   (C) 강수
   (D) 응결

유형 세부 내용 파악

풀이 수술의 꽃가루가 암술머리에 붙는 식물의 수분 작용 ('pollination')은 본문에서 언급되지 않았으므로 (B)가 정답이다.

10. Which water collection place is mentioned?

   (A) dams
   (B) buckets
   (C) puddles
   (D) supermarkets

해석 물 집결 장소로 언급된 곳은 무엇인가?

   (A) 댐
   (B) 양동이
   (C) 물웅덩이
   (D) 슈퍼마켓

유형 세부 내용 파악

풀이 'Some of the water goes back into the lakes, oceans, and puddles. This process is called "collection."'에서 물이 집결하는 장소로 호수, 바다, 물웅덩이가 언급되었으므로 (C)가 정답이다.

 Listening Practice J1-9 p.84

The water cycle is essential for everything on our planet. How does it work? First, the sun's energy heats up the earth. The world's lakes, oceans, and even tiny puddles get warmer. At this point, some of the water turns into a gas called "vapor." This process is called "evaporation." Water also comes off of plant leaves. That process is called "transpiration." Water gas from evaporation and transpiration rises up into the air. When it gets high in the sky, it becomes colder and turns into clouds. This process is called "condensation." When there is too much condensation, water drops in the clouds become too heavy. At this point, the water falls to the earth in the form of rain or snow. This is called "precipitation." Some of the water goes back into the lakes, oceans, and puddles. This process is called "collection." Some more of the water goes into the ground. After some time, the water in the ground goes back to the lakes or oceans. And then the whole cycle starts again!

1. cycle
2. essential
3. puddles
4. vapor
5. At this point
6. some time

✏️ Writing Practice
p.85

1. cycle
2. essential
3. puddle
4. vapor
5. at this point
6. after some time

📄 Summary

The water <u>cycle</u> is <u>essential</u>. The sun's energy heats up the earth, and the water goes up into the air. This <u>condenses</u> into clouds. After a while, it becomes rain or snow and falls to the <u>ground</u>. Then the water goes back to the lakes or oceans. The whole cycle starts again!

물 <u>순환</u>은 <u>필수적</u>이다. 태양 에너지가 지면을 데우고, 물이 공기 중으로 올라간다. 이것은 구름으로 <u>응결된다</u>. 얼마 후에, 그것은 비나 눈이 되고 <u>땅</u>으로 떨어진다. 그러면 그 물은 호수나 바다로 되돌아간다. 전체 순환은 다시 시작된다!

▦ Word Puzzle
p.86

Across

1. essential
4. cycle
5. at this point
6. puddle

Down

2. after some time
3. vapor

Unit 10 | Earth Day
p.87

Part A. Sentence Completion
p.89

1 (B)　　2 (D)

Part B. Situational Writing
p.89

3 (A)　　4 (A)

Part C. Practical Reading and Retelling
p.90

5 (B)　　6 (D)

Part D. General Reading and Retelling
p.91

7 (A)　　8 (D)　　9 (C)　　10 (D)

Listening Practice
p.92

1 speeches
2 participated
3 chosen
4 silly
5 the environment
6 celebration

Writing Practice
p.93

1 speech
2 participate in
3 be chosen
4 silly
5 environment
6 celebration

Summary 22, silly, celebration, billion

Word Puzzle
p.94

Across

1 speech
4 be chosen
5 participate in

Down

1 silly
2 environment
3 celebration

☀️ Pre-reading Questions
p.87

Do you celebrate Earth Day where you live?
What kind of things do you do?

당신이 사는 곳에서는 지구의 날을 기념하나요?
어떤 것들을 하나요?

Earth Day

April 22 is Earth Day. The first Earth Day was held in 1970 and began in the U.S. Twenty million people took part. They cleaned streets, made speeches, and even listened to poems about the earth. A lot of young people participated in the first Earth Day. In fact, the date of April 22 was chosen because it came between university students' holidays and their final exams. Many people thought the first Earth Day was silly. They wondered how protests, poems, and songs could help the Earth. However, it seems that Earth Day did change some people's opinions. In 1969, researchers asked Americans whether it was important to protect the environment. Fewer than 1% said it was. In 1971, the researchers asked people again. This time 25% of the public thought it was important to protect the environment. Today, Earth Day has become an international celebration. Around the world, it is known as "International Mother Earth Day." Each year, around a billion people participate in events for that day.

지구의 날

4월 22일은 지구의 날이다. 첫 번째 지구의 날은 1970년에 열렸고 미국에서 시작되었다. 이천만 명의 사람들이 참여했다. 그들은 거리를 청소했고, 연설을 했으며, 심지어 지구에 관한 시들을 감상했다. 많은 젊은이들이 첫 번째 지구의 날에 참여했다. 사실, 4월 22일이라는 날짜가 선택된 것은 그것이 대학생들의 방학과 (그들의) 기말시험 사이에 있기 때문이었다. 많은 사람이 첫 번째 지구의 날이 어리석다고 생각했다. 그들은 시위, 시, 그리고 음악들이 어떻게 지구를 도울 수 있는지 의아해했다. 하지만, 지구의 날이 몇몇 사람들의 의견을 바꾼 것처럼 보인다. 1969년에, 연구원들은 미국인들에게 환경을 보호하는 것이 중요한지 아닌지 물어보았다. 1%보다 적은 사람들이 그렇다고 했다. 1971년에, 연구원들이 사람들에게 다시 물어보았다. 이번에는 대중의 25%가 환경을 보호하는 것이 중요하다고 생각했다. 오늘날, 지구의 날은 국제적인 기념행사가 되었다. 전 세계에는, 그것이 "국제 대지(大地)의 날"로 알려져 있다. 매년, 대략 십억 명의 사람들이 그날 행사에 참여한다.

어휘   celebrate 축하하다, 기념하다 | protect 보호하다 | attend 참석하다 | climate 기후 | speech 연설 | lecture 강의 | herb 허브, 약초 | pot 화분 | take part 참가하다 | poem 시 | participate (in) (~에) 참여하다 | silly 어리석은 | wonder 의아해하다; 궁금해 하다 | protest 시위 | opinion 의견 | environment 환경 | international 국제적인 | carbon 탄소 | dioxide 이산화물 | oxygen 산소 | leafy 잎이 무성한 | trunk 나무의 몸통; 트렁크 | branch 가지 | as a general rule 일반적으로 | pump out ~을 쏟아내다 | produce 생산하다 | gardener 정원사 | ranger 관리원, 경비원 | biology 생물학 | construction 건설 공사[작업]; 건물, 구조물 | perform 수행하다 | unplug 플러그를 뽑다 | donate 기부하다

1. A: Next Monday is Earth Day.
    B: Yes! It is important <u>to protect</u> our planet.

    (A) protect
    (B) to protect
    (C) protected
    (D) protecting

해석   A: 다음 주 월요일은 지구의 날이야.
       B: 맞아! 우리의 행성을 <u>보호하는 것</u>은 중요해.

       (A) 보호하다
       (B) 보호하는 것
       (C) 보호된
       (D) 보호하는

풀이   가주어 it과 진주어 to 부정사를 활용하여 'It is ~ to V'라는 구조를 통해 'V하는 것은 ~하다'라는 뜻을 나타내므로 (B)가 정답이다.

새겨 두기   'to protect our planet'이 해당 문장에서 실제 주어(진주어) 역할을 한다는 점에 유의한다.

관련 문장   In 1969, researchers asked Americans whether it was important to protect the environment. [...] This time 25% of the public thought it was important to protect the environment.

2. A: So many people attended your Earth Day concert!
    B: I had thought there would only be a few, <u>but</u> thousands of people came!

    (A) or
    (B) so
    (C) for
    (D) but

해석   A: 아주 많은 사람이 너의 지구의 날 콘서트에 참석했어!
       B: 몇 명밖에 없을 줄 알았<u>지만</u>, 수천 명이 왔어!

       (A) 또는
       (B) 그래서
       (C) 왜냐하면
       (D) 하지만

풀이   빈칸에는 앞뒤 문장을 이어주는 접속사가 들어가야 한다. 사람이 몇 명밖에 오지 않을 것이라는 앞 문장의 내용과 수천 명이 왔다는 뒤 문장의 내용이 서로 상반되므로 '그러나, 하지만'을 뜻하는 접속사 (D)가 정답이다.

관련 문장   However, it seems that Earth Day did change some people's opinions.

3. He is giving a speech about climate change.

    (A) giving a speech
    (B) making a poster
    (C) showing a movie
    (D) listening to a lecture

해석 그는 기후 변화에 관해서 연설하고 있다.

    (A) 연설하는
    (B) 포스터를 만드는
    (C) 영화를 보여주는
    (D) 강의를 듣는

풀이 연설대에서 연설하고 있는 모습이므로 (A)가 정답이다.

관련 문장 They cleaned streets, made speeches, and even listened to poems about the earth.

4. I planted some herbs in a pot for Earth Day.

    (A) pot
    (B) tank
    (C) field
    (D) glass

해석 나는 지구의 날을 위해 화분에 허브를 심었다.

    (A) 화분
    (B) 탱크
    (C) 들판
    (D) 유리

풀이 화분에 식물이 심어져 있는 그림이므로 (A)가 정답이다.

[5-6]

We all know that trees and other plants are important for turning carbon dioxide (CO_2) into oxygen. But what kinds of trees do the job better than all the others? Here are some basic rules for finding oxygen super-producers!

1. Leafy green!
Trees make oxygen in their leaves. So, the more leaves (or needles) the trees have, the more they can produce!

2. How much wood?
Trees with lots of woody parts like trunks and branches need more CO_2 to grow, so they'll make more oxygen, too.

3. Bigger is better!
As a general rule, big trees pump out more oxygen faster.

4. Time and place
Even a big tree cannot produce maximum oxygen in the wrong weather or soil conditions. Trees need the correct environment to grow and produce oxygen.

해석

나무와 다른 식물들이 이산화탄소(CO_2)를 산소로 바꾸는 데 중요하다는 것을 모두가 안다. 하지만 어떤 종류의 나무가 다른 종류들보다 그 일을 더 잘 수행할까?
여기 슈퍼 산소 생산자를 찾기 위한 몇 가지 기본 규칙이 있다!

1. 잎이 무성한 초록 식물!

나무는 잎에서 산소를 생산한다. 그래서, 나무가 잎(또는 솔잎)을 더 많이 가질수록, 그들(나무들)이 더 많이 생산할 수 있다!

2. 목재는 얼마나?

나무의 몸통이나 나뭇가지와 같은 목재 부분이 많은 나무들은 자라는 데 더 많은 이산화탄소가 필요하며, 그래서 그들 (나무들)이 산소도 더 많이 만들 것이다.

3. 클수록 더 좋다!

일반적으로, 큰 나무들은 더 많은 산소를 더 빠르게 쏟아낸다.

4. 시간과 장소

큰 나무조차도 잘못된 날씨 또는 토양 조건에서는 최대의 산소를 생산할 수 없다. 나무는 성장하고 산소를 생산하려면 올바른 환경이 필요하다.

5. Which of the following would most likely produce more oxygen than others?

    (A) a tall tree with few leaves
    (B) a tall tree with many leaves
    (C) a short tree with few leaves
    (D) a short tree with many leaves

해석 다음 중 어떤 것이 다른 것보다 더 많은 산소를 생산하겠는가?

    (A) 적은 잎을 가진 키가 큰 나무
    (B) 많은 잎을 가진 키가 큰 나무
    (C) 적은 잎을 가진 키가 작은 나무
    (D) 많은 잎을 가진 키가 작은 나무

풀이 '1. Leafy green!'에서 잎이 더 많을수록 산소를 많이 생산한다고 하였고, '3. Bigger is better!'에서 나무가 클수록 산소를 더 많이 더 빠르게 생산한다고 하였으므로, 잎이 많고 키가 큰 나무가 선택지 중에서 산소를 가장 많이 생성한다는 것을 알 수 있다. 따라서 (B)가 정답이다.

6. Which person would find this passage LEAST helpful to do their job?

(A) a gardener
(B) a forest ranger
(C) a biology researcher
(D) **a construction worker**

해석 이 지문이 본인의 일을 하는 데 가장 도움이 적게 된다고 생각할 사람은 누구인가?

(A) 정원사
(B) 삼림 관리원
(C) 생물학 연구원
(D) **건설 현장 노동자**

풀이 어떤 나무와 식물이 산소를 더 많이 생성하는지에 관한 정보를 전달하고 있다. 선택지 중에서 건설 현장 노동자는 나무와 식물 분야와 거리가 가장 먼 직업이므로 (D)가 정답이다.

[7-10]

April 22 is Earth Day. The first Earth Day was held in 1970 and began in the U.S. Twenty million people took part. They cleaned streets, made speeches, and even listened to poems about the earth. A lot of young people participated in the first Earth Day. In fact, the date of April 22 was chosen because it came between university students' holidays and their final exams. Many people thought the first Earth Day was silly. They wondered how protests, poems, and songs could help the Earth. However, it seems that Earth Day did change some people's opinions. In 1969, researchers asked Americans whether it was important to protect the environment. Fewer than 1% said it was. In 1971, the researchers asked people again. This time 25% of the public thought it was important to protect the environment. Today, Earth Day has become an international celebration. Around the world, it is known as "International Mother Earth Day." Each year, around a billion people participate in events for that day.

해석

4월 22일은 지구의 날이다. 첫 번째 지구의 날은 1970년에 열렸고 미국에서 시작되었다. 이천만 명의 사람들이 참여했다. 그들은 거리를 청소했고, 연설을 했으며, 심지어 지구에 관한 시들을 감상했다. 많은 젊은이들이 첫 번째 지구의 날에 참여했다. 사실, 4월 22일이라는 날짜가 선택된 것은 그것이 대학생들의 방학과 (그들의) 기말시험 사이에 있기 때문이었다. 많은 사람이 첫 번째 지구의 날이 어리석다고 생각했다. 그들은 시위, 시, 그리고 음악들이 어떻게 지구를 도울 수 있는지 의아해했다. 하지만, 지구의 날이 몇몇 사람들의 의견을 바꾼 것처럼 보인다. 1969년에, 연구원들은 미국인들에게 환경을 보호하는 것이 중요한지 아닌지 물어보았다. 1%보다 적은 사람들이 그렇다고 했다. 1971년에, 연구원들이 사람들에게 다시 물어보았다. 이번에는 대중의 25%가 환경을 보호하는 것이 중요하다고 생각했다. 오늘날, 지구의 날은 국제적인 기념행사가 되었다. 전 세계에는, 그것이 "국제 대지(大地)의 날"로 알려져 있다. 매년, 대략 십억 명의 사람들이 그날 행사에 참여한다.

7. According to the passage, what is true about Earth Day?

(A) It is on April 22nd.
(B) It began in England.
(C) It happens in summer.
(D) It started in the 1980s.

해석 지문에 따르면, 지구의 날에 관해 옳은 내용은 무엇인가?

(A) 4월 22일이다.
(B) 영국에서 시작되었다.
(C) 여름에 열린다.
(D) 1980년대에 시작되었다.

유형 세부 내용 파악

풀이 'April 22 is Earth Day.'에서 지구의 날이 4월 22일이라고 했으므로 (A)가 정답이다. (B)는 미국에서 시작했다고 했으므로 오답이다. (D)는 1970년에 시작했다고 했으므로 오답이다.

8. According to the passage, why was Earth Day's date chosen?

(A) so that taxi drivers could join
(B) so that parents could see kids perform
(C) so that people could see protests on TV
(D) so that university students could participate

해석 지문에 따르면, 지구의 날의 날짜가 선택된 이유는 무엇인가?

(A) 택시 운전사들이 합류할 수 있게 하려고
(B) 부모들이 아이들이 활동하는 것을 볼 수 있게 하려고
(C) 사람들이 TV에서 시위를 볼 수 있게 하려고
(D) 대학생들이 참여할 수 있게 하려고

유형 세부 내용 파악 & 추론하기

풀이 'In fact, the date of April 22 was chosen because it came between university students' holidays and their final exams.'에서 지구의 날의 날짜인 4월 22일이 대학생들의 방학과 기말시험을 고려해 정해졌다는 것을 알 수 있다. 이는 대학생들이 그날 지구의 날 행사에 참여하는 데 지장이 없도록 하기 위한 조치였다는 것을 짐작할 수 있으므로 (D)가 정답이다.

9. According to the passage, which of the following did people most likely do at the first Earth Day event?

(A) run a marathon
(B) unplug their electrical devices
(C) read out poems about the planet
(D) donate money to children's hospitals

해석 지문에 따르면, 다음 중 사람들이 첫 번째 지구의 날 행사에서 행했을 일로 가장 적절한 것은 무엇인가?

(A) 마라톤 뛰기
(B) 전자기기 플러그 뽑기
(C) 행성에 관한 시를 소리 내어 읽기
(D) 아동 병원에 돈 기부하기

유형 세부 내용 파악 & 추론하기

풀이 'The first Earth Day was held in 1970 and began in the U.S. They [...] even listened to poems about the Earth.'에서 첫 번째 지구의 날에 사람들이 지구에 관한 시를 감상했다고 언급하고 있다. 이 말은 지구에 관한 시를 낭송하는 사람도 있었다는 의미이므로 (C)가 정답이다. 나머지 선택지는 본문에서 언급되지 않았으므로 오답이다.

10. Around how many people participate in Earth Day events each year now?

(A) 100,000
(B) 1,000,000
(C) 10,000,000
(D) 1,000,000,000

해석 오늘날 대략 얼마나 많은 사람이 매년 지구의 날 행사에 참여하는가?

(A) 100,000
(B) 1,000,000
(C) 10,000,000
(D) 1,000,000,000

유형 세부 내용 파악

풀이 'Today, Earth Day has become an international celebration. [...] Each year, around a billion people participate in events for that day.'에서 오늘날 매년 십억 명의 사람들이 지구의 날 행사에 참여한다고 했으므로 (D)가 정답이다.

Listening Practice ▶ J1-10 *p.92*

April 22 is Earth Day. The first Earth Day was held in 1970 and began in the U.S. Twenty million people took part. They cleaned streets, made <u>speeches</u>, and even listened to poems about the earth. A lot of young people <u>participated</u> in the first Earth Day. In fact, the date of April 22 was <u>chosen</u> because it came between university students' holidays and their final exams. Many people thought the first Earth Day was <u>silly</u>. They wondered how protests, poems, and songs could help the Earth. However, it seems that Earth Day did change some people's opinions. In 1969, researchers asked Americans whether it was important to protect the environment. Fewer than 1% said it was. In 1971, the researchers asked people again. This time 25% of the public thought it was important to protect <u>the environment</u>. Today, Earth Day has become an international <u>celebration</u>. Around the world, it is known as "International Mother Earth Day." Each year, around a billion people participate in events for that day.

1. speeches
2. participated
3. chosen
4. silly
5. the environment
6. celebration

 Writing Practice *p.93*

1. speech
2. participate in
3. be chosen
4. silly
5. environment
6. celebration

📄 Summary

April <u>22</u> is Earth Day. Many people thought the first Earth Day was <u>silly</u>. However, as time went by, it changed some people's opinions. Earth Day has now become an international <u>celebration</u>. Each year, around a <u>billion</u> people participate in events for that day.

4월 <u>22</u>일은 지구의 날이다. 많은 사람들이 첫 번째 지구의 날이 <u>어리석다</u>고 생각했다. 하지만, 시간이 지나면서, 그것은 몇몇 사람들의 의견을 바꾸었다. 지구의 날은 이제 전 세계적으로 국제적인 <u>기념행사</u>가 되었다. 매년, 대략 <u>십억</u> 명의 사람들이 그날 행사들에 참여한다.

🔲 **Word Puzzle** *p.94*

Across	Down
1. speech	1. silly
4. be chosen	2. environment
5. participate in	3. celebration

Pre-reading Questions   p.95

When is the last time you saw lightning?

How hot do you think the lightning bolt was?

마지막으로 번개를 본 적이 언제였나요?

그 번개가 얼마나 뜨거웠다고 생각하나요?

Reading Passage   p.96

Lightning

Did you know that lightning flashes more than 3 million times every day around the world? That is just one of the reasons why lightning is so awesome. Here are some other cool facts about lightning. First, lightning is incredibly fast. After the first flash, it can travel at up to half the speed of light. If lightning went to the moon, it would only take a few seconds. Second, even though each lightning bolt is really long (1.6 - 3.2 km), each lightning bolt is very narrow. You may be shocked to learn that a lightning bolt is just 2 to 3 centimeters wide! But even though it is not wide, a lightning bolt is still very hot. The temperature can reach up to 30,000°C. That is five times hotter than the sun's surface. Finally, humans can cause lightning to happen. More specifically, helicopters can make an electrical current. The current can trigger lightning. In conclusion, lightning may be hot, but facts about lightning are really cool.

번개

전 세계에서 매일 번개가 3백만 번 이상 번쩍인다는 것을 알고 있었는가? 그것은 단지 번개가 굉장히 멋진 이유 중 하나이다. 여기 번개에 관한 다른 몇 가지 멋진 사실들이 있다. 첫째, 번개는 믿을 수 없을 정도로 빠르다. 첫 번쩍임 이후, 그것은 최대 빛의 절반 속력으로 이동할 수 있다. 번개가 달에 간다면, 겨우 몇 초밖에 걸리지 않을 것이다. 둘째, 비록 각 번개가 정말 길더라도 (1.6~3.2km), 각 번개는 매우 좁다. 번개가 고작 2~3센티미터의 너비라는 것을 알고 충격을 받을지도 모른다! 그러나 비록 폭이 넓지 않더라도, 번개는 여전히 매우 뜨겁다. 그 온도는 30,000°C까지 이를 수 있다. 그것은 태양의 표면보다 다섯 배 더 뜨겁다. 마지막으로, 사람이 번개를 일으킬 수 있다. 더 구체적으로, 헬리콥터는 전류를 만들어 낼 수 있다. 그 전류는 번개를 일으킬 수 있다. 결론적으로, 번개는 뜨거울지 모르지만, 번개에 관한 사실은 정말 (시원하면서) 멋지다*.

* 'cool'에는 '시원하다'와 '멋지다'라는 뜻이 모두 있음.

어휘 lightning 번개 | strike 치기; 치다 | bright 밝은 | flash 번쩍임; 번쩍이다 | times ~배가 되는 | reach ~에 도달하다 | probably 아마 | bug 벌레 | bolt 번개, 볼트; 빗장 | bass 최저음, 베이스 (음) | awesome 끝내주는 | fact 사실 | incredibly 믿을 수 없을 정도로 | travel 이동하다; 여행하다 | up to ~까지 | even though 비록 ~일지라도 | narrow 좁은 | shock 충격을 주다; 충격 | temperature 온도 | surface 표면 | specifically 구체적으로 | (electrical) current 전류 | trigger (일을) 일으키다, 촉발시키다 | in conclusion 결론적으로 | intense 심한 | occur 나타나다 | account for ~을 설명하다 | drought 가뭄 | responsible (for) (~의) 원인이 되는; (~의) 책임이 있는 | reduce 줄이다 | typically 보통 | kite 연 | lightbulb 전구

Comprehension Questions   p.97

1. A: I was almost struck by lightning.
    B: Do you know lightning can be <u>five times hotter</u> than the sun?

    (A) five times hotter
    (B) five hotter times
    (C) hotter times five
    (D) hotter five times

해석 A: 나 번개 맞을 뻔했어.
     B: 너 번개가 태양보다 <u>다섯 배 더 뜨거울</u> 수 있다는 거 알아?

     (A) 다섯 배 더 뜨거운
     (B) 더 뜨거운 다섯 번
     (C) 어색한 표현
     (D) 어색한 표현

풀이 'A보다 ~배 B한'이라는 뜻을 나타낼 때 '~ times B의 비교급 than A'이라는 형태로 표현하므로 (A)가 정답이다.

관련 문장 That is five times hotter than the sun's surface.

2. A: <u>How long</u> would it take for lightning to reach the moon?

   B: Probably four or five seconds. It is very fast.

   (A) What day

   (B) **How long**

   (C) What time

   (D) How many

해석 A: 번개가 달에 도달하기까지 <u>얼마나 오래</u> 걸릴까?

   B: 아마도 4초나 5초. 그것은 매우 빨라.

   (A) 무슨 날(요일)에

   (B) 얼마나 오래

   (C) 몇 시에

   (D) 얼마나 많이

풀이 'would it take for lightning to reach the moon'에서 'take'는 '(얼마의 시간이) 걸리다'라는 뜻으로 쓰였으므로, 여기서 'take'의 목적어가 될 수 있는 의문사구는 'How long, How many hours' 등이 있다. 따라서 (B)가 정답이다.

새겨 두기 해당 문장에서 'it'은 가주어, 'for lightning'은 'to reach the moon'의 의미상의 주어, 'to reach the moon'은 진주어라는 점에 유의한다.

관련 문장 If lightning went to the moon, it would only take a few seconds.

3. The lights on top of the police car are <u>flashing</u>.

   (A) **flashing**

   (B) stopped

   (C) turned off

   (D) black and white

해석 경찰차 위쪽의 불빛이 <u>번쩍이고</u> 있다.

   (A) 번쩍이는

   (B) 멈춰진

   (C) 꺼진

   (D) 흑백인

풀이 경찰차 위의 경광등이 번쩍이고 있으므로 (A)가 정답이다.

관련 문장 Did you know that lightning flashes more than 3 million times every day around the world?

4. It's a lightning <u>bolt</u>.

   (A) bug

   (B) **bolt**

   (C) bird

   (D) bass

해석 그것은 번쩍하는 번개 <u>볼트</u>이다.

   (A) 벌레

   (B) 볼트

   (C) 새

   (D) 최저음

풀이 번쩍이는 번개 모양이므로 (B)가 정답이다.

새겨 두기 'lightning'은 번개가 치는 현상 자체를 의미하고, '(lightning) bolt'은 번개가 칠 때 번쩍하며 보이는 번개 막대, 번개 볼트를 의미한다.

관련 문장 Second, even though each lightning bolt is really long (1.6 - 3.2 km), each lightning bolt is very narrow.

[5-6]

The Venezuela Times — March, 2010

The famous Catatumbo lightning has still not returned. Since January of this year, the intense nightly lightning storms in this part of Venezuela have not occurred. In most years, the area where the Catatumbo River meets Lake Maracaibo had over 40,000 bolts of lightning a night for up to 300 nights a year, but now the skies are dark. What can account for this change? Scientists believe that drought may be responsible. Others think it is a result of changing air and ocean temperatures. In any case, it is hoped that the world-famous lightning will come back soon.

해석

베네수엘라 타임스   2010년 3월

유명한 Catatumbo 번개가 아직도 돌아오지 않았다. 올해 1월부터, 베네수엘라의 해당 지역에서 밤마다 치던 심한 벼락이 나타나지 않고 있다. 대부분의 해 동안, Catatumbo 강이 Maracaibo 호수와 접하는 이 지역은 1년에 최대 300번의 밤 동안 밤마다 4만 번이 넘는 번개가 쳤지만, 지금은 하늘이 어둡다. 무엇이 이 변화를 설명할 수 있을까? 과학자들은 가뭄이 원인일 수도 있다고 믿는다. 다른 이들은 이것이 공기와 해양 온도가 변하면서 생긴 결과라고 생각한다. 어떤 경우든, 세계적으로 유명한 번개가 곧 다시 찾아왔으면 하는 바람이다.

5. What problem does the article mention?

(A) fewer fish in a lake
(B) year of too much rain
(C) months of no lightning
(D) reduced tourist numbers

해석 기사가 언급한 문제는 무엇인가?

(A) 더 적어진 호수의 물고기
(B) 너무 많이 비가 내리는 해
(C) 번개가 치지 않는 몇 달
(D) 감소한 관광객 수

풀이 기사의 요지는 하루에도 4만 번이 넘게 치던 Catatumbo 번개가 몇 달 동안 치지 않는다는 것이므로 (C)가 정답이다.

6. Which of the following about typical Catatumbo lightning is NOT true?

(A) It may be caused by drought.
(B) It occurs where a lake meets a river.
(C) Each night has 40,000 bolts of lightning.
(D) It typically occurs up to 300 nights a year.

해석 다음 중 전형적인 Catatumbo 번개에 관해 옳지 않은 설명은 무엇인가?

(A) 가뭄에 의해 발생하는 것인지도 모른다.
(B) 호수와 강이 접하는 곳에서 일어난다.
(C) 밤마다 4만 번의 번개가 친다.
(D) 보통 일 년에 최대 300번의 밤 동안 일어난다.

풀이 가뭄에 관한 내용은 'What can account for this change? Scientist believe that drought may be responsible.'에서 확인할 수 있다. 이는 가뭄이 번개를 발생시키는 원인이 아니라 번개가 몇 달 동안 치지 않는 현상의 원인이 될 수 있다는 의미이므로 (A)가 정답이다. 나머지 선택지는 'the area where the Catatumbo River meets Lake Maracaibo had over 40,000 bolts of lightning a night for up to 300 nights a year [...]'에서 확인할 수 있으므로 오답이다.

[7-10]

Did you know that lightning flashes more than 3 million times every day around the world? That is just one of the reasons why lightning is so awesome. Here are some other cool facts about lightning. First, lightning is incredibly fast. After the first flash, it can travel at up to half the speed of light. If lightning went to the moon, it would only take a few seconds. Second, even though each lightning bolt is really long (1.6 - 3.2 km), each lightning bolt is very narrow. You may be shocked to learn that a lightning bolt is just 2 to 3 centimeters wide! But even though it is not wide, a lightning bolt is still very hot. The temperature can reach up to 30,000°C. That is five times hotter than the sun's surface. Finally, humans can cause lightning to happen. More specifically, helicopters can make an electrical current. The current can trigger lightning. In conclusion, lightning may be hot, but facts about lightning are really cool.

해석

전 세계에서 매일 번개가 3백만 번 이상 번쩍인다는 것을 알고 있었는가? 그것은 단지 번개가 굉장히 멋진 이유 중 하나이다. 여기 번개에 관한 다른 몇 가지 멋진 사실들이 있다. 첫째, 번개는 믿을 수 없을 정도로 빠르다. 첫 번쩍임 이후, 그것은 최대 빛의 절반 속력으로 이동할 수 있다. 번개가 달에 간다면, 겨우 몇 초밖에 걸리지 않을 것이다. 둘째, 비록 각 번개가 정말 길더라도(1.6~3.2km), 각 번개는 매우 좁다. 번개가 고작 2~3센티미터의 너비라는 것을 알고 충격을 받을지도 모른다! 그러나 비록 폭이 넓지 않더라도, 번개는 여전히 매우 뜨겁다. 그 온도는 30,000°C까지 이를 수 있다. 그것은 태양의 표면보다 다섯 배 더 뜨겁다. 마지막으로, 사람이 번개를 일으킬 수 있다. 더 구체적으로, 헬리콥터는 전류를 만들어 낼 수 있다. 그 전류는 번개를 일으킬 수 있다. 결론적으로, 번개는 뜨거울지 모르지만, 번개에 관한 사실은 정말 (시원하면서) 멋지다*.

* 'cool'에는 '시원하다'와 '멋지다'라는 뜻이 모두 있음.

7. What is the best title for this passage?

(A) Why Lightning is Fast
(B) What Triggers Lightning
(C) Interesting Facts about Lightning
(D) The Difference between Lightning and Thunder

해석 지문에 가장 알맞은 제목은 무엇인가?

(A) 번개는 왜 빠른가
(B) 무엇이 번개를 일으키는가
(C) 번개에 관한 흥미로운 사실들
(D) 번개와 천둥의 차이점

유형 전체 내용 파악

풀이 번개의 속도, 길이, 폭, 온도 등 번개에 관한 흥미로운 사실을 설명하고 있는 글이므로 (C)가 정답이다.

8. Which of the following is mentioned about lightning?

(A) It can help plants grow.
(B) A Venezuelan lake is most hit.
(C) It flashes over 3 million times each day.
(D) It can turn beach sand into a kind of glass.

해석 다음 중 번개에 관해 언급된 내용은 무엇인가?

(A) 식물이 자라도록 도울 수 있다.
(B) 베네수엘라 호수가 가장 많이 맞는다.
(C) 매일 3백만 번 이상 번쩍인다.
(D) 해변 모래를 유리의 일종으로 바꿀 수 있다.

유형 세부 내용 파악

풀이 첫 문장 'Did you know that lightning flashes more than 3 million times every day around the world?'에서 번개가 매일 3백만 번 이상 번쩍인다고 언급하였으므로 (C)가 정답이다.

9. What is true about lightning bolts?

(A) They look wider than their length.
(B) They are almost as wide as they are long.
(C) They are over 1.6 km long and up to 3 centimeters wide.
(D) They are under 3.2 km long and over 3 centimeters wide.

해석 번개에 관해 옳은 설명은 무엇인가?

(A) 길이보다 폭이 더 넓어 보인다.
(B) 거의 길이만큼 폭이 넓다.
(C) 길이가 1.6km를 넘고 폭이 3cm까지 된다.
(D) 길이가 3.2km보다 짧고 폭이 3cm를 넘는다.

유형 세부 내용 파악

풀이 'Second, even though each lightning bolt is really long (1.6 - 3.2 km), each lightning bolt is very narrow. You may be shocked to learn that a lightning bolt is just 2 to 3 centimeters wide!'에서 번개의 길이가 1.6~3.2km로 매우 긴 반면에 폭은 2~3cm로 매우 좁다고 설명하고 있으므로 (C)가 정답이다.

10. According to the passage, what can trigger lightning?

(A) kites
(B) mirrors
(C) lightbulbs
(D) helicopters

해석 지문에 따르면, 번개를 일으킬 수 있는 것은 무엇인가?

(A) 연
(B) 거울
(C) 전구
(D) 헬리콥터

유형 세부 내용 파악

풀이 'More specifically, helicopters can make an electrical current. The current can trigger lightning'에서 헬리콥터로 전류를 생성해 번개를 일으킬 수 있다는 것을 알 수 있으므로 (D)가 정답이다.

 Listening Practice ▶ J1-11 p.100

Did you know that lightning flashes more than 3 million times every day around the world? That is just one of the reasons why <u>lightning</u> is so awesome. Here are some other cool facts about lightning. First, lightning is incredibly fast. After the first <u>flash</u>, it can travel at up to half the speed of light. If lightning went to the moon, it would only take a few seconds. Second, even though each lightning <u>bolt</u> is really long (1.6 - 3.2 km), each lightning bolt is very narrow. You may be shocked to learn that a lightning bolt is just 2 to 3 centimeters wide! But even though it is not wide, a lightning bolt is still very hot. The temperature can reach up to 30,000°C. That is five times hotter than the sun's surface. Finally, humans can cause lightning to happen. More specifically, <u>helicopters</u> can make an <u>electrical</u> current. The current can <u>trigger</u> lightning. In conclusion, lightning may be hot, but facts about lightning are really cool.

1. lightning
2. flash
3. bolt
4. helicopters
5. electrical
6. trigger

 Writing Practice   p.101

1. lightning
2. flash
3. lightning bolt
4. electrical current
5. helicopter
6. trigger

📄 Summary

Lightning is awesome for many reasons. It flashes more than 3 million times every day, and it is incredibly fast. Although it is very narrow, each lightning bolt is very hot. Also, humans can cause lightning to happen. In short, lightning is really interesting.

번개는 여러 이유로 매우 멋있다. 그것은 매일 3백만 번 이상 번쩍이고, 믿을 수 없을 정도로 빠르다. 비록 그것은 폭이 매우 좁지만, 각 번개는 아주 뜨겁다. 또한, 사람들이 번개가 발생하도록 할 수 있다. 요컨대, 번개는 정말 흥미롭다.

🔲 Word Puzzle   p.102

Across	Down
1. lightning	2. trigger
4. flash	3. electrical current
6. helicopter	5. lightning bolt

Unit 12 | Superbugs   p.103

1 dinosaurs	2 superbugs
3 bacteria	4 digest
5 In fact	6 eliminate

Writing Practice   p.109

1 dinosaur	2 bacteria
3 superbug	4 digest
5 in fact	6 eliminate

Summary   helpful, superbugs, medicines, eliminate

Word Puzzle   p.110

Across

3 superbug	6 in fact

Down

1 dinosaur	2 digest
4 eliminate	5 bacteria

 Pre-reading Questions   p.103

Are superbugs good bacteria or bad bacteria?
What might they do?
슈퍼버그는 좋은 박테리아인가요 아니면 나쁜 박테리아인가요?
그것들은 무슨 일을 할까요?

Superbugs

They have been on the earth longer than the dinosaurs. And they are much scarier than a T-Rex. What are they? They are superbugs. Superbugs are bacteria. There are many types of bacteria on the earth. Some of them are very helpful to humans. Some live in our bodies and help us digest food. Those are good bacteria. Superbugs, however, are really bad. They cannot be treated with the medicine we have. Scientists used to think that superbugs were from modern times. They thought that humans made superbugs through modern medicine. Now they think that superbugs are really old. In fact, superbugs are millions and millions of years older than dinosaurs. That means that superbugs have been around for all of our history. Scientists are now trying to find ways to eliminate these tiny creatures. They hope that new knowledge about these superbugs will help.

슈퍼버그

그들은 공룡보다 지구상에 더 오래 있었다. 그리고 그들은 티라노사우루스보다 훨씬 무섭다. 그들은 무엇인가? 그들은 슈퍼버그이다. 슈퍼버그는 박테리아이다. 지구에는 많은 종류의 박테리아가 있다. 그들 중 몇몇은 인간에게 매우 유익하다. 몇몇은 우리 몸속에 살면서 우리가 음식을 소화하는 것을 돕는다. 그것들은 좋은 박테리아이다. 하지만, 슈퍼버그는 정말 나쁘다. 그들은 우리가 가진 의학으로 치료될 수 없다. 과학자들은 슈퍼버그들이 현대에 나타난 것이라고 생각했다. 그들은 인간이 현대의 의학으로 슈퍼버그를 만들었다고 생각했다. 이제 그들은 슈퍼버그가 매우 오래된 것이라고 생각한다. 사실, 슈퍼버그는 공룡보다 수백만 년이나 더 오래되었다. 그것은 즉 슈퍼버그가 우리 역사 내내 우리 주변에 존재해왔다는 것을 의미한다. 과학자들은 이제 이 미세한 생물들을 제거할 방법들을 찾는 중이다. 그들은 이 슈퍼버그들에 관한 새로운 지식이 도움이 되기를 바란다.

어휘 bacteria 박테리아 | weather report 기상 예보 | while ~하는 동안 | in fact 사실은[실제로는] | despite ~에도 불구하고 | in spite of ~에도 불구하고 | infection 감염 | avoid 피하다; 방지하다, 면하다 | laboratory 실험실 | sheep 양 | scary 무서운 | scared 무서워하는 | dinosaur 공룡 | type 종류, 유형 | digest 소화하다 | treat 치료하다, 처치하다; 대하다 | modern 현대의 | million 백만 | eliminate 제거하다 | tiny 미세한 | creature 생물 | hope 바라다 | knowledge 지식 | share 같이 쓰다 | vaccination 예방 접종 | recommend 권장하다; 추천하다 | flu 독감 | illness 병, 아픔 | antibiotic 항생제 | virus 바이러스 | inject 주입하다 | organic 유기농의 | spread 퍼지다; 펼치다 | exist 존재하다 | adapt 적응하다 | protect 보호하다

1. A: The weather report says it will rain today.
   B: Yes, I know. <u>In fact</u>, I can see rain clouds already.

   (A) While
   (B) **In fact**
   (C) Despite
   (D) In spite of

   해석 A: 기상 예보에서 오늘 비가 올 거래.
   　　 B: 응, 나도 알아. <u>사실</u>, 벌써 비구름이 보여.

   　　 (A) ~하는 동안
   　　 (B) 사실은
   　　 (C) ~에도 불구하고
   　　 (D) ~에도 불구하고

   풀이 비가 올 것이라는 A의 말에 B가 비구름이 벌써 보인다며 내용을 덧붙이고 있다. 방금 한 말에 대해 자세한 내용을 덧붙이거나 반대되는 내용을 강조할 때 '사실은, 실제로는'을 뜻하는 부사구 'in fact'를 사용할 수 있으므로 (B)가 정답이다. (C)와 (D)는 문맥상으로 어색하고, 명사(구) 앞에서 쓰이는 전치사구들이므로 오답이다.

   관련 문장 In fact, superbugs are millions and millions of years older than dinosaurs.

2. A: Why do you keep washing your hands?
   B: It is important to <u>avoid</u> infections.

   (A) **avoid**
   (B) avoids
   (C) avoided
   (D) avoiding

   해석 A: 왜 계속 손을 씻니?
   　　 B: 감염을 <u>피하는</u> 것은 중요해.

   　　 (A) 피하다
   　　 (B) 피하다
   　　 (C) 피했다
   　　 (D) 피하는

   풀이 가주어 it과 진주어 to 부정사를 활용하여 'It is ~ to V'라는 형태를 통해 'V하는 것은 ~하다'라는 뜻을 나타내므로 빈칸에는 동사원형이 들어가야 한다. 따라서 (A)가 정답이다.

   새겨 두기 'to avoid infections'는 해당 문장에서 실제 주어(진주어) 역할을 한다는 점에 유의한다.

3. Let's look at the <u>bacteria</u> in the laboratory.

    (A) sheep

    (B) rabbits

    (C) bacteria

    (D) computers

해석 실험실에서 <u>박테리아</u>를 살펴보자.

    (A) 양

    (B) 토끼

    (C) 박테리아

    (D) 컴퓨터

풀이 현미경 렌즈를 통해 본 박테리아 그림이므로 (C)가 정답이다.

관련 문장 Superbugs are bacteria. There are many types of bacteria on the Earth. [...] Those are good bacteria. [...] Scientists are now trying to find ways to eliminate these tiny creatures.

4. The dog thinks, "This cat is <u>scary</u>."

    (A) scary

    (B) sweet

    (C) scared

    (D) sleeping

해석 개는 "이 고양이는 <u>무서워</u>."라고 생각한다.

    (A) 무서운

    (B) 달콤한

    (C) 무서워하는

    (D) 자는

풀이 고양이가 사나운 표정을 짓자, 개가 눈물을 흘리며 무서워하고 있으므로 (A)가 정답이다. (C)는 고양이가 무서워한다는 의미가 되므로 오답이다.

관련 문장 And they are much scarier than a T-Rex.

[5-6]

How to Avoid Superbugs

STEP 01	Use soap and water to wash your hands.
STEP 02	Avoid sharing towels with other people.
STEP 03	Get the vaccinations recommended by your doctor. Being sick with the flu or other illnesses can be risky when it comes to superbug infections.
STEP 04	Do not use antibiotics if you have a virus. They will not help, and they can cause superbugs.
STEP 05	Sometimes farmers inject animals with antibiotics. Eating organic meat can help avoid the spread of superbugs from antibiotics.

해석

슈퍼버그를 피하는 방법

1단계: 비누와 물을 사용하여 손을 씻어라.

2단계: 다른 사람들과 수건을 같이 쓰는 것을 피해라.

3단계: 의사가 권장하는 예방접종을 해라. 독감이나 다른 질병에 걸리는 것은 슈퍼버그 감염에 있어 위험할 수 있다.

4단계: 바이러스를 보유하고 있다면 항생제를 사용하지 말아라. 그것들은 도움이 되지 않을 것이며, 슈퍼버그를 유발할 수 있다.

5단계: 때때로 농부들은 동물에게 항생제를 투여한다. 유기농 고기를 먹는 것은 항생제로부터 슈퍼버그가 퍼지는 것을 방지하도록 돕는다.

5. What does the passage say about towels?

    (A) You should use large ones.

    (B) You should not share them.

    (C) You should not use white ones.

    (D) You should wash them in hot water.

해석 지문에서 수건에 관해 말한 내용은 무엇인가?

    (A) 큰 것을 사용해야 한다.

    (B) 공유하지 말아야 한다.

    (C) 흰색을 사용하지 말아야 한다.

    (D) 뜨거운 물에 빨아야 한다.

풀이 2단계의 'Avoid sharing towels with other people.'에서 다른 사람과 수건을 공유하지 말라고 했으므로 (B)가 정답이다.

6. Which of the following is NOT a recommended step?

(A) getting vaccinations
(B) eating organic meat
(C) using antibiotics to treat a virus
(D) washing hands in soap and water

해석 다음 중 권장하는 단계가 아닌 것은 무엇인가?

(A) 예방접종 하기
(B) 유기농 고기 먹기
(C) 바이러스를 치료하기 위해 항생제 사용하기
(D) 비누와 물로 손 씻기

풀이 'Do not use antibiotics if you have a virus. They will not help, and they can cause superbugs.'에서 바이러스 보유 시 항생제는 사용하지 말라고 하였으므로 (C)가 정답이다. (A)는 3단계에서, (B)는 5단계에서, (D)는 1단계에서 확인할 수 있는 내용이므로 오답이다.

[7-10]

They have been on the earth longer than the dinosaurs. And they are much scarier than a T-Rex. What are they? They are superbugs. Superbugs are bacteria. There are many types of bacteria on the earth. Some of them are very helpful to humans. Some live in our bodies and help us digest food. Those are good bacteria. Superbugs, however, are really bad. They cannot be treated with the medicine we have. Scientists used to think that superbugs were from modern times. They thought that humans made superbugs through modern medicine. Now they think that superbugs are really old. In fact, superbugs are millions and millions of years older than dinosaurs. That means that superbugs have been around for all of our history. Scientists are now trying to find ways to eliminate these tiny creatures. They hope that new knowledge about these superbugs will help.

해석

그들은 공룡보다 지구상에 더 오래 있었다. 그리고 그들은 티라노사우루스보다 훨씬 무섭다. 그들은 무엇인가? 그들은 슈퍼버그이다. 슈퍼버그는 박테리아이다. 지구에는 많은 종류의 박테리아가 있다. 그들 중 몇몇은 인간에게 매우 유익하다. 몇몇은 우리 몸속에 살면서 우리가 음식을 소화하는 것을 돕는다. 그것들은 좋은 박테리아이다. 하지만, 슈퍼버그는 정말 나쁘다. 그들은 우리가 가진 의학으로 치료될 수 없다. 과학자들은 슈퍼버그들이 현대에 나타난 것이라고 생각했다. 그들은 인간이 현대의 의학으로 슈퍼버그를 만들었다고 생각했다. 이제 그들은 슈퍼버그가 매우 오래된 것이라고 생각한다. 사실, 슈퍼버그는 공룡보다 수백만 년이나 더 오래되었다. 그것은 즉 슈퍼버그가 우리 역사 내내 우리 주변에 존재해왔다는 것을 의미한다. 과학자들은 이제 이 미세한 생물들을 제거할 방법들을 찾는 중이다. 그들은 이 슈퍼버그들에 관한 새로운 지식이 도움이 되기를 바란다.

7. What is the passage mainly about?

(A) medicine
(B) dinosaurs
(C) superbugs
(D) researchers

해석 지문은 주로 무엇에 관한 내용인가?

(A) 의학
(B) 공룡
(C) 슈퍼버그
(D) 연구원

유형 전체 내용 파악

풀이 슈퍼버그의 특징, 슈퍼버그가 존재했던 시기 등 슈퍼버그라는 박테리아를 중점적으로 다루고 있는 글이므로 (C)가 정답이다.

8. What does the writer claim about superbugs?

(A) They are from modern times.
(B) They are scarier than a T-Rex.
(C) They are a good type of bacteria.
(D) They are only helpful to humans.

해석 글쓴이가 슈퍼버그에 관해 주장하는 내용은 무엇인가?

(A) 현대에 나타난 것이다.
(B) 티라노사우루스보다 더 무섭다.
(C) 좋은 종류의 박테리아이다.
(D) 인간에게만 도움이 된다.

유형 세부 내용 파악

풀이 'And they are much scarier than a T-Rex. What are they? They are superbugs.'에서 슈퍼버그가 티라노사우루스보다 더 무섭다고 하였으므로 (B)가 정답이다. (A)는 'In fact, superbugs are millions and millions of years older than dinosaurs.'에서 슈퍼버그는 공룡보다 오래되었다고 하였으므로 오답이다. (C)와 (D)는 'Some of them are very helpful to humans. [...] Superbugs, however, are really bad.'에서 인간에게 좋은 박테리아도 있지만, 슈퍼버그는 그와 달리 매우 나쁘다고 하였으므로 오답이다.

9. What is mentioned about superbugs?

(A) They existed before humans.
(B) They spread fast in hospitals.
(C) They adapt quickly to new bodies.
(D) They jumped between humans and animals.

해석 슈퍼버그에 관해 언급된 내용은 무엇인가?

(A) 인간 이전에 존재했다.
(B) 병원에서 빨리 전염된다.
(C) 새로운 신체에 빨리 적응한다.
(D) 인간과 동물 사이를 넘어다녔다.

유형 세부 내용 파악

풀이 'In fact, superbugs are millions and millions of years older than dinosaurs.'에서 슈퍼버그는 공룡보다 수백만 년 더 오래된 생물이라고 하였다. 이는 슈퍼버그가 인간보다 오래전에 존재했다는 의미이므로 (A)가 정답이다.

10. What would a scientist most likely say about superbugs?

(A) "These are so easy to stop!"
(B) "You should eat them daily."
(C) "We need to protect ourselves from them."
(D) "I made these superbugs from dinosaur bones."

해석 슈퍼버그에 관해 과학자가 말할 내용으로 가장 적절한 것은 무엇인가?

(A) "이것들은 막기가 정말 쉽습니다!"
(B) "당신은 그것들을 매일 먹어야 합니다."
(C) "우리는 그것들로부터 스스로를 보호해야 합니다."
(D) "저는 공룡 뼈로 이 슈퍼버그들을 만들었습니다."

유형 추론하기

풀이 'Scientists are now trying to find ways to eliminate these tiny creatures.'에서 과학자들이 현재 미세한 생물인 슈퍼버그를 제거할 방법들을 찾고 있다고 언급하고 있다. 이는 나쁜 박테리아인 슈퍼버그로부터 인간을 보호하기 위함이므로 (C)가 정답이다. (A)는 'They cannot be treated with the medicine we have.'에서 현재 의학으로 슈퍼버그를 처치할 수 없다고 하였으므로 오답이다.

 Listening Practice ▶ J1-12 p.108

They have been on the earth longer than the <u>dinosaurs</u>. And they are much scarier than a T-Rex. What are they? They are <u>superbugs</u>. Superbugs are <u>bacteria</u>. There are many types of bacteria on the earth. Some of them are very helpful to humans. Some live in our bodies and help us <u>digest</u> food. Those are good bacteria. Superbugs, however, are really bad. They cannot be treated with the medicine we have. Scientists used to think that superbugs were from modern times. They thought that humans made superbugs through modern medicine. Now they think that superbugs are really old. <u>In fact</u>, superbugs are millions and millions of years older than dinosaurs. That means that superbugs have been around for all of our history. Scientists are now trying to find ways to <u>eliminate</u> these tiny creatures. They hope that new knowledge about these superbugs will help.

1. dinosaurs
2. superbugs
3. bacteria
4. digest
5. In fact
6. eliminate

 **Writing Practice** p.109

1. dinosaur
2. bacteria
3. superbug
4. digest
5. in fact
6. eliminate

📄 Summary

Superbugs are bacteria. Some bacteria are very <u>helpful</u> to humans. But <u>superbugs</u> are really bad, and they have been around for all of our history. They cannot be treated with <u>medicines</u> we have. Scientists are now trying to find ways to <u>eliminate</u> these tiny creatures.

슈퍼버그는 박테리아이다. 몇몇 박테리아는 인간에게 매우 <u>유익하다</u>. 그러나 <u>슈퍼버그</u>는 몹시 나쁘고, 그것들은 우리의 역사 내내 존재해왔다. 그것들은 우리가 가진 <u>의학</u>으로 처치될 수 없다. 과학자들은 이제 이러한 미세한 생물들을 <u>제거할</u> 방법들을 찾는 중이다.

▦ **Word Puzzle** p.110

Across	Down
3. superbug	1. dinosaur
6. in fact	2. digest
	4. eliminate
	5. bacteria

The Strange Light of Gurdon

If you go to the small town of Gurdon, Arkansas, in the US, you may find yourself looking at a strange light in the trees. It is near the railroad tracks, but it is not a train. It is not from a car; there is no road in the forest. And yet, the light moves. Sometimes the light is blue-white. Sometimes the light is orange. Is it, as legend claims, the ghost of a railroad worker carrying a lantern?

Some scientists believe the light comes from an effect called "piezoelectricity." When certain materials are bent or squeezed, an electric reaction can occur. The town of Gurdon is near a mine. In the mine are crystals. It is possible that the electric reaction from the squeezed materials combines with something from the crystals. Perhaps that causes the light. Scientists say that the light is always there, but you can only see it at night.

Go to the trees near the highway in Gurdon and see the light for yourself. But be careful when you do. If you hear the sound of a railroad worker looking for his lantern, run!

Gurdon의 이상한 빛

미국 아칸소 주 Gurdon이라는 작은 도시에 가면, 나무들에서 나오는 이상한 빛을 보고 있는 자신을 발견할 수도 있다. 그것은 철길 근처에 있지만, 기차는 아니다. 그것은 차에서 온 것도 아니다; 숲에는 도로가 없다. 그런데도, 빛은 움직인다. 때때로 빛은 청백색이다. 때때로 빛은 주황색이다. 그것은, 전설이 주장하는 대로, 등불을 들고 다니는 철도 인부의 유령일까?

일부 과학자들은 그 빛이 "피에조 전기"라고 불리는 효과에서 온다고 믿는다. 어떤 물질들이 구부러지거나 압착될 때, 전기 반응이 일어날 수 있다. Gurdon 도시는 광산 근처에 있다. 광산에는 결정체들이 있다. 압착된 물질에서 나온 전기 반응이 결정체에서 나온 무언가와 결합할 가능성이 있다. 아마도 그것이 빛을 유발했을 것이다. 과학자들은 빛은 항상 거기 있었지만, 밤에만 볼 수 있다고 말한다.

Gurdon의 고속도로 근처 나무들에 가서 직접 빛을 보라. 하지만 그렇게 할 때 조심해라. 등불을 찾는 철도 인부의 소리가 들린다면, 달려라!

MEMO

MEMO

TOSEL® Reading
Junior Book 2

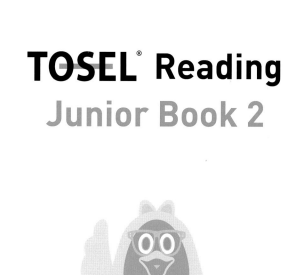

Junior Book 2

ANSWERS

UNIT 1 J2-1 p.11

	1	2	3	4	5	6	7	8	9	10
⏱	1 (D)	2 (B)	3 (D)	4 (B)	5 (A)	6 (B)	7 (C)	8 (A)	9 (D)	10 (D)

🎧 1 sit-ups   2 injury   3 heels   4 cross   5 lower   6 strengthen

✏ 1 sit-up   2 injury   3 heel   4 cross your arms   5 lower   6 strengthen

📄 safe, sit-ups, strengthen, prevent

🔀 → 3 sit-up 4 lower 5 heel   ↓ 1 injury 2 cross your arms 3 strengthen

UNIT 2 J2-2 p.19

	1	2	3	4	5	6	7	8	9	10
⏱	1 (A)	2 (C)	3 (B)	4 (B)	5 (A)	6 (B)	7 (A)	8 (B)	9 (D)	10 (D)

🎧 1 track   2 curves   3 sleds   4 made of   5 sturdy   6 skeleton

✏ 1 track   2 curve   3 sled   4 be made of   5 sturdy   6 skeleton

📄 Olympic, technology, metal, skeleton

🔀 → 2 sturdy 3 sled 4 track   ↓ 1 be made of 2 skeleton 5 curve

UNIT 3 J2-3 p.27

	1	2	3	4	5	6	7	8	9	10
⏱	1 (A)	2 (A)	3 (A)	4 (D)	5 (C)	6 (C)	7 (A)	8 (C)	9 (B)	10 (B)

🎧 1 illegal   2 doping   3 prohibited   4 cheating   5 related   6 contracts

✏ 1 doping   2 illegal   3 be prohibited from   4 related to   5 cheating   6 contract

📄 drugs, reasons, athlete, cheating

🔀 → 4 related to 6 illegal   ↓ 1 cheating 2 be prohibited from 3 contract 5 doping

UNIT 4 J2-4 p.35

	1	2	3	4	5	6	7	8	9	10
⏱	1 (A)	2 (A)	3 (D)	4 (C)	5 (C)	6 (C)	7 (C)	8 (D)	9 (D)	10 (D)

🎧 1 records   2 competition   3 high-performance   4 material   5 covered   6 banned

✏ 1 break a record   2 competition   3 high-performance   4 material   5 cover   6 ban

📄 broke, material, unfair, swimsuits

🔀 → 4 break a record 6 ban   ↓ 1 high-performance 2 cover 3 material 5 competition

UNIT 5 J2-5 p.45

	1	2	3	4	5	6	7	8	9	10
⏱	1 (D)	2 (C)	3 (D)	4 (B)	5 (A)	6 (C)	7 (C)	8 (D)	9 (D)	10 (C)

🎧 1 techniques   2 lighting   3 landscape   4 location   5 costumes   6 waist

✏ 1 lighting   2 technique   3 landscape   4 location   5 costume   6 waist

📄 main, shot, full, filmmakers

🔀 → 3 waist 4 lighting 5 technique   ↓ 1 costume 2 landscape 4 location

UNIT 6 J2-6 p.53

	1	2	3	4	5	6	7	8	9	10
⏱	1 (D)	2 (B)	3 (C)	4 (D)	5 (D)	6 (B)	7 (B)	8 (C)	9 (D)	10 (B)

🎧 1 collection   2 sculptures   3 used   4 palaces   5 fancy   6 decorated

✏ 1 collection of   2 sculpture   3 used to be   4 fancy   5 decorated   6 palace

📄 museums, buildings, million, world

🔀 → 2 fancy 6 used to be   ↓ 1 palace 3 sculpture 4 collection of 5 decorated

UNIT 7 J2-7 p.61

	1	2	3	4	5	6	7	8	9	10
⏱	1 (C)	2 (C)	3 (B)	4 (C)	5 (A)	6 (D)	7 (C)	8 (B)	9 (C)	10 (B)

🎧 1 fine   2 wealthy   3 afford   4 feature   5 perspective   6 tiny

✏ 1 wealthy   2 fine   3 afford to do   4 feature   5 perspective   6 tiny

📄 paintings, Middle, time, because of

🔀 → 2 wealthy 5 feature 6 fine   ↓ 1 perspective 3 tiny 4 afford to do

UNIT 8 J2-8 p.69

	1	2	3	4	5	6	7	8	9	10
⏱	1 (A)	2 (B)	3 (C)	4 (C)	5 (C)	6 (B)	7 (D)	8 (A)	9 (C)	10 (C)

🎧 1 mammals   2 reptiles   3 mascots   4 stands for   5 Cranes   6 monuments

✏ 1 mammal   2 reptile   3 mascot   4 crane   5 stand for   6 monument

📄 symbols, cranes, Korean, life

🔀 → 3 stand for 5 crane 6 reptile   ↓ 1 mascot 2 monument 4 mammal

UNIT 9 J2-9 p.79

	1	2	3	4	5	6	7	8	9	10
⏱	1 (D)	2 (C)	3 (A)	4 (C)	5 (C)	6 (D)	7 (C)	8 (D)	9 (B)	10 (D)

🎧 1 claim   2 spoken   3 key   4 lyrics   5 clever   6 distinction

✏ 1 claim   2 spoken   3 key   4 lyrics   5 clever   6 distinction

📄 opera, between, lyrics, music

🔀 → 3 claim 4 spoken 5 key   ↓ 1 lyrics 2 distinction 3 clever

UNIT 10 J2-10 p.87

	1	2	3	4	5	6	7	8	9	10
⏱	1 (A)	2 (D)	3 (D)	4 (D)	5 (A)	6 (A)	7 (B)	8 (C)	9 (B)	10 (B)

🎧 1 classical   2 composer   3 themes   4 audience   5 shocked   6 delighted

✏ 1 classical   2 composer   3 theme   4 audience   5 shocked   6 delighted

📄 poems, shocked, Seasons, classical

🔀 → 1 composer 6 audience   ↓ 2 shocked 3 classical 4 theme 5 delighted

UNIT 11 J2-11 p.95

	1	2	3	4	5	6	7	8	9	10
⏱	1 (D)	2 (C)	3 (C)	4 (B)	5 (D)	6 (B)	7 (B)	8 (B)	9 (A)	10 (B)

🎧 1 symbols   2 end   3 volume   4 In addition   5 moderately   6 Interestingly

✏ 1 symbol   2 in addition   3 moderately   4 end with   5 volume   6 interestingly

📄 volume, quietly, loudly, moderately

🔀 → 4 symbol 5 end with 6 in addition   ↓ 1 interestingly 2 volume 3 moderately

UNIT 12 J2-12 p.103

	1	2	3	4	5	6	7	8	9	10
⏱	1 (B)	2 (C)	3 (D)	4 (A)	5 (C)	6 (B)	7 (D)	8 (C)	9 (B)	10 (C)

🎧 1 effective   2 herds   3 communicate   4 dairy   5 signal   6 cattle

✏ 1 effective   2 cattle   3 herd   4 communicate with   5 signal   6 dairy

📄 signal, Europe, cattle, commercials

🔀 → 2 effective 5 signal 6 herd   ↓ 1 cattle 3 communicate with 4 dairy

Chapter 1. Sports

Pre-reading Questions   p.11

Do you exercise regularly? What kind of exercise do you do?

규칙적으로 운동하나요? 어떤 운동을 하나요?

Reading Passage   p.12

Sit-ups

Many sports programs include sit-ups. Sometimes schools even test students on their ability to do many sit-ups. However, sit-ups are not always safe to do. If you do not do sit-ups properly, you can get an injury. Therefore, when you do a sit-up, you should follow six key steps. First, bend your knees, and put your heels and feet flat on the ground. Next, cross your arms across your chest. After that, tighten your stomach muscles. Try to get your belly-button close to your spine. Next, with your heels and toes flat on the ground, gently lift your head first and your shoulders next. Look at your knees. Now you are sitting up. Stay here for a moment. Then, lower your back close to the ground. However, you must remember something important here. You must not bring your back all the way to the ground. Instead, you must keep your back slightly above the ground. Using this proper form to do sit-ups can help you strengthen your stomach muscles and prevent injuries.

윗몸 일으키기

많은 운동 프로그램들은 윗몸 일으키기를 포함한다. 때때로 학교에서는 심지어 학생들이 윗몸 일으키기를 많이 할 수 있는 능력을 시험하기도 한다. 하지만, 윗몸 일으키기는 하기에 항상 안전한 것은 아니다. 윗몸일으키기를 제대로 하지 않으면, 부상을 입을 수 있다. 그러므로, 윗몸 일으키기를 할 때, 여섯 개의 핵심 단계들을 따라야 한다. 첫 번째, 무릎을 구부리고 발뒤꿈치와 발을 바닥과 평평하게 놓는다. 다음으로, 팔을 가슴에 교차시킨다. 그런 후에, 복근을 조인다. 배꼽이 척추와 가까워지도록 노력해라. 그 다음, 발뒤꿈치와 발가락이 바닥과 평평한 상태로, 머리를 먼저 부드럽게 들고 다음에 어깨를 든다. 무릎을 보아라. 이제 윗몸을 일으킨 상태이다. 잠깐 여기서 멈춘다. 그런 다음, 등을 바닥에 바짝 내린다. 그러나, 여기서 중요한 것을 기억해야만 한다. 등을 바닥에 아예 대서는 안 된다. 대신, 등이 땅 위에 살짝 떠 있도록 유지해야만 한다. 이 올바른 자세로 윗몸 일으키기를 하는 것은 복근을 강화하고 부상을 방지하는 데 도움을 줄 수 있다.

어휘 regularly 규칙적으로 | sit-up 윗몸 일으키기 | bend 구부리다; 굽히다 | knee 무릎 | cross 교차하다 | injury 부상 | powder 가루 | include 포함하다 | ability 능력 | properly 제대로 | follow 따라가다 | flat 평평한 | tighten 조이다 | stomach 배 | muscle 근육 | belly-button 배꼽 | spine 척추 | heel 발뒤꿈치 | toe 발가락 | important 중요한 | instead 대신 | slightly 살짝, 약간, 조금 | proper 올바른 | strengthen 강화하다 | prevent 방지하다 | chin-up 턱걸이 | coach 코치; 교사 | personal 개인의 | machine 기계 | latest 최신의 | technology 기술 | membership 회원(자격·신분) | one-on-one 일대일 | up-to-date 최신의 | straight 똑바르게 | aim 목표하다 | smooth 부드러운 | deal with 처리하다; ~을 다루다

1. A: How <u>many</u> chin-ups can you do in a minute?
    B: Maybe just three.

    (A) long
    (B) large
    (C) much
    (D) many

해석 A: 1분에 턱걸이를 <u>몇 개</u> 할 수 있니?
     B: 아마 겨우 세 개.

    (A) 긴
    (B) 큰
    (C) 많은
    (D) 많은

풀이 문맥상 '몇 번, 얼마나 많이'라는 의미가 어울리고, 셀 수 있는
     명사의 복수형인 'chin-ups'를 수식해야 하므로 (D)가 정답이다.
     (C)는 셀 수 없는 명사만 수식할 수 있으므로 오답이다.

관련 문장 Sometimes schools even test students on their ability
          to do many sit-ups.

2. A: Can you show me <u>how to do</u> sit-ups?
    B: Alright. First, bend your knees.

    (A) how do to
    (B) how to do
    (C) to do how
    (D) to how do

해석 A: 윗몸 일으키기 <u>어떻게 하는지</u> 가르쳐 줄래?
     B: 좋아. 먼저, 무릎을 구부려.

    (A) 어색한 표현
    (B) 어떻게 ~을 하는지
    (C) 어색한 표현
    (D) 어색한 표현

풀이 '~을 하는 방법, ~을 어떻게 하는지'의 뜻을 나타낼 때 'how to +
     V'의 형태로 표현하므로 (B)가 정답이다.

새겨 두기 여기서 'how to do sit-ups'은 명사 역할을 하며 동사
          'show'의 직접목적어라는 점에 유의한다.

관련 문장 Therefore, when you do a sit-up, you should follow
          six key steps.

3. My friend is over there. Her <u>arms are crossed</u>.

    (A) legs are bent
    (B) eyes are closed
    (C) knees are raised
    (D) arms are crossed

해석 내 친구가 저기 있어. 그녀는 <u>팔짱을 끼고 있어</u>.

    (A) 다리가 굽혀져 있다
    (B) 눈이 감겨 있다
    (C) 무릎이 들려 있다
    (D) 팔짱이 끼워져 있다

풀이 팔짱을 끼고 있는 모습이므로 (D)가 정답이다.

새겨 두기 '팔짱을 끼다'라는 뜻을 나타낼 때 'arms'를 주어로 하여
          동사 'cross'(교차시키다)를 수동형으로 쓴다는 점에
          주목한다.

관련 문장 Next, cross your arms across your chest.

4. He has a foot <u>injury</u>.

    (A) bath
    (B) injury
    (C) doctor
    (D) powder

해석 그는 발 <u>부상</u>을 입었다.

    (A) 목욕
    (B) 부상
    (C) 의사
    (D) 가루

풀이 발에 부상을 당한 모습이므로 (B)가 정답이다.

관련 문장 If you do not do sit-ups properly, you can get an
          injury.

Muscles-R-Us Gym

Want muscles? Want strength?
Come to Muscles-R-Us Gym!

We have coaches for personal training.
We have amazing machines.
We have the latest technology.
We can teach you the proper exercise form.

Monthly memberships: $ 20.00
Yearly memberships: $ 220.00

What are you waiting for? Join Muscles-R-Us today!

해석

> Muscles-R-Us 체육관
>
> 근육을 원하십니까? 힘을 원하십니까?
> Muscles-R-Us 체육관으로 오십시오!
>
> 개인 지도를 위한 코치들이 있습니다.
> 놀라운 기계들이 있습니다.
> 최신 기술이 있습니다.
> 올바른 운동 방식을 가르쳐드릴 수 있습니다.
>
> 월별 회원제: 20.00달러
> 연간 회원제: 220.00달러
>
> 무엇을 기다리고 있습니까? 오늘 Muscles-R-Us에
> 가입하세요!

5. Which is NOT offered at Muscles-R-Us?

(A) group classes
(B) excellent machines
(C) one-on-one coaching
(D) up-to-date technology

해석 Muscles-R-Us에서 제공하지 않는 것은 무엇인가?

(A) 단체 강습
(B) 훌륭한 기계들
(C) 일대일 지도
(D) 최신 기술

풀이 단체 수업은 홍보물에서 언급되지 않았으므로 (A)가 정답이다.
(B)는 'amazing machines', (C)는 'personal training', (D)는
'the latest technology'에서 확인할 수 있는 내용이므로
오답이다.

6. How much can users save over 12 months paying
yearly instead of monthly?

(A) $10.00
(B) $20.00
(C) $30.00
(D) $40.00

해석 사용자가 월별 대신 연간으로 12개월을 지불하면 얼마를 절약할
수 있는가?

(A) 10달러
(B) 20달러
(C) 30달러
(D) 40달러

풀이 월별 회원제는 12개월에 240달러(20달러 × 12개월)를 지불해야
하지만, 연간 회원제는 220달러만 지불하면 된다. 따라서 연간
회원제를 통해 20달러를 절약할 수 있으므로 (B)가 정답이다.

[7-10]

Many sports programs include sit-ups. Sometimes
schools even test students on their ability to do many
sit-ups. However, sit-ups are not always safe to do. If
you do not do sit-ups properly, you can get an injury.
Therefore, when you do a sit-up, you should follow six
key steps. First, bend your knees, and put your heels
and feet flat on the ground. Next, cross your arms across
your chest. After that, tighten your stomach muscles. Try
to get your belly-button close to your spine. Next, with
your heels and toes flat on the ground, gently lift your
head first and your shoulders next. Look at your knees.
Now you are sitting up. Stay here for a moment. Then,
lower your back close to the ground. However, you must
remember something important here. You must not
bring your back all the way to the ground. Instead, you
must keep your back slightly above the ground. Using
this proper form to do sit-ups can help you strengthen
your stomach muscles and prevent injuries.

해석

> 많은 운동 프로그램들은 윗몸 일으키기를 포함한다. 때때로
> 학교에서는 심지어 학생들이 윗몸 일으키기를 많이 할 수 있는
> 능력을 시험하기도 한다. 하지만, 윗몸 일으키기는 하기에 항상
> 안전한 것은 아니다. 윗몸일으키기를 제대로 하지 않으면,
> 부상을 입을 수 있다. 그러므로, 윗몸 일으키기를 할 때, 여섯
> 개의 핵심 단계들을 따라야 한다. 첫 번째, 무릎을 구부리고
> 발뒤꿈치와 발을 바닥과 평평하게 놓는다. 다음으로, 팔을
> 가슴에 교차시킨다. 그런 후에, 복근을 조인다. 배꼽이 척추와
> 가까워지도록 노력해라. 그 다음, 발뒤꿈치와 발가락이 바닥과
> 평평한 상태로, 머리를 먼저 부드럽게 들고 다음에 어깨를
> 든다. 무릎을 보아라. 이제 윗몸을 일으킨 상태이다. 잠깐
> 여기서 멈춘다. 그런 다음, 등을 바닥에 바짝 내린다. 그러나,
> 여기서 중요한 것을 기억해야만 한다. 등을 바닥에 아예 대서는
> 안 된다. 대신, 등이 땅 위에 살짝 떠 있도록 유지해야만 한다.
> 이 올바른 자세로 윗몸 일으키기를 하는 것은 복근을 강화하고
> 부상을 방지하는 데 도움을 줄 수 있다.

7. Which of the following is the best title for the passage?

(A) Dealing with Back Injuries
(B) Improving Health at Schools
(C) The Right Way to Do a Sit-up
(D) Why Students Need More Exercise

해석 다음 중 지문에 가장 알맞은 제목은 무엇인가?

(A) 등허리 부상 해결하기
(B) 학교에서 건강 증진하기
(C) 윗몸 일으키기 하는 올바른 방법
(D) 학생들에게 운동이 더 많이 필요한 이유

유형 전체 내용 파악

풀이 첫 문장부터 윗몸 일으키기('sit-up')라는 중심 소재가 드러나고, 그다음 'However, sit-ups are not always safe to do. [...] Therefore, when you do a sit-up, you should follow six key steps.'에서 윗몸 일으키기 운동을 할 때 올바른 자세의 중요성을 강조하고, 6단계에 걸쳐 윗몸 일으키기 운동의 올바른 자세를 설명하고 있는 글이므로 (C)가 정답이다.

8. According to the passage, where should your feet go?

(A) flat on the ground
(B) straight out in front
(C) over a crossed knee
(D) shoulder-width apart

해석 지문에 따르면, 발은 어디로 가야 하는가?

(A) 바닥 위에 평평하게
(B) 앞으로 쭉 똑바르게
(C) 교차한 무릎 위에
(D) 어깨너비로 벌려서

유형 세부 내용 파악

풀이 'put your heels and feet flat on the ground'에서 발 뒤꿈치와 발을 바닥에 평평하게 놓으라고 하였으므로 (A)가 정답이다.

9. What does the passage say NOT to do?

(A) cross your arms
(B) look at your knees
(C) tighten your stomach muscles
(D) let your back touch the ground

해석 지문에서 무엇을 하지 말라고 하는가?

(A) 팔 교차하기
(B) 무릎 보기
(C) 복근 조이기
(D) 등이 바닥에 닿게 하기

유형 세부 내용 파악

풀이 'You must not bring your back all the way to the ground. Instead, you must keep your back slightly above the ground.'에서 등을 바닥에 완전히 대지 말고 살짝 띄우라고 하였으므로 (D)가 정답이다.(A)는 'cross your arms across you chest'에서, (B)는 'Loot at your knees.'에서, (C)는 'tighten your stomach muscles'에서 따라 하라고 한 동작들이므로 오답이다.

10. Which of the following people would most likely benefit from the advice?

(A) someone with a broken back
(B) someone aiming for thinner legs
(C) someone trying to get smoother skin
(D) someone wanting strong stomach muscles

해석 다음 중 이 조언을 통해 혜택을 볼 사람으로 가장 적절한 이는 누구인가?

(A) 등뼈가 부러진 사람
(B) 더 얇은 다리를 목표로 하는 사람
(C) 더 부드러운 피부를 가지려는 사람
(D) 단단한 복근을 원하는 사람

유형 추론하기

풀이 해당 본문은 윗몸 일으키기를 올바르게 하는 방법을 설명하는 글이고, 마지막 'Using this proper form to do sit-ups can help you strengthen your stomach muscles [...]'에서 올바른 윗몸 일으키기를 통해 복근 강화에 도움이 될 수 있다고 했다. 따라서 단단한 복근을 원하는 사람이 가장 혜택을 볼 수 있으므로 (D)가 정답이다.

 Listening Practice   ▶ J2-1   p.16

Many sports programs include <u>sit-ups</u>. Sometimes schools even test students on their ability to do many sit-ups. However, sit-ups are not always safe to do. If you do not do sit-ups properly, you can get an <u>injury</u>. Therefore, when you do a sit-up, you should follow six key steps. First, bend your knees, and put your <u>heels</u> and feet flat on the ground. Next, <u>cross</u> your arms across your chest. After that, tighten your stomach muscles. Try to get your belly-button close to your spine. Next, with your heels and toes flat on the ground, gently lift your head first and your shoulders next. Look at your knees. Now you are sitting up. Stay here for a moment. Then, <u>lower</u> your back close to the ground. However, you must remember something important here. You must not bring your back all the way to the ground. Instead, you must keep your back slightly above the ground. Using this proper form to do sit-ups can help you <u>strengthen</u> your stomach muscles and prevent injuries.

1. sit-ups

2. injury

3. heels

4. cross

5. lower

6. strengthen

✏️ Writing Practice p.17

1. sit-up
2. injury
3. heel
4. cross your arms
5. lower
6. strengthen

📄 Summary

Sit-ups are not always <u>safe</u> to do and can cause injuries. Therefore, you should follow the right way to do <u>sit-ups</u>. This can help you <u>strengthen</u> your stomach muscles and <u>prevent</u> injuries.

윗몸 일으키기는 하기에 항상 <u>안전한</u> 것은 아니며 부상을 일으킬 수 있다. 그러므로, <u>윗몸 일으키기</u>를 하는 올바른 방법을 따라야 한다. 이는 복근을 <u>강화하고</u> 부상을 <u>방지하는</u> 데 도움을 줄 수 있다.

✳️ Word Puzzle p.18

Across	Down
3. sit-up	1. injury
4. lower	2. cross your arms
5. heel	3. strengthen

Unit 2 | The Skeleton p.19

Part A. Sentence Completion p.21

1 (A) 2 (C)

Part B. Situational Writing p.21

3 (B) 4 (B)

Part C. Practical Reading and Retelling p.22

5 (A) 6 (B)

Part D. General Reading and Retelling p.23

7 (A) 8 (B) 9 (D) 10 (D)

Listening Practice p.24

1 track	2 curves
3 sleds	4 made of
5 sturdy	6 skeleton

Writing Practice p.25

1 track	2 curve
3 sled	4 be made of
5 sturdy	6 skeleton

Summary Olympic, technology, metal, skeleton

Word Puzzle p.26

Across

2 sturdy	3 sled
4 track	

Down

1 be made of	2 skeleton
5 curve	

💡 Pre-reading Questions p.19

Are there any winter sports that you enjoy watching or playing?

즐겨 보거나 즐겨 하는 동계 스포츠가 있나요?

The Skeleton

One exciting winter Olympics sport is the skeleton. The skeleton is known for its fast pace and up-to-date technology. Interestingly, even a long time ago, this sport's technology was modern and fast. In 1882, some men from England were in Switzerland. They made a huge ice track in Switzerland. The track led from one town to another town. Back then, cold countries had many tracks like this big one. However, the new track in Switzerland had something special: curves. For a long time in history, people used wooden sleds. Therefore, people used wooden sleds to go down the tracks in Switzerland, too. Then one day, Mr. Child, an Englishman, came to the tracks. Instead of a wooden sled, he used one that was mostly made of metal. The metal sled was very sturdy and fast. How did that metal sled get the name "skeleton"? Maybe it looked a little like a skeleton. Or maybe it was based on a word from Norway: "Kjaelke." It is not sure what the name means. But we do know that Mr. Child's sled helped lead to the modern, dangerous Olympic sport of the skeleton.

스켈레톤

흥미진진한 동계 올림픽 스포츠의 하나는 스켈레톤이다. 스켈레톤은 빠른 속도와 최신 기술로 알려져 있다. 흥미롭게도, 심지어 오래전에도, 이 스포츠의 기술은 현대적이었고 빨랐다. 1882년에, 잉글랜드에서 온 몇몇 남자들이 스위스에 있었다. 그들은 스위스에 거대한 얼음 경주로를 만들었다. 경주로는 하나의 마을로부터 다른 마을까지 이어졌다. 그 당시에, 추운 나라들에는 이 큰 경주로와 같은 경주로들이 많이 있었다. 그러나, 스위스의 이 새로운 경주로에는 특별한 것이 있었다: 곡선이다. 역사 속 오랜 시간 동안, 사람들은 나무 썰매를 사용했다. 그러므로, 스위스에서도 사람들은 경주로를 내려가기 위해 나무 썰매를 사용했다. 그러다 어느 날, 잉글랜드 사람인 Child 씨가 경주로에 왔다. 나무 썰매 대신, 그는 대부분이 금속으로 만들어진 것을 사용했다. 금속 썰매는 매우 튼튼하고 빨랐다. 어떻게 그 금속 썰매가 "스켈레톤"이라는 이름을 얻었을까? 어쩌면 그것이 조금 해골처럼 생겼는지도 모른다. 아니면 아마도 노르웨이의 "Kjaelke"라는 단어에 바탕을 둔 것일 수도 있다. 그 이름이 무엇을 뜻하는지는 확실하지 않다. 하지만 우리는 Child 씨의 썰매가 현대적이고, 위험한 올림픽 스포츠인 스켈레톤으로 이어지도록 도왔다는 것은 알고 있다.

어휘 metal 금속 | track 경주로, 트랙 | curve 곡선 | cyclist 자전거 선수 | cactus 선인장 | pace 속도 | up-to-date 최신의 | technology 기술 | interestingly 흥미롭게도 | modern 현대의 | huge 거대한 | sled 썰매 | skeleton 스켈레톤(종목); 골격, 뼈대 | be made of ~로 만들어지다 | sturdy 튼튼한 | be based on ~에 바탕을 두다 | sure 확실한 | dangerous 위험한 | antique 골동품 | probably 아마도 | nail 못 | exact 정확한 | adore 아주 좋아하다 | slope 경사지; (산)비탈, 경사면 | soldier 군인 | parts 부품 | decoration 장식 | certain 확신하는 | object 물건, 물체 | shipping 선박(배); 해상 운송[해운] (활동)

1. A: Do you play a lot of computer games?
    B: Yes. My favorite is one <u>called</u> "Speed Cars."

    (A) called
    (B) to call
    (C) calling
    (D) be called

    해석 A: 너는 컴퓨터 게임을 많이 하니?
    B: 응. 내가 특히 좋아하는 것은 "Speed Cars"라고 <u>불리는</u> 것이야.

    (A) 불리는
    (B) 부르기
    (C) 부르는
    (D) 불리다

    풀이 '~라 불리는'이라는 뜻을 나타낼 때 동사 'call'의 수동형을 사용하여 '(be) called ~'라고 표현하므로 (A)가 정답이다.

2. A: Do you have a metal desk?
    B: No, my desk is made <u>of</u> wood.

    (A) at
    (B) in
    (C) of
    (D) for

    해석 A: 철제 책상을 가지고 있니?
    B: 아니, 내 책상은 나무로 만들어졌어.

    (A) ~에
    (B) ~ 안에
    (C) ~의
    (D) ~을 위해

    풀이 '~로 만들어지다, ~로 구성되다'라는 뜻을 나타낼 때 'make'의 수동형과 전치사 'of'를 활용하여 'be made of'라고 표현하므로 (C)가 정답이다.

    관련 문장 Instead of a wooden sled, he used one that was mostly made of metal.

3. There are three horses on the <u>track</u>.

    (A) boat
    (B) track
    (C) road
    (D) truck

    해석 <u>경주로</u> 위에 말이 세 마리 있다.

    (A) 배
    (B) 경주로
    (C) 도로
    (D) 트럭

    풀이 경주마들이 경주로 위에서 달리고 있는 모습이므로 (B)가 정답이다.

    관련 문장 They made a huge ice track in Switzerland.

4. There is a <u>curve</u> in the road.

    (A) can

    (B) curve

    (C) cyclist

    (D) cactus

해석 도로에 **곡선**이 있다.

    (A) 깡통

    (B) 곡선

    (C) 자전거 선수

    (D) 선인장

풀이 길이 굽은 곡선 도로의 모습이므로(B)가 정답이다.

관련 문장 However, the new track in Switzerland had something special: curves.

[5-6]

For Sale: Antique Wooden Sled

- Probably made in the 1890s
- From the New York area
- Still has the original red paint
- Made with square nails
- 30cm wide
- Similar to sleds featured in paintings by Brantio
- No longer safe to ride downhill

$349.99 (pick up at my office in Boston only)
$46.45 shipping (within the US and Canada only)

해석

판매함: 골동품 나무 썰매

- 아마도 1890년대에 제작됨

- 뉴욕 지역의 것

- 본래의 빨간 페인트칠이 여전히 있음

- 네모난 못으로 만들어짐

- 폭 30cm

- Brantio의 그림들에서 특색으로 나타나는 썰매들과 비슷함

- 내리막길에서 타기에는 더 이상 안전하지 않음

349.99달러 (보스턴에 있는 본인 사무실에서만 수령 가능함)

배송비 46.45달러 (미국과 캐나다 내에서만)

5. Which of the following is mentioned about the sled?

    (A) how wide it is

    (B) how fast it goes

    (C) the exact year it was made

    (D) the name of the original owner

해석 다음 중 썰매에 관해 언급된 내용은 무엇인가?

    (A) 얼마나 넓은지

    (B) 얼마나 빨리 가는지

    (C) 제작된 정확한 년도

    (D) 본래 주인의 이름

풀이 '30cm wide'에서 폭이 30cm라고 언급되었으므로 (A)가 정답이다. (C)는 'Probably made in the 1890s'에서 1890년대라는 대략적인 제작 시기만 언급되었으므로 오답이다.

6. Who would most likely buy the sled?

    (A) someone who adores the color pink

    (B) someone who likes to look at old objects

    (C) someone who wants to go fast down a slope

    (D) someone whose shipping address is in Norway

해석 썰매를 살 것 같은 사람으로 가장 적절한 이는 누구인가?

    (A) 분홍색을 아주 좋아하는 사람

    (B) 오래된 물건 보는 것을 좋아하는 사람

    (C) 언덕을 빨리 내려가고 싶은 사람

    (D) 배송 주소가 노르웨이인 사람

풀이 'Antique Wooden Sled'에서 귀중한 골동품을 뜻하는 'Antique'라는 단어가 사용되고, 1890년대에 제작되었다고 하였으므로 판매 중인 나무 썰매는 오래된 썰매라는 것을 알 수 있다. 따라서 (B)가 정답이다. (A)는 분홍색이 아니라 빨간색으로 칠이 되어 있다고 하였으므로 오답이다. (C)는 내리막길에서 타기에는 안전하지 않다고 하였으므로 오답이다. (D)는 미국과 캐나다 내에서만 배송한다고 하였으므로 오답이다.

[7-10]

One exciting winter Olympics sport is the skeleton. The skeleton is known for its fast pace and up-to-date technology. Interestingly, even a long time ago, this sport's technology was modern and fast. In 1882, some men from England were in Switzerland. They made a huge ice track in Switzerland. The track led from one town to another town. Back then, cold countries had many tracks like this big one. However, the new track in Switzerland had something special: curves. For a long time in history, people used wooden sleds. Therefore, people used wooden sleds to go down the tracks in Switzerland, too. Then one day, Mr. Child, an Englishman, came to the tracks. Instead of a wooden sled, he used one that was mostly made of metal. The metal sled was very sturdy and fast. How did that metal sled get the name "skeleton"? Maybe it looked a little like a skeleton. Or maybe it was based on a word from Norway: "Kjaelke." It is not sure what the name means. But we do know that Mr. Child's sled helped lead to the modern, dangerous Olympic sport of the skeleton.

해석

흥미진진한 동계 올림픽 스포츠의 하나는 스켈레톤이다. 스켈레톤은 빠른 속도와 최신 기술로 알려져 있다. 흥미롭게도, 심지어 오래전에도, 이 스포츠의 기술은 현대적이었고 빨랐다. 1882년에, 잉글랜드에서 온 몇몇 남자들이 스위스에 있었다. 그들은 스위스에 거대한 얼음 경주로를 만들었다. 경주로는 하나의 마을로부터 다른 마을까지 이어졌다. 그 당시에, 추운 나라들에는 이 큰 경주로와 같은 경주로들이 많이 있었다. 그러나, 스위스의 이 새로운 경주로에는 특별한 것이 있었다: 곡선이다. 역사 속 오랜 시간 동안, 사람들은 나무 썰매를 사용했다. 그러므로, 스위스에서도 사람들은 경주로를 내려가기 위해 나무 썰매를 사용했다. 그러다 어느 날, 잉글랜드 사람인 Child 씨가 경주로에 왔다. 나무 썰매 대신, 그는 대부분이 금속으로 만들어진 것을 사용했다. 금속 썰매는 매우 튼튼하고 빨랐다. 어떻게 그 금속 썰매가 "스켈레톤"이라는 이름을 얻었을까? 어쩌면 그것이 조금 해골처럼 생겼는지도 모른다. 아니면 아마도 노르웨이의 "Kjaelke"라는 단어에 바탕을 둔 것일 수도 있다. 그 이름이 무엇을 뜻하는지는 확실하지 않다. 하지만 우리는 Child 씨의 썰매가 현대적이고, 위험한 올림픽 스포츠인 스켈레톤으로 이어지도록 도왔다는 것은 알고 있다.

7. What is the passage mainly about?

(A) how the skeleton developed as a sport
(B) the most dangerous skeleton race of all time
(C) which countries win the most skeleton races
(D) the years the Olympics included the skeleton

해석 지문은 주로 무엇에 관한 내용인가?

(A) 스켈레톤이 스포츠로서 어떻게 발전했는지
(B) 역대 가장 위험한 스켈레톤 경주
(C) 어느 나라가 스켈레톤 경주에서 가장 많이 우승하는지
(D) 올림픽에 스켈레톤이 포함된 해

유형 전체 내용 파악

풀이 올림픽 동계 스포츠 중 하나인 스켈레톤의 과거와 유래에 관해 다루고 있는 글이다. 스위스에 잉글랜드인들이 만든 경주로와 이를 보고 만든 금속 썰매인 스켈레톤이 올림픽 스포츠로 자리 잡는 데 발판이 되었다는 것을 서술하고 있으므로 (A)가 정답이다.

8. According to the passage, who made a huge ice track in Switzerland?

(A) Mr. Child
(B) some English men
(C) a man from Norway
(D) some Swiss soldiers

해석 지문에 따르면, 누가 스위스에 거대한 얼음 경주로를 만들었는가?

(A) Child 씨
(B) 어떤 잉글랜드 남자들
(C) 노르웨이에서 온 남자
(D) 어떤 스위스 군인들

유형 세부 내용 파악

풀이 'In 1882, some men from England were in Switzerland. They made a huge ice track in Switzerland.'에서 어떤 잉글랜드 남자들이 스위스에 거대한 얼음 경주로를 만들었다는 것을 알 수 있으므로 (B)가 정답이다.

9. According to the passage, how did Mr. Child make his sled different from traditional ones?

(A) He made the sides thinner.
(B) He put a motor on the front.
(C) He painted it in Olympic colors.
(D) He included mainly metal parts.

해석 지문에 따르면, Child 씨는 어떻게 그의 썰매를 기존의 것과 다르게 만들었는가?

(A) 옆면을 더 얇게 만들었다.
(B) 앞쪽에 전동기를 달았다.
(C) 올림픽 색깔로 칠했다.
(D) 주로 금속 부품을 포함했다.

유형 세부 내용 파악

풀이 'Mr. Child, an Englishman, came to the tracks. Instead of a wooden sled, he used one that was mostly made of metal.'에서 Child 씨가 만든 썰매는 기존의 나무 썰매와 달리 대부분이 금속으로 만들어졌다는 것을 알 수 있다. 따라서 (D)가 정답이다.

10. According to the passage, where did the name "skeleton" come from?

(A) A sled was made of animal bones.
(B) Sleds used to have white decorations.
(C) It was based on a word from Switzerland.
(D) **No one is certain where the name came from.**

해석 지문에 따르면, "스켈레톤(skeleton)"이라는 이름은 어디에서 온 것인가?

(A) 썰매가 동물의 뼈로 만들어졌다.
(B) 썰매에 흰색 장식들이 있곤 했다.
(C) 스위스의 한 단어에 바탕을 두었다.
(D) 누구도 그 이름이 어디에서 왔는지 확신할 수 없다.

유형 세부 내용 파악

풀이 'How did that metal sled get the name "skeleton"? [...] It is not sure what the name means.'에서 스켈레톤이란 이름의 유래에 관해 몇 가지 추측해볼 수는 있지만, 확실하지 않다는 것을 알 수 있으므로 (D)가 정답이다.

 Listening Practice ▶J2-2 p.24

One exciting winter Olympics sport is the skeleton. The skeleton is known for its fast pace and up-to-date technology. Interestingly, even a long time ago, this sport's technology was modern and fast. In 1882, some men from England were in Switzerland. They made a huge ice <u>track</u> in Switzerland. The track led from one town to another town. Back then, cold countries had many tracks like this big one. However, the new track in Switzerland had something special: <u>curves</u>. For a long time in history, people used wooden <u>sleds</u>. Therefore, people used wooden sleds to go down the tracks in Switzerland, too. Then one day, Mr. Child, an Englishman, came to the tracks. Instead of a wooden sled, he used one that was mostly <u>made of</u> metal. The metal sled was very <u>sturdy</u> and fast. How did that metal sled get the name "skeleton"? Maybe it looked a little like a <u>skeleton</u>. Or maybe it was based on a word from Norway: "Kjaelke." It is not sure what the name means. But we do know that Mr. Child's sled helped lead to the modern, dangerous Olympic sport of the skeleton.

1. track
2. curves
3. sleds
4. made of
5. sturdy
6. skeleton

 **Writing Practice** p.25

1. track
2. curve
3. sled
4. be made of
5. sturdy
6. skeleton

📄 **Summary**

The exciting <u>Olympic</u> winter sport of skeleton has always used modern, fast <u>technology</u>. In 1882, an Englishman used a sled mostly made of <u>metal</u> instead of wood. His sled helped the development of modern <u>skeleton</u>.

흥미진진한 <u>올림픽</u> 동계 스포츠인 스켈레톤은 항상 현대적이고 빠른 <u>기술</u>을 사용했다. 1882년에, 한 잉글랜드인이 나무 대신에 대부분 <u>금속</u>으로 된 썰매를 사용하였다. 그의 썰매는 현대 <u>스켈레톤</u>의 발전에 도움을 주었다.

🔠 **Word Puzzle** p.26

Across	Down
2. sturdy	1. be made of
3. sled	2. skeleton
4. track	5. curve

Pre-reading Questions   p.27

List three rules that apply to all sports.

모든 스포츠에 적용되는 규칙 세 가지를 적어보세요.

Reading Passage   p.28

Doping in Sports

Doping is when athletes take illegal drugs to perform better in their sport. Doping is so common that a special group called the World Anti-Doping Agency (WADA) checks for doping cases. According to one WADA study, more than 40% of world championship athletes have used doping substances. Athletes who get caught doping may be prohibited from competing again. Doping is cheating, and it is terrible for athletes' bodies. So why do some athletes choose to dope? The obvious answer is because they want to win. But a closer look at the issue reveals other reasons related to winning. For example, in some sports, top players are already doping when new athletes join the sport. To be able to compete at the same level, some athletes may feel they need to dope, too. For example, in some years of the Tour de France bicycle race, it was found that all the top cyclists were doping. Another reason could be because some sports involve a lot of money. Some athletes may worry that without doping, they will lose their contracts. Whatever the reason, any athlete considering doping should know that it is cheating.

스포츠 도핑

도핑은 운동선수들이 스포츠에서 더 잘하기 위해 불법 약물을 투여하는 것이다. 도핑이 너무 빈번해서 국제반도핑기구(WADA)라고 불리는 특수 단체가 도핑 사실을 확인한다. WADA의 한 연구에 따르면, 세계 선수권 대회 선수들의 40% 이상이 도핑 물질들을 사용했다고 한다. 도핑하다 걸린 선수들은 다시 출전하는 것이 금지될 수도 있다. 도핑은 부정행위이고, 운동선수들의 몸에 극도로 안 좋다. 그렇다면 왜 어떤 운동선수들은 도핑을 택할까? 분명한 대답은 그들이 이기기를 원하기 때문이다. 그러나 이 문제를 자세히 들여다보면 승리와 관련된 다른 이유들이 드러난다. 예를 들어, 몇몇 스포츠에서, 최고의 선수들은 새로운 선수들이 그 스포츠에 합류할 때 이미 도핑을 하고 있다. 같은 수준에서 겨룰 수 있기 위해서, 일부 운동선수들도 도핑을 해야 한다고 느낄 수 있다. 예를 들어, 투르 드 프랑스(Tour de France) 자전거 경주의 몇몇 년도에서, 최고의 자전거 선수들이 모두 도핑을 하고 있었다는 것이 밝혀졌다. 또 하나의 이유는 몇몇 스포츠에서는 많은 돈이 관여되기 때문일 수 있다. 어떤 선수들은 도핑을 하지 않으면, 계약을 잃게 될 것이라고 걱정할지도 모른다. 이유가 무엇이든, 도핑을 고려하고 있는 어떤 운동선수라도 그것이 부정행위라는 것을 알아야 한다.

어휘 athlete (운동)선수 | break (법, 약속 등을) 어기다 | pressure 압박(감) | cheat 부정행위를 하다 | prohibit 금지하다 | be prohibited (from) (~하는 것이) 금지되다 | dope 도핑하다, (운동·수행 능력을 높이기 위해) 약물을 투여하다 | illegal 불법적인 | drug 약물 | perform 행하다 | anti 반대하는 | agency 기구 | substance 물질 | get caught 잡히다, 포착되다 | compete (시합, 경기 등에) 참가하다; 경쟁하다 | terrible 끔찍한; 기분[몸]이 안 좋은 | obvious 분명한 | reveal 드러나다 | related to ~와 관련된 | already 이미 | involve 관여하다 | contract 계약 | decade 10년 | aim to V V 하는 것을 목표로 하다 | recognize 인식하다 | signs 징후 | peer pressure 동료 압력(또래 집단에서 받는 압박감) | regards 안부(의 말) | professional 직업적으로[돈을 받고] 하는, 프로의; 직업[직종]의, 전문적인 | play against ~와 경기하다

🕐 **Comprehension Questions** p.29

1. A: Why <u>do</u> some athletes break the rules?
   B: Maybe they feel too much pressure.

   (A) do
   (B) has
   (C) does
   (D) have

해석 A: 왜 몇몇 운동선수들은 규칙을 어기는 <u>거야</u>?
   B: 아마도 너무 많은 압박감을 느껴서일 거야.

   (A) 조동사 do
   (B) 조동사 has (3인칭 단수)
   (C) 조동사 does (3인칭 단수)
   (D) 조동사 have

풀이 문장의 본동사 'break'가 일반동사 원형이므로 do 조동사가 들어가야 한다. 또한 주어가 3인칭 복수 명사 'some athletes' 이므로 이와 어울리는 do 조동사 (A)가 정답이다. (D)는 본동사가 'break'으로서 동사원형이기 때문에 have 조동사를 쓰기에는 적절하지 않으므로 오답이다. 이 경우에는 'Why have some athletes broken the rules?'에서와 같이 'break'의 과거분사형이 쓰여야 적절하다는 점에 유의한다.

관련 문장 So why do some athletes choose to dope?

2. A: <u>All</u> the cyclists in this race are 15 years old.
   B: So they're teenagers.

   (A) All
   (B) None
   (C) Much
   (D) Every

해석 A: 이 경주에서 <u>모든</u> 사이클 선수들은 15살이야.
   B: 그러면 그들은 십 대들이군.

   (A) 모든
   (B) 아무도
   (C) 많은
   (D) 모든

풀이 빈칸에는 복수 명사 'the cyclists'를 꾸밀 수 있는 수식어가 들어가야 하므로 (A)가 정답이다. (B)는 'None'이 대명사이기 때문에 명사를 수식하기에 어색하고, 전치사 'of'를 사용하여 'None of the cyclists'와 같은 명사구로 사용해야만 적합하므로 오답이다. (C)는 'Much'가 셀 수 없는 명사를 수식하는 한정사이고, 정관사 'the'와 함께 쓰이면 어색하므로 오답이다. (D)는 'Every'가 단수 명사를 수식하는 한정사이고, 정관사 'the'와 함께 쓰이면 어색하므로 오답이다.

관련 문장 [...] it was found that all the top cyclists were doping.

3. Paul is <u>cheating on a test</u>.

   (A) cheating on a test
   (B) standing on a desk
   (C) holding his friend's hand
   (D) being watched by Mr. Wei

해석 Paul은 <u>시험에서 부정행위를 하고 있다</u>.

   (A) 시험에서 부정행위를 하는
   (B) 책상 위에 서 있는
   (C) 친구의 손을 잡는
   (D) Wei 씨의 감시를 받는

풀이 Paul이 시험 도중에 Wei의 시험지를 쳐다보며 부정행위를 저지르고 있다. 따라서 (A)가 정답이다.

관련 문장 Doping is cheating, and it is terrible for athletes' bodies.

4. Dogs are <u>prohibited</u> here.

   (A) allowed
   (B) popular
   (C) welcome
   (D) prohibited

해석 여기는 개들이 <u>금지되어</u> 있다.

   (A) 허락된
   (B) 인기 있는
   (C) 환영받는
   (D) 금지된

풀이 개를 나타내는 그림에 금지 표시가 그려져 있으므로 (D)가 정답이다.

관련 문장 Athletes who get caught doping may be prohibited from competing again.

[5-6]

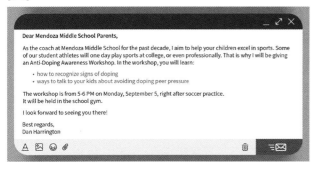

해석

친애하는 Mendoza 중학교 학부모님들께,

지난 10년간 Mendoza 중학교의 코치로서, 저는 여러분의 자녀들이 스포츠에서 뛰어날 수 있도록 돕는 것을 목표로 하고 있습니다. 우리 학생 운동선수들 중 일부는 언젠가 대학에서, 혹은 심지어 프로로서 스포츠를 하게 될 것입니다. 그것이 제가 반도핑 인식 워크숍을 열려는 이유입니다. 워크숍에서, 다음 사항에 대해 배울 것입니다:

• 도핑의 징후를 인식하는 법

• 도핑 동료 압력을 방지하는 것에 관해 자녀와 대화하는 법

워크숍은 축구 연습 직후인, 9월 5일, 월요일 오후 5-6시 입니다. 학교 체육관에서 열릴 것입니다.

그때 뵙기를 기대합니다!

안부를 전하며,
Dan Harrington

5. Who is Dan Harrington?

(A) a school principal
(B) a leader of WADA
(C) a middle school coach
(D) a Mendoza city police officer

해석 Dan Harrington은 누구인가?

(A) 학교 교장
(B) 국제반도핑기구 대표
(C) 중학교 코치
(D) Mendoza시의 경찰관

풀이 Dan Harrington은 이 편지를 작성한 사람이고, 편지의 첫 부분 'As the coach at Middle School for the past decade, […]'에서 Dan Harrington이 중학교 운동 코치라는 사실을 알 수 있으므로 (C)가 정답이다.

6. What can attendees do at the workshop?

(A) meet a professional basketball star
(B) get to know a school's new soccer coach
(C) learn about ways of talking about peer pressure
(D) see their children play against a competing school

해석 워크숍에서 참석자들이 할 수 있는 것은 무엇인가?

(A) 프로 농구 스타 만나기
(B) 학교의 새로운 축구 코치 알게 되기
(C) 동료 압력에 관해 대화하는 법 배우기
(D) 자녀들이 경쟁 학교와 경기하는 것 보기

풀이 'ways to talk to your kids about avoiding doping peer pressure'를 통해 워크숍에서 도핑 동료 압력에 관해 자녀들과 대화하는 법을 배운다는 것을 알 수 있으므로 (C)가 정답이다.

Junior Book 2

[7-10]

Doping is when athletes take illegal drugs to perform better in their sport. Doping is so common that a special group called the World Anti-Doping Agency (WADA) checks for doping cases. According to one WADA study, more than 40% of world championship athletes have used doping substances. Athletes who get caught doping may be prohibited from competing again. Doping is cheating, and it is terrible for athletes' bodies. So why do some athletes choose to dope? The obvious answer is because they want to win. But a closer look at the issue reveals other reasons related to winning. For example, in some sports, top players are already doping when new athletes join the sport. To be able to compete at the same level, some athletes may feel they need to dope, too. For example, in some years of the Tour de France bicycle race, it was found that all the top cyclists were doping. Another reason could be because some sports involve a lot of money. Some athletes may worry that without doping, they will lose their contracts. Whatever the reason, any athlete considering doping should know that it is cheating.

해석

도핑은 운동선수들이 스포츠에서 더 잘하기 위해 불법 약물을 투여하는 것이다. 도핑이 너무 빈번해서 국제반도핑기구 (WADA)라고 불리는 특수 단체가 도핑 사실을 확인한다. WADA의 한 연구에 따르면, 세계 선수권 대회 선수들의 40% 이상이 도핑 물질들을 사용했다고 한다. 도핑하다 걸린 선수들은 다시 출전하는 것이 금지될 수도 있다. 도핑은 부정행위이고, 운동선수들의 몸에 극도로 안 좋다. 그렇다면 왜 어떤 운동선수들은 도핑을 택할까? 분명한 대답은 그들이 이기기를 원하기 때문이다. 그러나 이 문제를 자세히 들여다보면 승리와 관련된 다른 이유들이 드러난다. 예를 들어, 몇몇 스포츠에서, 최고의 선수들은 새로운 선수들이 그 스포츠에 합류할 때 이미 도핑을 하고 있다. 같은 수준에서 겨룰 수 있기 위해서, 일부 운동선수들도 도핑을 해야 한다고 느낄 수 있다. 예를 들어, 투르 드 프랑스(Tour de France) 자전거 경주의 몇몇 년도에서, 최고의 자전거 선수들이 모두 도핑을 하고 있었다는 것이 밝혀졌다. 또 하나의 이유는 몇몇 스포츠에서는 많은 돈이 관여되기 때문일 수 있다. 어떤 선수들은 도핑을 하지 않으면, 계약을 잃게 될 것이라고 걱정할지도 모른다. 이유가 무엇이든, 도핑을 고려하고 있는 어떤 운동선수라도 그것이 부정행위라는 것을 알아야 한다.

7.   Which is the best title for the passage?

(A) Reasons Why Athletes Dope
(B) Why We Cannot Catch Dopers
(C) How the World Stopped Doping
(D) Joining the World Anti-Doping Agency

해석 지문에 가장 알맞은 제목은 무엇인가?

(A) 운동선수들이 도핑하는 이유
(B) 왜 우리는 도핑하는 이들을 잡을 수 없는가
(C) 세상은 어떻게 도핑을 멈추었는가
(D) 국제반도핑기구에 가입하기

유형 전체 내용 파악

풀이 도핑의 정의와 글쓴이의 입장을 밝히고, 'So why do some athletes choose to dope?'에서 다음에 이어질 내용을 암시하고 있다. 이에 따라 스포츠에서 이기는 것과 관련해 운동선수들이 왜 도핑을 하는지 설명하고 있는 글이므로 (A)가 정답이다.

8.   According to the passage, how many world championship athletes have tried doping?

(A) less than 20%
(B) about 30%
(C) over 40%
(D) just under 60%

해석 지문에 따르면, 얼마나 많은 세계 선수권 대회 선수들이 도핑을 시도해왔는가?

(A) 20%보다 적은
(B) 대략 30%
(C) 40% 이상
(D) 60% 바로 아래

유형 세부 내용 파악

풀이 'According to one WADA study, more than 40% of world championship athletes have used doping substances.' 에서 40%가 넘는 세계 선수권 대회 선수들이 도핑을 했다고 밝힌 연구를 소개하고 있으므로 (C)가 정답이다. (D)의 경우, 도핑 선수의 비율이 60% 바로 아래라고 구체적으로 언급되지는 않았으므로 오답이다.

9. What is NOT a reason for doping mentioned in the passage?

(A) wanting to win
(B) **enjoying taking risks**
(C) worrying about losing money
(D) competing at the same level as dopers

해석 도핑하는 이유로 지문에서 언급되지 않은 것은 무엇인가?

(A) 이기고 싶은 것
(B) 위험 감수를 즐기는 것
(C) 돈 잃기에 관해 걱정하는 것
(D) 도핑하는 이들과 같은 수준에서 겨루는 것

유형 세부 내용 파악

풀이 위험 감수를 즐기는 것은 도핑하는 이유로 지문에서 언급되지 않았으므로 (B)가 정답이다. (A)는 'The obvious answer is because they want to win.'에서, (C)는 '[...] because some sports involve a lot of money. They may worry that without doping, they will lose their contracts.'에서, (D)는 'To be able to compete at the same level, some athletes may feel they need to dope, too.'에서 확인할 수 있는 내용이므로 오답이다.

10. What would the writer most likely say to an athlete who wants to dope?

(A) "That will be safe."
(B) **"That would be cheating."**
(C) "That is not my business."
(D) "That is probably fine for your body."

해석 도핑을 원하는 운동선수에게 글쓴이가 할 말로 가장 적절한 것은 무엇인가?

(A) "그것은 안전할 것입니다."
(B) "그것은 부정행위가 될 것입니다."
(C) "제가 상관할 바가 아닙니다."
(D) "그것은 아마 몸에 좋을 겁니다."

유형 추론하기

풀이 본문의 마지막 문장 'Whatever the reason, any athlete considering doping should know that it is cheating.'에서 글쓴이는 도핑을 고려하는 선수들이 도핑이 부정행위라는 사실을 알아야 한다고 주장하며 글을 마치고 있다. 따라서 (B)가 정답이다. (A)와 (D)는 도핑이 운동선수의 몸에 나쁘다고 했으므로 오답이다.

 Listening Practice ▶ J2-3 p.32

Doping is when athletes take <u>illegal</u> drugs to perform better in their sport. Doping is so common that a special group called the World Anti-Doping Agency (WADA) checks for doping cases. According to one WADA study, more than 40% of world championship athletes have used doping substances. Athletes who get caught <u>doping</u> may be <u>prohibited</u> from competing again. Doping is <u>cheating</u>, and it is terrible for athletes' bodies. So why do some athletes choose to dope? The obvious answer is because they want to win. But a closer look at the issue reveals other reasons <u>related</u> to winning. For example, in some sports, top players are already doping when new athletes join the sport. To be able to compete at the same level, some athletes may feel they need to dope, too. For example, in some years of the Tour de France bicycle race, it was found that all the top cyclists were doping. Another reason could be because some sports involve a lot of money. Some athletes may worry that without doping, they will lose their <u>contracts</u>. Whatever the reason, any athlete considering doping should know that it is cheating.

1. illegal
2. doping
3. prohibited
4. cheating
5. related
6. contracts

 Writing Practice p.33

1. doping
2. illegal
3. be prohibited from
4. related to
5. cheating
6. contract

📄 **Summary**

Doping is when athletes take illegal <u>drugs</u> to perform better in their sport. Athletes give various <u>reasons</u> for doping. Whatever the reason, any <u>athlete</u> considering doping should know that it is <u>cheating</u>.

도핑은 운동선수들이 스포츠에서 더 잘하기 위해 불법 <u>약물</u>을 복용하는 것이다. 운동선수들은 도핑하는 다양한 <u>이유</u>를 제시한다. 이유가 무엇이든, 도핑을 고려하는 어떤 <u>운동선수</u>라도 그것이 <u>부정행위</u>임을 알아야 한다.

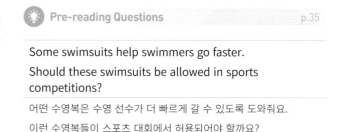

Word Puzzle   p.34

Across	Down
4. related to	1. cheating
6. illegal	2. be prohibited from
	3. contract
	5. doping

Pre-reading Questions   p.35

Some swimsuits help swimmers go faster.
Should these swimsuits be allowed in sports competitions?

어떤 수영복은 수영 선수가 더 빠르게 갈 수 있도록 도와줘요.
이런 수영복들이 스포츠 대회에서 허용되어야 할까요?

Reading Passage   p.36

Supersuits

How much of an athlete's performance comes from strength and ability? How much comes from technology? In 2008 and 2009, these questions became very important in the sport of swimming. In those years, swimmers broke many records in competition. They broke world records at the Olympics and at swimming championships. But the swimmers were wearing special swimsuits. The swimsuits were made of high-performance material. This material made the swimmers lighter in the water. The swimsuits also covered a large part of the body, which helped the swimmers move forward quickly. The swimsuits were completely legal. The swimmers did not break any rules when they wore the suits. However, some critics said these "supersuits" were unfair. In 2010, the swimsuits were banned in major competitions. Now there are more rules about swimsuit material and swimsuit length in competitions. People have started calling the years of 2008 and 2009 the "supersuit era." Some people worry that the records set during the "supersuit era" will never be broken.

슈퍼 수영복

운동선수의 실력은 힘과 능력에서 얼마만큼 나오는가? 기술에서는 얼마만큼 나오는가? 2008년과 2009년에, 이러한 질문들은 수영 스포츠에서 매우 중요해졌다. 그 몇 년 동안, 수영 선수들은 대회에서 많은 기록을 깼다. 그들은 올림픽과 수영 선수권 대회에서 세계 기록들을 깼다. 하지만 그 수영 선수들은 특수 수영복을 입고 있었다. 이 수영복은 고성능 소재로 만들어졌다. 이 소재는 수영 선수들이 물속에서 더 가벼워지게 했다. 수영복은 또한 몸의 많은 부분을 덮어서, 수영 선수들이 빠르게 앞으로 나아가도록 도왔다. 수영복은 완전히 합법적이었다. 수영 선수들은 그런 수영복을 입었을 때 어떠한 규칙도 어긴 것이 아니었다. 그러나, 일부 비판자들이 이러한 "슈퍼 수영복(Supersuits)"이 불공평하다고 말했다. 2010년에, 그 수영복들은 주요 대회에서 금지되었다. 오늘날 대회에는 수영복 소재와 수영복 길이에 관한 더 많은 규정이 있다. 사람들은 2008년과 2009년을 "슈퍼 수영복 시대"라고 부르기 시작했다. 몇몇 사람들은 "슈퍼 수영복 시대"에 세워진 기록들이 절대 깨지지 않을 것을 염려한다.

어휘 swimwear 수영복 | swimsuit 수영복 | allow 허용하다 | competition 대회, 시합 | athlete 운동선수 | performance 실력 | strength 힘 | ability 능력 | technology 기술 | break 깨다 | record 기록 | break records 기록을 깨다 | championship 선수권 대회 | be made of ~로 만들어지다 | high-performance 고성능의 | material 소재 | light 가벼운 | cover 덮다 | legal 합법적인 | critic 비판하는 사람 | unfair 불공평한 | ban 금지하다 | major 주요한 | era 시대 | set 세우다 | punish 벌주다 | flipper 오리발 | each 각각의 | lane (경주·수영 대회 등의) 레인 | lifejacket 구명조끼 | calculator 계산기 | ban 금지하다 | donate 기부하다 | disabled 장애가 있는 | advanced 진보한, 발달한 | escape 탈출하다 | sunburn 햇볕에 심하게 탐, 햇볕으로 입은 화상 | reliable 안정적인 | fit 착용감, ~하게 맞는 것(특히 옷); 어울림, 조화 | protection 보호 | leak 새는 곳; 누출 | anti-fog 흐림 방지 | reduce 줄이다 | ear plug 귀마개 | personalized 개인 맞춤형의, 개인이 원하는 대로 할 수 있는

🕐 Comprehension Questions

p.37

1. A: One kid said a bad word in class, and we all got punished.
   B: That is so <u>unfair</u>!
   (A) unfair
   (B) unfairly
   (C) unfairily
   (D) unfairness

해석 A: 한 아이가 수업 중에 나쁜 말을 했고, 우리 모두가 벌을 받았어.
   B: 그건 너무 <u>불공평해</u>!
   (A) 불공평한
   (B) 불공평하게
   (C) 어색한 표현
   (D) 불공평

풀이 빈칸은 be 동사 'is'의 보어 자리이기 때문에 부사 'so'가 수식할 수 있는 형용사가 들어가야 하므로 (A)가 정답이다. (B)는 be 동사의 보어로 부사가 사용되면 어색하므로 오답이다. (D)는 부사 'so'가 바로 수식할 수 없는 명사이므로 오답이다.

관련 문장 However, some critics said these "supersuits" were unfair.

2. A: Have you heard of that swimmer?
   B: Yes. Didn't she <u>break</u> a world record?
   (A) break
   (B) broke
   (C) broken
   (D) to break

해석 A: 그 수영선수에 관해 들어본 적 있니?
   B: 응. 그녀가 세계기록을 <u>깨지</u> 않았어?
   (A) 깨다
   (B) 깼다
   (C) 깨진
   (D) 깨기

풀이 일반 동사가 들어간 문장의 의문문은 'do 조동사 + 주어 + 본동사의 원형 ~'의 구조를 가진다. 따라서 빈칸은 본동사의 원형이 들어가는 자리이므로 (A)가 정답이다.

관련 문장 In those years, swimmers broke many records in competition. […] Some people worry that the records set during the "supersuit era" will never be broken.

3. There are five kids in <u>the competition</u>.
   (A) flippers
   (B) each lane
   (C) lifejackets
   (D) the competition

해석 <u>시합</u>에 다섯 명의 아이들이 있다.
   (A) 오리발
   (B) 각 레인
   (C) 구명조끼
   (D) 시합

풀이 수영 시합에서 출발선에 총 다섯 명의 아이들이 서 있는 모습이므로 (D)가 정답이다. (B)는 각 레인('each lane')은 각각 하나씩의 레인을 의미한다. 그런데 그림에서 레인 한 줄마다 다섯 명이 서 있는 것이 아니라 한 명씩만 서 있으므로 오답이다.

새겨 두기 '각각, 각자, ~마다'를 뜻하는 한정사 'each'의 의미를 확실히 파악한다.

관련 문장 In those years, swimmers broke many records in competition.

4. Calculators are <u>banned</u> in this class.
   (A) used
   (B) created
   (C) banned
   (D) donated

해석 이 수업에서는 계산기가 <u>금지되어</u> 있다.
   (A) 사용된
   (B) 창작된
   (C) 금지된
   (D) 기부된

풀이 계산기 그림에 금지 표시가 되어 있으므로 (C)가 정답이다.

관련 문장 In 2010, the swimsuits were banned in major competitions.

[5-6]

해석

SwimRights

돌고래처럼 헤엄치십시오. 독수리처럼 바라보십시오.

물 샘 없는 안정적인 착용감과 눈 보호를 위해 SwimRights를 사용하십시오.

저희의 흐림 방지 렌즈 기술로 당신의 경주 시간은 10%만큼 줄어들 것입니다.

올림픽 3관왕인 Liu Yu를 포함해 프로 운동선수들이 사용합니다.

더 많은 정보는 여기를 클릭하십시오.

5. What is this advertisement most likely for?
   (A) swimsuits
   (B) swim caps
   (C) swim goggles
   (D) swimming ear plugs

해석 이 광고는 무엇을 위한 것인가?
   (A) 수영복
   (B) 수영모
   (C) 물안경
   (D) 수영 귀마개

풀이 'Swim like a dolphin.' 등을 통해 광고 상품이 수영용품 중 하나라는 것을 알 수 있고, 구체적으로 'eye protection', 'anti-fog lens technology' 등에서 눈 보호 기능과 렌즈가 있는 수영용품, 즉 물안경이라는 것을 알 수 있다. 따라서 (C)가 정답이다.

6. What does the ad promise?
   (A) a personalized fitting
   (B) a similar race time to Liu Yu
   (C) a faster time in competitions
   (D) a lower price than other brands

해석 광고가 보장하는 것은 무엇인가?
   (A) 개인 맞춤형 착용감
   (B) Liu Yu와 비슷한 경주 시간
   (C) 대회에서의 더 빠른 시간
   (D) 다른 브랜드에 비해 낮은 가격

풀이 'Our anti-fog lens technology will reduce your race time by 10%'에서 흐림 방지 기술로 경주 시간을 10% 줄여준다고 하였다. 경주 시간이 줄어든다는 것은 대회에서 더 빠르게 경기한다는 의미이므로 (C)가 정답이다. (A)와 (B)는 차례대로 본문에서 언급된 'fit'과 'Liu Yu'를 통해 혼동하도록 유도한 오답이다.

[7-10]

How much of an athlete's performance comes from strength and ability? How much comes from technology? In 2008 and 2009, these questions became very important in the sport of swimming. In those years, swimmers broke many records in competition. They broke world records at the Olympics and at swimming championships. But the swimmers were wearing special swimsuits. The swimsuits were made of high-performance material. This material made the swimmers lighter in the water. The swimsuits also covered a large part of the body, which helped the swimmers move forward quickly. The swimsuits were completely legal. The swimmers did not break any rules when they wore the suits. However, some critics said these "supersuits" were unfair. In 2010, the swimsuits were banned in major competitions. Now there are more rules about swimsuit material and swimsuit length in competitions. People have started calling the years of 2008 and 2009 the "supersuit era." Some people worry that the records set during the "supersuit era" will never be broken.

해석

운동선수의 실력은 힘과 능력에서 얼마만큼 나오는가? 기술에서는 얼마만큼 나오는가? 2008년과 2009년에, 이러한 질문들은 수영 스포츠에서 매우 중요해졌다. 그 몇 년 동안, 수영 선수들은 대회에서 많은 기록을 깼다. 그들은 올림픽과 수영 선수권 대회에서 세계 기록들을 깼다. 하지만 그 수영 선수들은 특수 수영복을 입고 있었다. 이 수영복은 고성능 소재로 만들어졌다. 이 소재는 수영 선수들이 물속에서 더 가벼워지게 했다. 수영복은 또한 몸의 많은 부분을 덮어서, 수영 선수들이 빠르게 앞으로 나아가도록 도왔다. 수영복은 완전히 합법적이었다. 수영 선수들은 그런 수영복을 입었을 때 어떠한 규칙도 어긴 것이 아니었다. 그러나, 일부 비판자들이 이러한 "슈퍼 수영복(Supersuits)"이 불공평하다고 말했다. 2010년에, 그 수영복들은 주요 대회에서 금지되었다. 오늘날 대회에는 수영복 소재와 수영복 길이에 관한 더 많은 규정이 있다. 사람들은 2008년과 2009년을 "슈퍼 수영복 시대"라고 부르기 시작했다. 몇몇 사람들은 "슈퍼 수영복 시대"에 세워진 기록들이 절대 깨지지 않을 것을 염려한다.

7. What is the passage mainly about?

(A) swimming robots
(B) disabled swimmers
(C) advanced swimsuits
(D) Olympic swimming dates

해석 지문은 주로 무엇에 관한 내용인가?

(A) 수영 로봇
(B) 장애가 있는 수영 선수들
(C) 발전된 수영복
(D) 올림픽 수영 날짜

유형 전체 내용 파악

풀이 2000년대 후반 수영 선수들이 입었던 고성능 소재로 만든 슈퍼 수영복('supersuit')의 착용 효과와 대회에서의 금지 등을 중점적으로 다루고 있는 글이므로 (C)가 정답이다.

8. According to the passage, what did the supersuits do in 2008 and 2009?

(A) cover the faces of swimmers
(B) help swimmers escape sharks
(C) protect swimmers from sunburn
(D) make swimmers lighter in the water

해석 지문에 따르면, 슈퍼 수영복은 2008년과 2009년에 무엇을 하였는가?

(A) 수영 선수 얼굴 덮기
(B) 수영 선수들이 상어를 피하는 것 돕기
(C) 수영 선수들이 햇볕에 타지 않게 보호하기
(D) 수영 선수들이 물속에서 더 가벼워지게 하기

유형 세부 내용 파악

풀이 'In 2008 and 2009, […]. In those years, swimmers broke many records in competition. […] But the swimmers were wearing special swimsuits. The swimsuits were made of high-performance material. This material made the swimmers lighter in the water.'에서 2008년과 2009년에 수영 선수들이 고성능 소재 수영복을 착용했고, 이 고성능 소재로 인해 선수들이 물속에서 더 가벼워졌다고 하였으므로 (D)가 정답이다.

9. According to the passage, what happened in 2010?

(A) Supersuits became legal.
(B) Supersuits sold out in stores.
(C) People first bought supersuits online.
(D) Major competitions banned supersuits.

해석 지문에 따르면, 2010년에 일어난 일은 무엇인가?

(A) 슈퍼 수영복이 합법화되었다.
(B) 슈퍼 수영복이 상점에서 다 팔렸다.
(C) 사람들이 처음으로 온라인에서 슈퍼 수영복을 샀다.
(D) 주요 대회에서 슈퍼 수영복을 금지했다.

유형 세부 내용 파악

풀이 'In 2010, the swimsuits were banned in major competitions.'에서 2010년에 주요 대회에서 슈퍼 수영복을 금지했다는 것을 알 수 있으므로 (D)가 정답이다. (A)는 반대되는 내용이므로 오답이다.

10. According to the passage, what worries some people?

(A) that the Olympics will not have swimming events
(B) that people will stop being interested in swimming
(C) that stopping supersuits will stop human greatness
(D) that future swimmers will never break supersuit era records

해석 지문에 따르면, 몇몇 사람들이 걱정하는 것은 무엇인가?

(A) 올림픽에서 수영 경기를 열지 않을 것이라는 것
(B) 사람들이 수영에 흥미를 갖는 것을 멈출 것이라는 것
(C) 슈퍼 수영복을 막는 것이 인간의 위대함을 막을 것이라는 것
(D) 미래의 수영 선수들이 절대 슈퍼 수영복 시대의 기록을 깰 수 없을 것이라는 것

유형 세부 내용 파악

풀이 마지막 문장 'Some people worry that the records set during the "supersuit era" will never be broken.'에서 슈퍼 수영복 시대에 세워진 기록이 앞으로 절대 깨지지 않을 것이라는 우려가 있다고 했으므로 (D)가 정답이다.

 Listening Practice　　　▶ J2-4　p.40

How much of an athlete's performance comes from strength and ability? How much comes from technology? In 2008 and 2009, these questions became very important in the sport of swimming. In those years, swimmers broke many <u>records</u> in <u>competition</u>. They broke world records at the Olympics and at swimming championships. But the swimmers were wearing special swimsuits. The swimsuits were made of <u>high-performance</u> material. This <u>material</u> made the swimmers lighter in the water. The swimsuits also <u>covered</u> a large part of the body, which helped the swimmers move forward quickly. The swimsuits were completely legal. The swimmers did not break any rules when they wore the suits. However, some critics said these "supersuits" were unfair. In 2010, the swimsuits were <u>banned</u> in major competitions. Now there are more rules about swimsuit material and swimsuit length in competitions. People have started calling the years of 2008 and 2009 the "supersuit era." Some people worry that the records set during the "supersuit era" will never be broken.

1. records
2. competition
3. high-performance
4. material
5. covered
6. banned

 Writing Practice　　　　　　　p.41

1. break a record
2. competition
3. high-performance
4. material
5. cover
6. ban

 Summary

In 2008 and 2009, swimmers who <u>broke</u> many records were wearing special swimsuits made of high-performance <u>material</u>. The swimsuits were legal but some people said they were <u>unfair</u>. Now there are more rules about <u>swimsuits</u> in competitions.

2008년과 2009년에, 많은 기록을 <u>깬</u> 수영선수들은 고성능 <u>소재</u>로 만들어진 특수 수영복을 입고 있었다. 그 수영복들은 합법적이었으나 몇몇 사람들은 그것들이 <u>불공평하다</u>고 말했다. 오늘날 대회에서는 <u>수영복</u>에 관한 규정이 더 많이 존재한다.

Word Puzzle　　　　　　　p.42

Across
4. break a record
6. ban

Down
1. high-performance
2. cover
3. material
5. competition

A Criminal Catcher

In 1887, people in Toronto, Canada were extremely excited that the city had won its first major baseball championship. However, what many people in the city did not know was that one of the star players, catcher Harry Decker, was a criminal.

Decker came from Chicago, in the U.S. It was in that city that he committed many of his crimes. Most of his crimes were about money. For example, he would sign fake names on money checks. He tried making fake dollar bills. He stole from his teammates. He had many different fake names. Usually, he would find a way to avoid jail. One time, he told the judge that he made mistakes because he had hit his head playing baseball.

Decker did not play long for Toronto's baseball team. It was true that he was skilled. He had even created an important invention — the catcher's mitt. However, his criminal past became known and teams wanted to avoid him. But he became very famous among baseball fans because of his strange past.

범죄를 저지른 포수

1887년, 캐나다 토론토의 사람들은 도시가 첫 메이저 야구 대회 챔피언전에서 우승했다는 것에 극도로 흥분했다. 하지만, 이 도시의 많은 사람이 몰랐던 것은 스타 플레이어 중 한 명인 포수 Harry Decker가 범죄자였다는 것이다.

Decker는 미국 시카고에서 왔다. 그가 많은 범죄를 저지른 것은 바로 그 도시에서였다. 그의 범죄는 대부분 돈에 관한 것이었다. 예를 들어, 그는 돈 수표에 가짜 이름을 서명하곤 했다. 그는 위조 달러 지폐를 만들려고 했다. 그는 동료들로부터 돈을 훔쳤다. 그에게는 많은 여러 가짜 이름이 있었다. 주로, 그는 감옥을 피할 방법을 찾곤 했다. 한번은, 그는 판사에게 야구를 하다가 머리를 부딪쳤기 때문에 실수를 범했다고 말했다.

Decker은 토론토의 야구팀에서 오래 뛰지 않았다. 그가 숙련됐다는 것은 사실이었다. 그는 심지어 중요한 발명도 했다 — 포수의 글러브다. 하지만, 그의 과거 범죄는 알려졌고 팀은 그를 피하고 싶었다. 하지만 그는 기이한 과거 때문에 야구팬 사이에서 매우 유명해졌다.

Chapter 2. Art

 Reading Passage   p.46

Camera Shots

Many film viewers know about sound techniques and lighting techniques in movies. But they may not think about the camera shots. A camera shot is the amount of space that a viewer can see at one time on the screen. There are six main types of camera shot. An "extreme long shot" shows a movie's landscape. It is often used at the beginning of the movie to show the main location. A "long shot" shows a smaller part of the location of the movie. It may show a building, for example. A "full shot" shows the characters. In a full shot, viewers can see the actors' costumes. This shot helps to show relationships. A "mid-shot" shows people from the waist to the head. It is also called a "social shot," because it shows people talking. A "close-up" shows just one character's face. This shot is also called a "personal shot," because it helps show a character's emotions. An "extreme close-up" shows just one part of a face or object. Horror movies sometimes use this technique because it is very intense. These six camera shots help filmmakers tell their stories.

여러 카메라 숏

많은 영화 시청자는 영화의 음향 기술과 조명 기술에 관해 알고 있다. 그러나 그들은 카메라 숏에 대해서는 생각하지 않을 수도 있다. 카메라 숏은 시청자가 화면으로 한 번에 볼 수 있는 공간의 양이다. 주로 여섯 가지 주요 유형의 카메라 숏이 있다. "익스트림 롱 숏" 은 영화의 풍경을 보여준다. 그것은 주요 장소를 보여주기 위해 영화의 초반에 종종 사용된다. "롱 숏"은 영화 속 장소의 더 작은 부분을 보여준다. 예를 들어, 그것은 건물을 보여줄 수 있다. "풀 숏" 은 등장인물을 보여준다. 풀 숏에서, 시청자들은 배우들의 의상을 볼 수 있다. 이 숏은 관계를 보여주는 데 도움이 된다. "미드 숏"은 사람을 허리부터 머리까지 보여준다. 그것은 또한 "소셜 숏"이라고 불리는데, 사람들이 대화하는 것을 보여주기 때문이다. "클로즈업" 은 한 등장인물의 얼굴만 보여준다. 이 숏은 또한 "퍼스널 숏"이라고 불리는데, 등장인물의 감정을 보여주는 데 도움이 되기 때문이다. "익스트림 클로즈업"은 얼굴 혹은 사물의 한 부분만 보여준다. 공포 영화에서 때때로 이 기술을 활용하는데 그것은 매우 강렬하기 때문이다. 이러한 여섯 가지 카메라 숏은 영화 제작자들이 그들의 이야기를 전달하는 데 도움을 준다.

Pre-reading Questions   p.45

Movie shots are like pictures in movies.
What movie shots can you remember?

영화 숏은 영화 안의 사진들과 같아요.
어떤 영화 숏이 기억이 나나요?

어휘 shot 숏 (촬영의 기본 단위로 한 번에 촬영한 장면) | viewer 시청자 | technique 기술 | lighting 조명 | amount 양 | at one time 한꺼번에, 동시에 | main 주요(한) | type 유형 | extreme 극도의, 극심한 | long shot 롱 숏, 원사 | landscape 풍경 | location 장소 | full 완전한, 최대의 | full shot 풀 숏 | costume 의상 | mid-shot 미디엄 숏, 중사 | waist 허리 | social 사교적인; 사회적인, 사회의 | close-up 클로즈업, 접사 | personal 개인적인 | emotion 감정 | object 사물 | intense 강렬한 | filmmaker 영화 제작자 | portrait 초상화 | blanket 담요 | bottom 밑; 엉덩이 | sleeve 소매 | ideal 이상적인 | giant 거대한 | fine 세세한 | detail 세부 사항, 디테일 | antique 골동품인 | balance 균형 | distance 거리 | be equal to ~와 같다 | tri-pod 삼각대 | shake 흔들리다 | clear 선명한 | distracting (마음을) 산란케 하는 | differ 다르다 | achieve 달성하다 | simplicity 단순함 | maintain 유지하다 | filter 필터, 여과 장치 | blurry 흐릿한, 모호한

🕐 **Comprehension Questions**   p.47

1. A: How did you learn how to use a camera?
    B: I taught <u>myself</u>. It took a few years.

    (A) my
    (B) me
    (C) mine
    (D) myself

해석 A: 카메라 사용하는 방법을 어떻게 배웠니?
    B: 나 스스로 공부했어. 몇 년 걸렸어.

    (A) 나의
    (B) 나를
    (C) 나의 것
    (D) 나 자신

풀이 빈칸에는 동사 'taught'의 목적어가 들어가야 한다. 주어가 'I'이고, 문맥상 '스스로 자신을 가르치다'라는 의미가 되어야 하므로 1인칭 재귀대명사 (D)가 정답이다. (B)는 주어와 목적어가 동일할 때는 재귀대명사를 사용해야 적합하므로 오답이다.

2. A: Which movie is better out of these two choices?
    B: This <u>one</u>. It uses many interesting camera shots.

    (A) it
    (B) its
    (C) one
    (D) ones

해석 A: 이 두 가지 선택지 중에 어떤 영화가 더 좋을까?
    B: 이거. 많은 흥미로운 카메라 숏을 사용해.

    (A) 그것
    (B) 그것의
    (C) 것
    (D) 것들

풀이 빈칸에는 지시형용사 'this'가 꾸밀 수 있는 단수 명사가 들어가야 한다. 'this'와 같은 한정사는 부정대명사 'one'을 수식할 수 있으므로 (C)가 정답이다. (A)는 'it'이 인칭대명사로서 지시형용사와 같은 한정사가 인칭대명사를 바로 수식하는 것은 어색하므로 오답이다. (D)는 'this'가 복수 명사를 수식할 수 없으므로 오답이다.

새겨 두기 앞서 언급했거나 상대방이 이미 알고 있는 대상을 특정하지 않고 가리킬 때 부정대명사 'one'을 쓸 수 있다. 해당 문장에서 부정대명사 'one'은 앞에 나온 'movie'라는 단어 자체를 가리킨다는 점에 주목한다. 즉, 'This movie.'라고 대답하는 대신 'This one.'이라고 대답한 것임을 유의하자.

3. This photo shows a natural green <u>landscape</u>.

    (A) portrait
    (B) blanket
    (C) costume
    (D) landscape

해석 이 사진은 푸른 자연 풍경을 보여준다.

    (A) 초상화
    (B) 담요
    (C) 복장
    (D) 풍경

풀이 자연 풍경의 모습이므로 (D)가 정답이다.

관련 문장 An "extreme long shot" shows a movie's landscape.

4. This green dress has a nice bit of black at the <u>waist</u>.

    (A) hips
    (B) waist
    (C) bottom
    (D) sleeves

해석 이 녹색 원피스에는 허리에 멋진 검정 부분이 있다.

    (A) 엉덩이
    (B) 허리
    (C) 밑
    (D) 소매

풀이 허리 쪽에 검정 부분이 있으므로 (B)가 정답이다.

관련 문장 A "mid-shot" shows people from the waist to the head.

When you take the shot, ask yourself these questions:

1. Is there balance? The distance from the forehead to the top of the screen should be equal to the distance from the mouth to the bottom of the screen.

2. Did you use a tri-pod? Without a tri-pod, your camera could shake. You need a clear shot, not a blurry one.

3. Is the image simple? Complicated images are distracting to the eye.

해석

사진을 찍을 때, 이 질문들을 스스로에게 물어보라.

1. 균형감이 있는가? 이마로부터 화면의 맨 위까지의 거리가 입부터 화면의 맨 아래까지의 거리와 같아야 한다.

2. 삼각대를 사용하였는가? 삼각대가 없으면, 카메라가 흔들릴 수 있다. 당신은 선명한 숏이 필요하다, 흐린 것이 아니라.

3. 사진은 단순한가? 복잡한 사진은 눈을 산란하게 한다.

5. What would be the best title of the list?

(A) How to Take a Close-up Shot
(B) Bringing Black and White Film Back
(C) How Animal and Human Shots Differ
(D) Breathing Techniques for Photography

해석 목록에 가장 알맞은 제목은 무엇인가?

(A) 클로즈업 숏을 찍는 방법
(B) 흑백 필름 부활시키기
(C) 동물과 인물 숏은 어떻게 다른가
(D) 사진 촬영을 위한 호흡 기법

풀이 1번에서 이마와 입의 위치를 균형 있게 맞춰야 하고, 2번과 3번에서 선명하고 복잡하지 않은 사진을 찍어야 한다고 조언하고 있다. 또한 그림의 여우 사진을 보면 여우의 얼굴만을 확대하여 강조한 사진임을 확인할 수 있다. 따라서 해당 지문은 대상의 얼굴을 확대해서 보여주는 클로즈업 숏을 찍는 방법에 대한 설명이며, 이를 가장 잘 반영한 (A)가 정답이다.

6. Which of the following is NOT mentioned?

(A) achieving simplicity
(B) maintaining balance
(C) choosing filter types
(D) keeping images clear

해석 다음 중 언급되지 않은 내용은 무엇인가?

(A) 단순함 달성하기
(B) 균형 유지하기
(C) 필터 종류 선택하기
(D) 사진 선명하게 하기

풀이 필터 종류 선택에 관한 내용은 언급되지 않았으므로 (C)가 정답이다. (A)는 세 번째 팁의 'Is the image simple?'에서, (B)는 첫 번째 팁의 'Is there balance?'에서, (D)는 두 번째 팁의 'You need a clear shot, not a blurry one'에서 확인할 수 있으므로 오답이다.

Many film viewers know about sound techniques and lighting techniques in movies. But they may not think about the camera shots. A camera shot is the amount of space that a viewer can see at one time on the screen. There are six main types of camera shot. An "extreme long shot" shows a movie's landscape. It is often used at the beginning of the movie to show the main location. A "long shot" shows a smaller part of the location of the movie. It may show a building, for example. A "full shot" shows the characters. In a full shot, viewers can see the actors' costumes. This shot helps to show relationships. A "mid-shot" shows people from the waist to the head. It is also called a "social shot," because it shows people talking. A "close-up" shows just one character's face. This shot is also called a "personal shot," because it helps show a character's emotions. An "extreme close-up" shows just one part of a face or object. Horror movies sometimes use this technique because it is very intense. These six camera shots help filmmakers tell their stories.

해석

많은 영화 시청자는 영화의 음향 기술과 조명 기술에 관해 알고 있다. 그러나 그들은 카메라 숏에 대해서는 생각하지 않을 수도 있다. 카메라 숏은 시청자가 화면으로 한 번에 볼 수 있는 공간의 양이다. 주로 여섯 가지 주요 유형의 카메라 숏이 있다. "익스트림 롱 숏"은 영화의 풍경을 보여준다. 그것은 주요 장소를 보여주기 위해 영화의 초반에 종종 사용된다. "롱 숏"은 영화 속 장소의 더 작은 부분을 보여준다. 예를 들어, 그것은 건물을 보여줄 수 있다. "풀 숏"은 등장인물을 보여준다. 풀 숏에서, 시청자들은 배우들의 의상을 볼 수 있다. 이 숏은 관계를 보여주는 데 도움이 된다. "미드 숏"은 사람을 허리부터 머리까지 보여준다. 그것은 또한 "소셜 숏"이라고 불리는데, 사람들이 대화하는 것을 보여주기 때문이다. "클로즈업"은 한 등장인물의 얼굴만 보여준다. 이 숏은 또한 "퍼스널 숏"이라고 불리는데, 등장인물의 감정을 보여주는 데 도움이 되기 때문이다. "익스트림 클로즈업"은 얼굴 혹은 사물의 한 부분만 보여준다. 공포 영화에서 때때로 이 기술을 활용하는데 그것은 매우 강렬하기 때문이다. 이러한 여섯 가지 카메라 숏은 영화 제작자들이 그들의 이야기를 전달하는 데 도움을 준다.

7. Which is the best title for the passage?

   (A) Choosing the Ideal Camera
   (B) How to Take Nature Photos
   (C) **The Six Main Types of Camera Shot**
   (D) Sound and Lighting Techniques in Film

해석 지문에 가장 알맞은 제목은 무엇인가?

   (A) 이상적인 카메라 선택하기
   (B) 자연 사진 찍는 방법
   (C) 여섯 가지 주요 카메라 숏 종류
   (D) 영화의 음향 및 조명 기술

유형 전체 내용 파악

풀이 초반부에 카메라 숏('camera shots')이라는 중심 소재를
   드러내고 그 정의를 설명한 뒤, 'There are six main types of
   camera shot.'에서 다음에 이어질 내용을 암시하고 있다. 이에
   따라 익스트림 롱 숏부터 익스트림 클로즈업까지 주요 여섯 가지
   촬영기법을 차례대로 설명하고 있는 글이므로 (C)가 정답이다.

8. According to the passage, which shot is good to show
   an actor's facial expressions?

   (A) a full shot
   (B) a mid-shot
   (C) a long shot
   (D) **a personal shot**

해석 지문에 따르면, 어떤 숏이 배우의 표정을 보여주기에 좋은가?

   (A) 풀 숏
   (B) 미드 숏
   (C) 롱 숏
   (D) 퍼스널 숏

유형 세부 내용 파악 & 추론하기

풀이 'A "close-up" shows just one character's face. This shot
   is also called a "personal shot," because it helps show
   a character's emotions.'에서 퍼스널 숏이라고도 불리는
   클로즈업 기법이 인물의 얼굴만을 부각하고, 감정을 전달하는
   데도 유용하다고 했다. 따라서 인물의 표정을 보여주기에 가장
   적절한 촬영 기법은 얼굴만 보여주는 퍼스널 숏이므로 (D)가
   정답이다.

9. Which of the following would viewers most likely see
   in a social shot?

   (A) a giant desert of sand
   (B) very fine details on an antique lamp
   (C) the mouth of a character giving a lecture
   (D) **the heads and chests of two talking characters**

해석 다음 중 영화 시청자들이 소셜 숏에서 볼 것으로 가장 적절한
   것은 무엇인가?

   (A) 거대한 모래사막
   (B) 골동품 램프의 아주 세세한 부분들
   (C) 강연을 하는 등장인물의 입
   (D) 말하고 있는 두 등장인물의 머리와 가슴

유형 세부 내용 파악 & 추론하기

풀이 'A "mid-shot" shows people from the waist to the head.
   It is also called a "social shot," because it shows people
   talking.'에서 소셜 숏은 허리에서 머리까지 보여주는 미드
   숏이며 인물들이 대화하는 것을 보여주는 데 유용한 숏이라는
   사실을 알 수 있으므로 (D)가 정답이다. (A)는 익스트림 롱 숏이
   더 적절하므로 오답이다. (B)와 (C)는 익스트림 클로즈업이 더
   적절하므로 오답이다.

10. According to the passage, which most likely adds
    intense moments to scary movies?

   (A) a long shot
   (B) a personal shot
   (C) **an extreme close-up**
   (D) an extreme long shot

해석 지문에 따르면, 공포 영화에 강렬한 순간을 더할 숏으로 가장
   적절한 것은 무엇인가?

   (A) 롱 숏
   (B) 퍼스널 숏
   (C) 익스트림 클로즈업
   (D) 익스트림 롱 숏

유형 세부 내용 파악

풀이 'An "extreme close-up" shows just one part of a face or
   object. Horror movies sometimes use this technique
   because it is very intense.'를 통해 공포 영화에서 때때로
   강렬함을 주기 위해 익스트림 클로즈업 기법을 사용한다는 것을
   알 수 있으므로 (C)가 정답이다.

Many film viewers know about sound <u>techniques</u> and <u>lighting</u> techniques in movies. But they may not think about the camera shots. A camera shot is the amount of space that a viewer can see at one time on the screen. There are six main types of camera shot. An "extreme long shot" shows a movie's <u>landscape</u>. It is often used at the beginning of the movie to show the main location. A "long shot" shows a smaller part of the <u>location</u> of the movie. It may show a building, for example. A "full shot" shows the characters. In a full shot, viewers can see the actors' <u>costumes</u>. This shot helps to show relationships. A "mid-shot" shows people from the <u>waist</u> to the head. It is also called a "social shot," because it shows people talking. A "close-up" shows just one character's face. This shot is also called a "personal shot," because it helps show a character's emotions. An "extreme close-up" shows just one part of a face or object. Horror movies sometimes use this technique because it is very intense. These six camera shots help filmmakers tell their stories.

1. techniques
2. lighting
3. landscape
4. location
5. costumes
6. waist

✏️ **Writing Practice**   p.51

1. lighting
2. technique
3. landscape
4. location
5. costume
6. waist

📄 Summary

There are six <u>main</u> types of camera <u>shot</u>: an extreme long shot, a long shot, a <u>full</u> shot, a mid-shot, a close-up, and an extreme close-up. These six camera shots help <u>filmmakers</u> tell their stories.

<u>주요</u> 카메라 <u>숏</u> 유형에는 여섯 가지가 있다: 익스트림 롱 숏, 롱 숏, 풀 숏, 미드 숏, 클로즈업, 그리고 익스트림 클로즈업이다. 이러한 여섯 가지 카메라 숏이 <u>영화 제작자들</u>이 그들의 이야기를 전달하는 데 도움을 준다.

🧩 **Word Puzzle**   p.52

Across	Down
3. waist	1. costume
4. lighting	2. landscape
5. technique	4. location

Unit 6 | The State Hermitage   p.53

Part A. Sentence Completion   p.55

1 (D)   2 (B)

Part B. Situational Writing   p.55

3 (C)   4 (D)

Part C. Practical Reading and Retelling   p.56

5 (D)   6 (B)

Part D. General Reading and Retelling   p.57

7 (B)   8 (C)   9 (D)   10 (B)

Listening Practice   p.58

1 collection	2 sculptures
3 used	4 palaces
5 fancy	6 decorated

Writing Practice   p.59

1 collection of	2 sculpture
3 used to be	4 fancy
5 decorated	6 palace

Summary   museums, buildings, million, world

Word Puzzle   p.60

Across	
2 fancy	6 used to be

Down	
1 palace	3 sculpture
4 collection of	5 decorated

Pre-reading Questions   p.53

Name a museum or art gallery in your area.

What kinds of exhibits does it have?

여러분의 지역에 있는 박물관이나 미술관 한 곳의 이름을
말해보세요.

그곳에서는 어떤 종류의 전시가 열리고 있나요?

 Reading Passage   p.54

The State Hermitage

The State Hermitage (or Hermitage) is a museum in
Saint Petersburg, Russia. It is one of the world's most
famous museums. There are three key reasons it is
famous. First, the Hermitage is very big. In fact, it is
the second largest art museum in the world. Only the
Louvre in Paris is bigger. Secondly, the Hermitage
has a great collection of art. It has over three million
artworks. It also has important older artworks. When it
was built in 1764, the museum held the art collection
of the Russian empress Catherine the Great. Catherine
enjoyed art and had a lot of money to buy paintings
and sculptures. Her art collection even included some
paintings by Rembrandt, the famous Dutch painter.
Those paintings are still in the museum today. Finally,
the Hermitage is famous because its buildings are very
beautiful. The museum buildings used to be palaces.
The buildings are very fancy, and many rooms are
decorated in gold. For these three reasons, visitors from
all over go to Saint Petersburg to see the Hermitage.

State Hermitage (에르미타주 미술관)

State Hermitage(또는 Hermitage)는 러시아 상트페테르부르크에
있는 박물관이다. 그것은 세계에서 가장 유명한 박물관 중 하나이다.
그것이 유명한 주된 이유는 세 가지이다. 첫 번째, Hermitage
박물관은 매우 크다. 실제로, 그것은 세계에서 두 번째로 큰 미술
박물관이다. 오직 파리의 Louvre 박물관만이 더 크다. 두 번째로,
Hermitage는 굉장한 예술 수집품을 소장하고 있다. 그곳은 삼백만
점이 넘는 예술품들을 소장하고 있다. 그곳은 또한 중요한 더 오래된
예술품들을 가지고 있다. 1764년에 지어졌을 때, 이 박물관은
러시아의 황후인 Catherine 대제의 예술 수집품들을 보유하고
있었다. Catherine은 예술을 즐겼고 그림들과 조각상들을 살 돈도
많았다. 그녀의 예술 수집품은 심지어 유명한 네덜란드 화가인
Rembrandt의 일부 그림들도 포함하였다. 그 그림들은 오늘날에도
여전히 박물관에 있다. 마지막으로, Hermitage는 그 건물이 매우
아름답기 때문에 유명하다. 박물관 건물들은 한때 궁전이기도 했다.
건물들은 매우 화려하고, 많은 방이 금으로 장식되어 있다. 이 세
가지 이유 때문에, 전 세계 방문객들이 Hermitage를 보기 위해
상트페테르부르크로 간다.

어휘 museum 박물관 | art gallery 미술관 | exhibit 전시(품) |
key 주된 | collection 소장품, 수집품 | artwork 예술품 |
empress 황후 | sculpture 조각상 | palace 궁전 | fancy
화려한 | decorate 장식하다 | focus on ~에 집중하다 |
cart 수레, 카트 | international 국제적인 | burn down
(화재로) 소실되다 | brick 벽돌 | admission 입장료 | purchase
구매하다 | visit 방문 | entry 입장 | branch 지점 | citizen 시민 |
approximately 대략 | entrance 입장 | preschool 미취학 |
valid 유효한 | retired 은퇴한 | elegant 우아한, 품격있는

Comprehension Questions   p.55

1. A: This art museum is so elegant!
    B: Yes, it <u>used to</u> be a palace.

    (A) uses
    (B) used
    (C) uses to
    (D) used to

해석 A: 여기 미술관 되게 품격있네!
B: 응, 그건 <u>한때</u> 궁전<u>이었어</u>.

    (A) 사용하다
    (B) 사용했다
    (C) 어색한 표현
    (D) 한때는 ~이었다

풀이 '~하곤 했다, 한때 ~였다' 등 과거의 상태나 습관적인 동작을
나타낼 때 'used to + 동사 원형' 표현을 사용할 수 있으므로
(D)가 정답이다.

관련 문장 The museum buildings used to be palaces.

2. A: The museum has <u>too</u> many artworks to see in a day.
    B: I will just focus on the paintings by Rembrandt.

    (A) as
    (B) too
    (C) little
    (D) very

해석 A: 박물관에는 <u>너무</u> 많은 예술품이 있어서 하루 안에 볼 수가
없어.
B: 난 그냥 Rembrandt의 그림들에만 집중할 거야.

    (A) ~처럼
    (B) 너무 (~한)
    (C) 거의 없는
    (D) 매우

풀이 문맥상 박물관에 예술품이 너무 많아서 하루에 다 보기 어렵다는
내용이 적절하다. '너무 A해서 B를 할 수 없다'라는 뜻을 나타낼
때 'too A to B'라는 표현을 사용할 수 있으므로 (B)가 정답이다.

관련 문장 It has over three million artworks.

3. She is working on a new <u>sculpture</u>.

    (A) novel
    (B) art film
    (C) sculpture
    (D) wood shop

해석 그녀는 새로운 <u>조각상</u>을 작업 중이다.

    (A) 소설
    (B) 예술 영화
    (C) 조각상
    (D) 목공장

풀이 조각상을 다듬고 있는 모습이므로 (C)가 정답이다.

관련 문장 Catherine enjoyed art and had a lot of money to buy paintings and sculptures.

4. Look at this incredible <u>collection of</u> books.

    (A) cart of
    (B) box of
    (C) basket of
    (D) collection of

해석 이 엄청난 책 <u>모음집들</u>을 봐!

    (A) (~가 담긴) 수레
    (B) (~가 담긴) 상자
    (C) (~가 담긴) 바구니
    (D) (~로 된) 모음집

풀이 책들이 빼곡히 모여있는 책장의 모습이다. 어떤 물건들이 수집되거나 모여있는 것을 표현할 때 'collection'이란 단어를 사용할 수 있으므로 (D)가 정답이다.

관련 문장 Secondly, the Hermitage has a great collection of art.

[5-6]

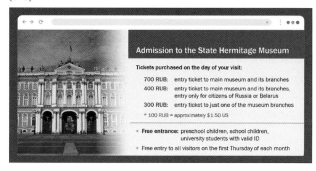

해석

The State Hermitage 박물관 입장료
방문 당일 구매한 티켓:
700 루블: 주요 박물관 및 지점 입장권
400 루블: 주요 박물관 및 지점 입장권, 러시아 또는 벨라루스 시민 전용 입장권
300 루블: 박물관 지점 중 오직 한 군데 입장권
* 100 루블 = 약 1.50 미국달러
• 무료 입장: 미취학 아동, 취학 아동, 유효한 신분증을 가진 대학생
• 매월 첫 번째 목요일에 모든 방문객 무료 입장

5. How much would it cost for 1 school child and 1 adult from Japan to enter the main museum and branches on the Thursday, November 1st?

    (A) 500 RUB
    (B) 700 RUB
    (C) 1400 RUB
    (D) nothing

해석 11월 1일 목요일에 일본에서 온 취학 아동 1명과 성인 1명이 주요 박물관과 지점에 입장하기 위한 비용은 얼마인가?

    (A) 500 루블
    (B) 700 루블
    (C) 1400 루블
    (D) 없음

풀이 매월 첫 번째 목요일에 모든 방문객의 입장이 무료라고 하였으므로 (D)가 정답이다. (B)는 첫 번째 목요일이 아닌 날에 내야하는 입장료(취학 아동 0루블 + 성인 700루블)이므로 오답이다.

6. Anton is a retired worker from Belarus. What is the minimum price for him to enter one museum branch on weekends?

(A) 100 RUB

(B) 300 RUB

(C) 500 RUB

(D) 700 RUB

해석 Anton은 벨라루스에서 온 퇴직자이다. 그가 주말에 박물관 지점 한 곳에 입장하기 위한 최소 비용은 얼마인가?

(A) 100 루블

(B) 300 루블

(C) 500 루블

(D) 700 루블

풀이 박물관 한 지점에만 입장할 수 있는 입장권이 300루블이라고 나와 있고, 이 가격이 안내문에 제시된 입장권 중 값이 가장 싼 입장권이므로 (B)가 정답이다.

[7-10]

The State Hermitage (or Hermitage) is a museum in Saint Petersburg, Russia. It is one of the world's most famous museums. There are three key reasons it is famous. First, the Hermitage is very big. In fact, it is the second largest art museum in the world. Only the Louvre in Paris is bigger. Secondly, the Hermitage has a great collection of art. It has over three million artworks. It also has important older artworks. When it was built in 1764, the museum held the art collection of the Russian empress Catherine the Great. Catherine enjoyed art and had a lot of money to buy paintings and sculptures. Her art collection even included some paintings by Rembrandt, the famous Dutch painter. Those paintings are still in the museum today. Finally, the Hermitage is famous because its buildings are very beautiful. The museum buildings used to be palaces. The buildings are very fancy, and many rooms are decorated in gold. For these three reasons, visitors from all over go to Saint Petersburg to see the Hermitage.

해석

State Hermitage(또는 Hermitage)는 러시아 상트페테르부르크에 있는 박물관이다. 그것은 세계에서 가장 유명한 박물관 중 하나이다. 그것이 유명한 주된 이유는 세 가지이다. 첫 번째, Hermitage 박물관은 매우 크다. 실제로, 그것은 세계에서 두 번째로 큰 미술 박물관이다. 오직 파리의 Louvre 박물관만이 더 크다. 두 번째로, Hermitage는 굉장한 예술 수집품을 소장하고 있다. 그곳은 삼백만 점이 넘는 예술품들을 소장하고 있다. 그곳은 또한 중요한 더 오래된 예술품들을 가지고 있다. 1764년에 지어졌을 때, 이 박물관은 러시아의 황후인 Catherine 대제의 예술 수집품들을 보유하고 있었다. Catherine은 예술을 즐겼고 그림들과 조각상들을 살 돈도 많았다. 그녀의 예술 수집품은 심지어 유명한 네덜란드 화가인 Rembrandt의 일부 그림들도 포함하였다. 그 그림들은 오늘날에도 여전히 박물관에 있다. 마지막으로, Hermitage는 그 건물이 매우 아름답기 때문에 유명하다. 박물관 건물들은 한때 궁전이기도 했다. 건물들은 매우 화려하고, 많은 방이 금으로 장식되어 있다. 이 세 가지 이유 때문에, 전 세계 방문객들이 Hermitage를 보기 위해 상트페테르부르크로 간다.

7. What is the main idea of the passage?

(A) The Hermitage is in Saint Petersburg.

(B) **The Hermitage is famous for three reasons.**

(C) The Hermitage has many international visitors.

(D) The Hermitage has the world's best art collection.

해석 지문의 요지는 무엇인가?

(A) Hermitage는 상트페테르부르크에 있다.

(B) **Hermitage는 세 가지 이유로 유명하다.**

(C) Hermitage에는 국제 방문객들이 많다.

(D) Hermitage는 세계 최고의 예술 수집품을 소장하고 있다.

유형 전체 내용 파악

풀이 첫 문장에서부터 Hermitage 박물관이라는 중심 소재를 소개하고 있다. 세 번째 문장 'There are three key reasons it is famous.' 에 이어 Hermitage 박물관이 유명한 주된 이유를 크기, 소장 예술품, 외관의 아름다움이라는 세 가지를 들어서 설명하고 있으므로 (B)가 정답이다. 나머지 선택지는 글의 전체 내용이 아니라 일부만을 반영하는 문장이므로 오답이다.

8. According to the passage, what is NOT true about the Hermitage?

(A) It was built in 1764.

(B) It holds important old artworks.

(C) **It is bigger than the Louvre in Paris.**

(D) It has over three million works of art.

해석 지문에 따르면, Hermitage에 관해 옳지 않은 설명은 무엇인가?

(A) 1764년에 지어졌다.

(B) 중요하고 오래된 예술품들을 보유하고 있다.

(C) **파리의 Louvre보다 더 크다.**

(D) 삼백만 점이 넘는 예술품들을 소장하고 있다.

유형 세부 내용 파악

풀이 'In fact, it is the second largest art museum in the world. Only the Louvre in Paris is bigger.'에서 Louvre 박물관이 Hermitage 박물관보다 더 크다는 사실을 알 수 있으므로 (C)가 정답이다. (A)는 'When it was built in 1764, [...]'에서, (B)와 (D)는 'Secondly, the Hermitage has a great collection of art. It has over three million artworks. It also has important older artworks.'에서 확인할 수 있는 내용이므로 오답이다.

9. Which artist is mentioned in the passage?

(A) Picasso

(B) Matisse

(C) Vermeer

(D) **Rembrandt**

해석 지문에서 언급된 화가는 누구인가?

(A) Picasso

(B) Matisse

(C) Vermeer

(D) **Rembrandt**

유형 세부 내용 파악

풀이 'Her art collection even included some paintings by Rembrandt, the famous Dutch painter.'에서 Catherine 황후의 예술 수집품을 설명할 때 화가 Rembrandt가 언급되었으므로 (D)가 정답이다.

10. According to the passage, what is true about the Hermitage buildings?

(A) They burned down twice.

(B) **They used to be palaces.**

(C) They have sixty bathrooms.

(D) They are made from gold bricks.

해석 지문에 따르면, Hermitage 건물에 관해 옳은 설명은 무엇인가?

(A) 화재로 두 번 소실되었다.

(B) **한때 궁전이었다.**

(C) 화장실이 육십 개이다.

(D) 금 벽돌로 만들어졌다.

유형 세부 내용 파악

풀이 'The museum buildings used to be palaces.'에서 Hermitage 박물관이 한때 궁전이었다는 사실을 알 수 있으므로 (B)가 정답이다.

The State Hermitage (or Hermitage) is a museum in Saint Petersburg, Russia. It is one of the world's most famous museums. There are three key reasons it is famous. First, the Hermitage is very big. In fact, it is the second largest art museum in the world. Only the Louvre in Paris is bigger. Secondly, the Hermitage has a great <u>collection</u> of art. It has over three million artworks. It also has important older artworks. When it was built in 1764, the museum held the art collection of the Russian empress Catherine the Great. Catherine enjoyed art and had a lot of money to buy paintings and <u>sculptures</u>. Her art collection even included some paintings by Rembrandt, the famous Dutch painter. Those paintings are still in the museum today. Finally, the Hermitage is famous because its buildings are very beautiful. The museum buildings <u>used</u> to be <u>palaces</u>. The buildings are very <u>fancy</u>, and many rooms are <u>decorated</u> in gold. For these three reasons, visitors from all over go to Saint Petersburg to see the Hermitage.

1. collection
2. sculptures
3. used
4. palaces
5. fancy
6. decorated

✏️ **Writing Practice**   p.59

1. collection of
2. sculpture
3. used to be
4. fancy
5. decorated
6. palace

📄 Summary

The State Hermitage is one of the world's most famous <u>museums</u>. It is famous for its size, its great collection, and its beautiful <u>buildings</u>. It holds over three <u>million</u> artworks. Visitors from all over the <u>world</u> go to the Hermitage.

State Hermitage는 가장 유명한 <u>박물관</u> 중 하나이다. 그곳은 크기, 굉장한 수집품, 그리고 아름다운 <u>건물들</u>로 유명하다. 그곳은 삼백만 점이 넘는 작품을 소장하고 있다. <u>세계</u> 각국에서 온 관광객들은 Hermitage에 간다.

🔲 **Word Puzzle**   p.60

Across
2. fancy
6. used to be

Down
1. palace
3. sculpture
4. collection of
5. decorated

Unit 7 | Persian Miniatures   p.61

Part A. Sentence Completion   p.63
1 (C)   2 (C)

Part B. Situational Writing   p.63
3 (B)   4 (C)

Part C. Practical Reading and Retelling   p.64
5 (A)   6 (D)

Part D. General Reading and Retelling   p.65
7 (C)   8 (B)   9 (C)   10 (B)

Listening Practice   p.66
1 fine   2 wealthy
3 afford   4 feature
5 perspective   6 tiny

Writing Practice   p.67
1 wealthy   2 fine
3 afford to do   4 feature
5 perspective   6 tiny
Summary paintings, Middle, time, because of

Word Puzzle   p.68
Across
2 wealthy   5 feature
6 fine
Down
1 perspective   3 tiny
4 afford to do

Pre-reading Questions

p.61

Can you guess where and when this kind of artwork was created?

이런 종류의 예술품이 어디서 언제 만들어졌는지 알아맞힐 수 있나요?

 Reading Passage

p.62

Persian Miniatures

Persian miniatures are very detailed, small paintings made in the part of the Middle East that is now Iran. Although modern artists are still painting Persian miniatures today, this form of art was most popular between the 13th to the 16th centuries. Persian miniatures often appeared in beautifully created religious or traditional books. Making them required careful hands and a fine paint brush. Because each miniature could take more than a year to complete, only very wealthy people could afford to get one. Even viewing a miniature takes time. Persian miniatures feature extremely complex scenes. They have a kind of layered effect that is similar to a 3D perspective. Therefore, viewers need time to appreciate everything in the painting, from the stunning, bright colors to the parts of the painting made of real gold and silver. Observers should also note the interesting geometric patterns in each Persian miniature. It is a mystery how an artist could get so much detail into works of art as tiny as a Persian miniature.

페르시아 세밀화

페르시아 세밀화는 현재 이란이 있는 중동 지역에서 만들어진 매우 세부적이고 작은 그림들이다. 비록 현대 화가들이 오늘날에도 페르시아 세밀화를 그리고 있지만, 이러한 예술 양식은 13세기와 16세기 사이에 가장 인기가 있었다. 페르시아 세밀화는 아름답게 만들어진 종교적이거나 전통적인 책에 자주 등장했다. 그것들을 만드는 데에는 세심한 손과 세밀한 물감 붓이 필요하다. 각 세밀화는 완성되려면 일 년이 넘게 걸릴 수도 있기 때문에, 오직 아주 부유한 사람들만이 그것을 얻을 여유가 됐다. 심지어 세밀화를 감상하는 것조차 시간이 걸린다. 페르시아 세밀화는 극도로 복잡한 장면들을 특징으로 한다. 그것들은 3차원 원근법과 비슷한 일종의 층 효과를 가지고 있다. 따라서, 감상자들은 눈부시게 밝은 색채부터 실제 금과 은으로 만든 그림 부분까지, 그림의 모든 것을 감상하려면 시간이 필요하다. 관찰자들은 또한 각 페르시아 세밀화 속의 흥미로운 기하학적 무늬에도 주목해야 한다. 어떻게 화가가 페르시아 세밀화처럼 아주 작은 예술 작품에 그렇게 많은 세부 양식을 담을 수 있었는지는 불가사의다.

어휘 Persian 페르시아의 | miniature 세밀화; 미니어처, 축소 모형; 아주 작은 | artwork 예술품 | detailed 세부적인, 자세한 | Middle East 중동 | modern 현대의 | form 양식 | religious 종교적인 | traditional 전통적인 | require 필요로 하다 | careful 세심한 | fine 세밀한 | complete 완성하다 | wealthy 부유한 | afford to V V할 여유[형편]가 되다 | view 보다 | feature ~을 특징으로 하다 | extremely 극도로 | complex 복잡한 | scene 장면 | layered 층이 있는 | effect 효과 | perspective 원근법 | appreciate 감상하다 | stunning 눈부신 | observer 관찰자 | note ~에 주목하다 | geometric 기하학적인 | pattern 무늬 | mystery 불가사의 | detail 세부 양식, 디테일 | tiny 작은 | thick 두꺼운 | fan-shaped 부채꼴의 | sporty 스포츠를 좋아하는 | disappointed 실망한 | ancient 고대의 | garden 정원 | ban 금지하다 | prepare 준비하다 | brand 상표 | required 필요로 하는, 요구되는 | material 재료 | take place 진행되다, 열리다 | participant 참가자 | particular 특정한

 Comprehension Questions

p.63

1. A: Look at these tiny artworks!
    B: Aren't they beautiful? <u>Each</u> one has a special theme.

    (A) All
    (B) Both
    (C) Each
    (D) Many

해석 A: 이 아주 작은 예술 작품들을 봐!
    B: 정말 아름답지 않니? <u>각각</u> 특별한 주제를 갖고 있어.

    (A) 모든
    (B) 둘 다
    (C) 각각
    (D) 많은

풀이 빈칸에는 단수 부정대명사 'one'을 꾸밀 수 있는 수식어가 들어가야 한다. '각자, 각각'을 뜻하는 한정사 'each'만이 셀 수 있는 단수 (대)명사를 수식할 수 있으므로 (C)가 정답이다. 나머지 선택지는 복수 명사를 수식하는 한정사이므로 오답이다.

관련 문장 Because each miniature could take more than a year to complete, only very wealthy people could afford to get one.

2. A: How did they make such tiny artworks?
   B: They <u>must have</u> used extremely small brushes, I guess.

   (A) must be
   (B) should be
   (C) must have
   (D) should have

해석   A: 그 사람들은 어떻게 그렇게 아주 작은 예술품들을 만들었어?
   B: 내 추측으로는, 극도로 작은 붓을 사용<u>했음이 틀림없</u>어.

   (A) 조동사 must + be 동사
   (B) 조동사 should + be 동사
   (C) 조동사 must + 조동사 have
   (D) 조동사 should + 조동사 have

풀이   문맥상 극도로 작은 붓을 사용한 것이 틀림없다는 내용이 들어가야 자연스럽다. '~했음이 틀림없다'를 나타낼 때 'must have p.p' 표현을 사용할 수 있고, 해당 문장에서 'used'는 목적어가 있는 타동사이므로 'must have used'가 되어야 적절하다. 따라서 (C)가 정답이다. (A)는 'must be used'가 문맥상 시제도 어색하고, 수동형이어서 뒤에 나오는 목적어 'extremely small brushes'를 목적어로 취할 수 없으므로 오답이다.

관련 문장   Making them required careful hands and a fine paint brush.

3. For these details, you need a really <u>fine</u> brush. Use the purple one.

   (A) tall
   (B) fine
   (C) thick
   (D) fan-shaped

해석   이 세부 양식들을 위해서는, 정말 <u>세밀한</u> 붓이 필요해. 보라색 붓을 사용하렴.

   (A) 키가 큰
   (B) 세밀한
   (C) 두꺼운
   (D) 부채꼴의

풀이   가장 오른쪽에 있는 보라색 붓은 다른 붓에 비해 매우 가느므로 (B)가 정답이다.

관련 문장   Making them required careful hands and a fine paint brush.

4. He sold his art, and now he is quite <u>wealthy</u>.

   (A) upset
   (B) sporty
   (C) wealthy
   (D) disappointed

해석   그는 자기 예술 작품을 팔았고, 이제 꽤 <u>부유하</u>다.

   (A) 속상한
   (B) 스포츠를 좋아하는
   (C) 부유한
   (D) 실망한

풀이   돈더미 위에 앉아 있는 부유한 남자의 모습이므로 (C)가 정답이다.

관련 문장   Because each miniature could take more than a year to complete, only very wealthy people could afford to get one.

[5-6]

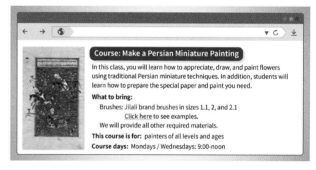

해석

강좌: 페르시아 세밀화 제작하기

이 수업에서, 전통 페르시아 세밀화 기술을 이용하여 어떻게 꽃들을 감상하고, 그리고, 칠하는지 배우게 됩니다. 더불어, 학생들은 필요한 특수 종이와 물감을 어떻게 준비해야 하는지 배우게 됩니다.

가져와야 하는 것:

붓: Jilali 상표 붓 1.1, 2와 2.1호
예시를 보려면 <u>여기 클릭</u>

다른 필요 재료들은 모두 제공합니다.

해당 강좌 대상: 모든 수준과 연령의 화가들

강좌 요일: 월요일 / 수요일: 9시부터 정오까지

5. According to the ad, what will students learn?

   (A) **how to draw flowers**
   (B) how to buy paintings
   (C) how to paint animals
   (D) how to appreciate vases

해석 광고에 따르면, 학생들은 무엇을 배우게 되는가?

   (A) 꽃을 그리는 방법
   (B) 그림을 사는 방법
   (C) 동물을 칠하는 방법
   (D) 꽃병을 감상하는 방법

풀이 'In this class, you will learn how to appreciate, draw, and paint flowers using traditional Persian miniature techniques.'에서 수강생들이 꽃을 감상하고, 그리고, 칠하는 법을 배운다고 했으므로 이에 해당하는 (A)가 정답이다.

6. What is true about the class?

   (A) The course is just for preschoolers.
   (B) It takes place on Monday afternoons.
   (C) Participants should have their own paint.
   (D) **Students should bring particular brushes.**

해석 수업에 관해 옳은 설명은 무엇인가?

   (A) 강좌는 단지 미취학 아동을 위한 것이다.
   (B) 월요일 오후에 열린다.
   (C) 참가자들은 본인 물감을 가지고 있어야 한다.
   (D) 학생들은 특정한 붓들을 가져와야 한다.

풀이 'Brushes: Jilali brand brushes in sizes 1.1, 2, and 2.1'에서 특정한 붓의 상표와 크기를 가져오라 언급하고 있으므로 (D)가 정답이다. (A)는 모든 연령을 대상으로 한다고 하였으므로 오답이다. (B)는 오후가 아니라 9시부터 정오까지 열리므로 오답이다. (C)는 붓 이외에 나머지 준비물을 제공한다고 하였으므로 오답이다.

[7-10]

Persian miniatures are very detailed, small paintings made in the part of the Middle East that is now Iran. Although modern artists are still painting Persian miniatures today, this form of art was most popular between the 13th to the 16th centuries. Persian miniatures often appeared in beautifully created religious or traditional books. Making them required careful hands and a fine paint brush. Because each miniature could take more than a year to complete, only very wealthy people could afford to get one. Even viewing a miniature takes time. Persian miniatures feature extremely complex scenes. They have a kind of layered effect that is similar to a 3D perspective. Therefore, viewers need time to appreciate everything in the painting, from the stunning, bright colors to the parts of the painting made of real gold and silver. Observers should also note the interesting geometric patterns in each Persian miniature. It is a mystery how an artist could get so much detail into works of art as tiny as a Persian miniature.

해석

페르시아 세밀화는 현재 이란이 있는 중동 지역에서 만들어진 매우 세부적이고 작은 그림들이다. 비록 현대 화가들이 오늘날에도 페르시아 세밀화를 그리고 있지만, 이러한 예술 양식은 13세기와 16세기 사이에 가장 인기가 있었다. 페르시아 세밀화는 아름답게 만들어진 종교적이거나 전통적인 책들에 자주 등장했다. 그것들을 만드는 데에는 세심한 손과 세밀한 물감 붓이 필요하다. 각 세밀화는 완성되려면 일 년이 넘게 걸릴 수도 있기 때문에, 오직 아주 부유한 사람들만이 그것을 얻을 여유가 됐다. 심지어 세밀화를 감상하는 것조차 시간이 걸린다. 페르시아 세밀화는 극도로 복잡한 장면들을 특징으로 한다. 그것들은 3차원 원근법과 비슷한 일종의 층 효과를 가지고 있다. 따라서, 감상자들은 눈부시게 밝은 색채부터 실제 금과 은으로 만든 그림 부분까지, 그림의 모든 것을 감상하려면 시간이 필요하다. 관찰자들은 또한 각 페르시아 세밀화 속의 흥미로운 기하학적 무늬에도 주목해야 한다. 어떻게 화가가 페르시아 세밀화처럼 아주 작은 예술 작품에 그렇게 많은 세부 양식을 담을 수 있었는지는 불가사의다.

7. Which is the best title for the passage?

(A) Persia: Its Ancient Gardens
(B) Persian Miniatures: Small Horses
(C) **Persian Miniatures: Tiny Paintings**
(D) Persia: The History of the Middle East

해석 지문에 가장 알맞은 제목은 무엇인가?

(A) 페르시아: 그곳의 고대 정원들
(B) 페르시아 미니어처: 작은 말들
(C) 페르시아 세밀화: 아주 작은 그림들
(D) 페르시아: 중동의 역사

유형 전체 내용 파악

풀이 첫 문장에서부터 매우 세밀하고 작은 그림인 페르시아 세밀화를 언급하며 중심 소재를 드러내고 있다. 그 후에 세밀화가 성행했던 시기, 세밀화를 제작하는 데 필요한 것, 세밀화의 특징, 세밀화 감상 등에 관해 자세히 설명하며 페르시아 세밀화라는 중심 소재를 중점적으로 다루고 있으므로 (C)가 정답이다.

8. According to the passage, in which century were Persian miniatures likely most popular?

(A) 12th
(B) **14th**
(C) 17th
(D) 20th

해석 지문에 따르면, 어느 세기에 페르시아 세밀화가 가장 인기 있었겠는가?

(A) 12세기
(B) 14세기
(C) 17세기
(D) 20세기

유형 세부 내용 파악

풀이 'Although modern artists are still painting Persian miniatures today, this form of art was most popular between the 13th to the 16th centuries.'에서 세밀화가 가장 인기 있었던 시기는 13세기에서 16세기 사이라는 것을 알 수 있으므로 이에 해당하는 (B)가 정답이다.

9. According to the passage, what is true about Persian miniatures in the past?

(A) They each took a month to complete.
(B) They were banned in religious books.
(C) **Only really rich people could get them.**
(D) They were painted in black, white, and gray.

해석 지문에 따르면, 과거 페르시아 세밀화에 관해 옳은 설명은 무엇인가?

(A) 각각 완성되는 데 한 달이 걸렸다.
(B) 종교적인 책에서 금지되었다.
(C) 오직 정말 부자인 사람들만이 얻을 수 있었다.
(D) 검은색, 흰색, 그리고 회색으로 칠해졌다.

유형 세부 내용 파악

풀이 'Because each miniature could take more than a year to complete, only very wealthy people could afford to get one.'에서 과거에 오직 정말 부유한 사람들만이 세밀화를 구할 수 있었다고 했으므로 (C)가 정답이다. (A)는 완성하는 데 1년이 넘게 걸렸다고 했으므로 오답이다. (B)는 'Persian miniatures often appeared in beautifully created religious or traditional books.'에서 세밀화가 종교적인 책에 자주 수록되었다는 사실을 알 수 있으므로 오답이다.

10. According to the passage, what is most likely needed now to appreciate a Persian miniature?

(A) silver coins
(B) **enough time**
(C) bright clothing
(D) math knowledge

해석 지문에 따르면, 오늘날 페르시아 세밀화를 감상하기 위해 가장 필요한 것은 무엇이겠는가?

(A) 은 동전
(B) 충분한 시간
(C) 밝은 옷
(D) 수학 지식

유형 세부 내용 파악

풀이 'Even viewing a miniature takes time. Persian miniatures feature extremely complex scenes. [...] Observers should also note the interesting geometric patterns in each Persian miniature.'에서 세밀화는 복잡하기 때문에 감상하는 데 시간이 걸린다는 것을 알 수 있다. 따라서 세밀화를 감상하기 위해 가장 필요한 것은 충분한 시간이라고 할 수 있으므로 (B)가 정답이다.

Listening Practice ● J2-7 p.66

Persian miniatures are very detailed, small paintings made in the part of the Middle East that is now Iran. Although modern artists are still painting Persian miniatures today, this form of art was most popular between the 13th to the 16th centuries. Persian miniatures often appeared in beautifully created religious or traditional books. Making them required careful hands and a <u>fine</u> paint brush. Because each miniature could take more than a year to complete, only very <u>wealthy</u> people could <u>afford</u> to get one. Even viewing a miniature takes time. Persian miniatures <u>feature</u> extremely complex scenes. They have a kind of layered effect that is similar to a 3D <u>perspective</u>. Therefore, viewers need time to appreciate everything in the painting, from the stunning, bright colors to the parts of the painting made of real gold and silver. Observers should also note the interesting geometric patterns in each Persian miniature. It is a mystery how an artist could get so much detail into works of art as <u>tiny</u> as a Persian miniature.

1. fine
2. wealthy
3. afford
4. feature
5. perspective
6. tiny

✎ **Writing Practice** p.67

1. wealthy
2. fine
3. afford to do
4. feature
5. perspective
6. tiny

📄 Summary

Persian miniatures are very detailed, small <u>paintings</u> made in the <u>Middle</u> East. Each miniature takes a lot of <u>time</u> to make and view <u>because of</u> its extremely complex scenes.

페르시아 세밀화는 중동에서 만들어진 매우 세밀하고 작은 <u>그림</u>이다. 각 세밀화는 극도로 복잡한 장면들 <u>때문에</u> 만들고 감상하는 데 <u>시간</u>이 오래 걸린다.

🔲 **Word Puzzle** p.68

Across	Down
2. wealthy	1. perspective
5. feature	3. tiny
6. fine	4. afford to do

Pre-reading Questions p.69

Think about art in your culture.
Which animals are common symbols in art?

당신의 문화 속의 예술을 생각해 보세요.
어떤 동물이 예술에서 흔한 상징인가요?

 Reading Passage p.70

Animals Symbols

Koreans have long used important mammals, birds, and reptiles as symbols in art. Probably one of the most common animal symbols in Korea is the tiger. It appears on clothing and as mascots at sporting events. To Koreans, tigers represent courage and strength. Another animal symbol, the white crane, stands for long life. Cranes often appear with pine trees in architecture, on holiday cards, and on jewelry boxes. Long life is also represented by the turtle. Some Koreans believed that turtles could tell the future. Turtle images now form the base of many famous monuments. Finally, ducks in art show a happy marriage bond. Duck couples in nature stay together their whole lives, so many Korean couples receive wooden ducks when they get married. With these animal symbols, Korean society has represented important ideas about life through art.

동물 상징

한국인들은 오랫동안 중요한 포유류, 새, 파충류를 예술 속에서 상징으로 사용해 왔다. 아마도 한국에서 가장 흔한 동물 상징 중 하나는 호랑이일 것이다. 그것은 스포츠 행사에서 옷과 마스코트로 나타난다. 한국인들에게, 호랑이는 용기와 힘을 나타낸다. 또 다른 동물 상징인, 흰 두루미는, 장수를 상징한다. 두루미들은 건축물에서, 공휴일 엽서 카드에서, 그리고 보석함에서 소나무와 함께 자주 나타난다. 장수는 또한 거북으로 상징된다. 몇몇 한국인들은 거북이가 미래를 볼 수 있다고 믿었다. 거북이 이미지는 현재 많은 유명 기념물의 밑바탕을 형성하고 있다. 마지막으로, 예술 속 오리들은 행복한 결혼 관계를 보여준다. 자연에서 오리 부부는 평생 함께 지내기 때문에, 많은 한국인 부부는 결혼할 때 나무오리를 받는다. 이러한 동물 상징을 통해, 한국 사회는 삶에 관한 중요한 생각들을 예술로써 상징해 왔다.

어휘 symbol 상징 | common 흔한, 보통의, 통속적인 | mammal 포유류 | reptile 파충류 | appear 나타나다 | clothing 옷 | mascot 마스코트 | represent 나타내다, 상징하다 | courage 용기 | crane 두루미, 학 | stand for 상징하다 | pine tree 소나무 | architecture 건축물 | holiday 공휴일 | tell 알다, 판단하다 | form 형성하다 | base 기본 | monument 기념물 | bond 유대; 결합 | receive 받다 | wooden 나무로 된 | peacock 공작새 | insect 곤충 | folk tale 설화 | develop 발전하다 | comedy 희극, 코미디 | alley 골목 | symbolize 상징하다 | loyalty 충성 | serve 섬기다 | sculpture 조각 | pride 자부심 | fluently 유창하게 | medicine 의술 | wealth 부유함 | parrot 앵무새 | express 표현하다

 Comprehension Questions p.71

1. A: What is a popular animal symbol in Africa?
   B: One of the most popular symbols <u>is</u> the zebra.

   (A) is
   (B) do
   (C) are
   (D) does

   해석 A: 아프리카에서 인기 있는 동물 상징은 뭐니?
   B: 가장 인기 있는 상징들 중 하나는 얼룩말<u>이야</u>.

   (A) ~이다
   (B) ~하다
   (C) ~이다
   (D) ~하다

   풀이 'the zebra'를 보어로 취할 수 있어야 하므로 be 동사가 적절하다. 또한 주어가 'One [of the most popular symbols]'로 단수이기 때문에 이와 어울리는 (A)가 정답이다.

   새겨 두기 주어를 나타내는 명사구 'One of the most popular symbols'에서 'One'이 주어, 'of the most popular symbols'가 수식어구라는 점에 주목한다.

   관련 문장 Probably one of the most common animal symbols in Korea is the tiger.

2. A: Ducks represent a happy marriage in Korea.
   B: So that's <u>why</u> wooden ducks are a wedding gift there!

   (A) it
   (B) why
   (C) when
   (D) because

   해석 A: 한국에서 오리는 행복한 혼인을 상징해.
   B: 그래서 그게 나무오리가 거기서 결혼 선물인 <u>이유</u>구나!

   (A) 그것
   (B) 왜
   (C) 언제
   (D) 왜냐하면

   풀이 문맥상 'Ducks represent a happy marriage in Korea.'가 이유, 'wooden ducks are a wedding gift there'이 결과가 되어야 자연스럽다. 'That's why S + V'(그래서 ~이다)라는 구조를 통해서 결과를 나타낼 수 있으므로 (B)가 정답이다. (D)는 'That's because S + V'(그것은 ~이기 때문이다)는 이유나 근거를 나타낼 때 사용하므로 오답이다.

   새겨 두기 '이유' + 'That's why 결과'
   '결과' + 'That's because 이유'

   관련 문장 Duck couples in nature stay together their whole lives, so many Korean couples receive wooden ducks when they get married.

3. This card shows three white <u>cranes</u>.

    (A) clouds
    (B) planes
    (C) **cranes**
    (D) peacocks

해석 이 카드는 흰 <u>두루미</u> 세 마리를 보여준다.

    (A) 구름
    (B) 비행기
    (C) 두루미
    (D) 공작새

풀이 두루미가 세 마리 있으므로 (C)가 정답이다.

관련 문장 Cranes often appear with pine trees in architecture, on holiday cards, and on jewelry boxes.

4. Jen likes learning about <u>reptiles</u>.

    (A) birds
    (B) insects
    (C) **reptiles**
    (D) mammals

해석 Jen은 <u>파충류</u>에 관해 배우는 것을 좋아한다.

    (A) 조류
    (B) 곤충
    (C) 파충류
    (D) 포유류

풀이 거북이, 뱀, 도마뱀 등 파충류에 속하는 동물들의 모습이므로 (C)가 정답이다.

관련 문장 Koreans have long used important mammals, birds, and reptiles as symbols in art.

[5-6]

Animal Symbols in Renaissance Art

Animals	Symbolized:
Dogs	loyalty / serving a master / being rich
Monkeys	humans / art skills: painting and sculpture
Peacocks	pride / living forever
Parrots	speaking fluently / being rich
Snakes	medicine / lying
Lions	power (especially as a king)

해석

르네상스 예술 속 동물 상징	
동물	상징되는 것:
개	충성 / 주인을 섬기는 것 / 부유해지는 것
원숭이	인간 / 예술 기술: (물감) 그림, 조각
공작새	자부심 / 영원히 사는 것
앵무새	유창하게 말하는 것 / 부유해지는 것
뱀	의술 / 거짓말
사자	힘 [특히 왕으로서]

5. What did peacocks represent?

    (A) wealth
    (B) beauty
    (C) **never dying**
    (D) always dancing

해석 공작새는 무엇을 나타냈는가?

    (A) 부유함
    (B) 아름다움
    (C) 절대 죽지 않는 것
    (D) 항상 춤추는 것

풀이 공작새는 'pride(자부심) / living forever(영원히 사는 것)'를 상징한다고 나와 있으므로 (C)가 정답이다.

6. Which animal symbol is related to helping humans?

    (A) lions
    (B) **dogs**
    (C) parrots
    (D) monkeys

해석 다음 중 인간을 돕는 것과 관련 있는 동물 상징은 무엇인가?

    (A) 사자
    (B) 개
    (C) 앵무새
    (D) 원숭이

풀이 개가 'serving a master'를 상징한다고 나와 있다. 주인을 섬기는 것은 인간을 돕는 것의 일종이므로 (B)가 정답이다.

Koreans have long used important mammals, birds, and reptiles as symbols in art. Probably one of the most common animal symbols in Korea is the tiger. It appears on clothing and as mascots at sporting events. To Koreans, tigers represent courage and strength. Another animal symbol, the white crane, stands for long life. Cranes often appear with pine trees in architecture, on holiday cards, and on jewelry boxes. Long life is also represented by the turtle. Some Koreans believed that turtles could tell the future. Turtle images now form the base of many famous monuments. Finally, ducks in art show a happy marriage bond. Duck couples in nature stay together their whole lives, so many Korean couples receive wooden ducks when they get married. With these animal symbols, Korean society has represented important ideas about life through art.

해석

한국인들은 오랫동안 중요한 포유류, 새, 파충류를 예술 속에서 상징으로 사용해 왔다. 아마도 한국에서 가장 흔한 동물 상징 중 하나는 호랑이일 것이다. 그것은 스포츠 행사에서 옷과 마스코트로 나타난다. 한국인들에게, 호랑이는 용기와 힘을 나타낸다. 또 다른 동물 상징인, 흰 두루미는, 장수를 상징한다. 두루미들은 건축물에서, 공휴일 엽서 카드에서, 그리고 보석함에서 소나무와 함께 자주 나타난다. 장수는 또한 거북이로 상징된다. 몇몇 한국인들은 거북이가 미래를 볼 수 있다고 믿었다. 거북이 이미지는 현재 많은 유명 기념물의 밑바탕을 형성하고 있다. 마지막으로, 예술 속 오리들은 행복한 결혼 관계를 보여준다. 자연에서 오리 부부는 평생 함께 지내기 때문에, 많은 한국인 부부는 결혼할 때 나무오리를 받는다. 이러한 동물 상징을 통해, 한국 사회는 삶에 관한 중요한 생각들을 예술로써 상징해 왔다.

7. What is the main idea of the passage?
   (A) Korea has many folk tales about animals.
   (B) Korean cooking has developed over time.
   (C) Korea has fewer animals now than in the past.
   (D) Korean culture uses animals to teach life lessons.

해석 지문의 요지는 무엇인가?
   (A) 한국에는 동물 설화가 많다.
   (B) 한국 요리는 시간이 지나면서 발전했다.
   (C) 한국에는 과거에 비해 동물들이 적다.
   (D) 한국 문화는 삶의 교훈을 가르치기 위해 동물을 이용한다.

유형 전체 내용 파악

풀이 호랑이, 학, 거북이, 오리를 예로 들어 한국의 예술 속 동물 상징에 대해 중점적으로 설명하고 있는 글이다. 마지막 문장 'With these animal symbols, Korean society has represented important ideas about life through art.'에서 한국 사회에서 이러한 동물 상징을 통해 삶에 관한 중요한 생각을 나타냈다고 하며 핵심 내용을 드러내고 있다. 따라서 (D)가 정답이다.

8. On which blog would this passage most likely be found?
   (A) Art of Korea
   (B) Asian Comedy
   (C) Alleys in Seoul
   (D) Animals in Danger

해석 다음 중 어떤 블로그에서 해당 지문이 발견될 가능성이 높은가?
   (A) 한국의 예술
   (B) 아시아 희극
   (C) 서울의 골목
   (D) 위험에 처한 동물들

유형 추론하기

풀이 한국의 예술 속 동물 상징을 중점적으로 다루고 있는 글이므로 한국의 예술에 관한 블로그에서 본문을 볼 가능성이 가장 높다. 따라서 (A)가 정답이다.

9. Which animal is mentioned in the passage?
   (A) the frog
   (B) the deer
   (C) the turtle
   (D) the rabbit

해석 다음 중 지문에서 언급된 동물은 무엇인가?
   (A) 개구리
   (B) 사슴
   (C) 거북이
   (D) 토끼

유형 세부 내용 파악

풀이 'Long life is also represented by the turtle. Some Koreans believed that turtles could tell the future. Turtle images now form the base of many famous monuments.'에서 거북이가 언급되었으므로 (C)가 정답이다.

10. What does the passage mention about cranes?

(A) They are often painted with clouds.

(B) They sometimes appear on clothing.

(C) They are often shown on jewelry boxes.

(D) They sometimes symbolize lonely people.

해석 지문에서 두루미에 관해 언급한 내용은 무엇인가?

(A) 종종 구름과 함께 그려진다.

(B) 때때로 옷에 나타난다.

(C) 종종 보석함에 나타난다.

(D) 때때로 외로운 사람들을 상징한다.

유형 세부 내용 파악

풀이 'Cranes often appear with pine trees in architecture, on holiday cards, and on jewelry boxes.'에서 건축물, 공휴일 엽서 카드, 보석함에서 두루미가 종종 보인다고 했으므로 (C)가 정답이다. (A)는 구름이 아니라 소나무와 함께('with pine trees') 볼 수 있다고 했으므로 오답이다. (B)는 호랑이에 관해 언급된 내용이므로 오답이다.

 Listening Practice   ▶ J2-8   p.74

Koreans have long used important <u>mammals</u>, birds, and <u>reptiles</u> as symbols in art. Probably one of the most common animal symbols in Korea is the tiger. It appears on clothing and as <u>mascots</u> at sporting events. To Koreans, tigers represent courage and strength. Another animal symbol, the white crane, <u>stands for</u> long life. <u>Cranes</u> often appear with pine trees in architecture, on holiday cards, and on jewelry boxes. Long life is also represented by the turtle. Some Koreans believed that turtles could tell the future. Turtle images now form the base of many famous <u>monuments</u>. Finally, ducks in art show a happy marriage bond. Duck couples in nature stay together their whole lives, so many Korean couples receive wooden ducks when they get married. With these animal symbols, Korean society has represented important ideas about life through art.

1. mammals

2. reptiles

3. mascots

4. stands for

5. Cranes

6. monuments

 Writing Practice   p.75

1. mammal

2. reptile

3. mascot

4. crane

5. stand for

6. monument

📄 **Summary**

Koreans have long used important animals as <u>symbols</u> in art. These include tigers, <u>cranes</u>, and ducks. With these animal symbols, <u>Korean</u> society has expressed important ideas about <u>life</u> through art.

한국인들은 오랫동안 중요한 동물들을 예술 속 <u>상징</u>으로 사용해 왔다. 여기에는 호랑이, <u>두루미</u>, 그리고 오리가 포함된다. 이러한 동물 상징을 통해, <u>한국</u> 사회는 <u>삶</u>에 관한 중요한 생각들을 예술로써 표현해 왔다.

🧩 **Word Puzzle**   p.76

Across	Down
3. stand for	1. mascot
5. crane	2. monument
6. reptile	4. mammal

The Mysteries of *Salvator Mundi*

In 2017, a painting called *Salvator Mundi,* an artwork from the year 1500, was sold at a famous auction house. The selling price was an incredible $450,000,000. That made it the most expensive artwork ever sold. The reason the painting was worth so much money is because the artist was supposed to be Leonardo da Vinci, the same artist who painted the *Mona Lisa.* However, some art historians believe that da Vinci painted only about one fifth of the painting. The rest of the painting was done by da Vinci's assistant, Bernardino Luini. Of course, other art experts disagree, and it is not really known how much of the painting was done by the master, da Vinci, and how much was done by his student.

Adding to the mystery of *Salvator Mundi* is its present location. The painting was bought by a Saudi prince. However, the prince had not displayed the painting in a museum. It is not certain if the painting is in his home. At one point, the painting may even have been on the prince's boat, but this is also not certain. The only certain thing is that *Salvator Mundi* is both very valuable and incredibly mysterious.

*Salvator Mundi*의 미스터리

2017년, 1500년도 작품인 *Salvator Mundi*라 불리는 그림이 유명 경매장에서 판매되었다. 판매 가격은 엄청난 금액인 450,000,000 달러였다. 그로 인해 그것은 지금까지 팔린 가장 비싼 작품이 되었다. 이 그림이 그렇게 많은 돈의 가치가 있었던 이유는 화가가 *Mona Lisa*를 그린 이와 같은 화가인, Leonardo da Vinci라고 여겨졌기 때문이다. 하지만, 몇몇 미술사학자들은 da Vinci가 이 그림의 약 5분의 1만을 그렸다고 믿는다. 그림의 나머지 부분은 da Vinci 의 조수 Bernardino Luini가 그렸다는 것이다. 물론, 다른 미술 전문가들은 동의하지 않으며, 이 그림의 얼마만큼이 대가 da Vinci에 의해 그려졌고, 얼마만큼이 그의 제자에 의해 그려졌는지는 실제로 알려져 있지는 않다.

*Salvator Mundi*의 미스터리를 가중시키는 것은 그것의 현재 위치이다. 그림은 사우디 왕자에 의해 구입되었다. 하지만, 왕자는 박물관에 그림을 전시하지 않았다. 그림이 그의 집에 있는지도 확실하지 않다. 어떤 시점에는, 그림은 심지어 왕자의 배에 있었을지도 모르지만, 이 또한 확실하지 않다. 유일하게 확실한 것은 *Salvator Mundi*가 매우 귀중한 동시에 믿을 수 없을 정도로 신비롭다는 것이다.

Chapter 3. Music

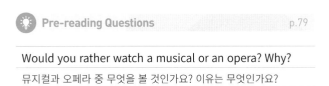

Pre-reading Questions p.79

Would you rather watch a musical or an opera? Why?

뮤지컬과 오페라 중 무엇을 볼 것인가요? 이유는 무엇인가요?

Reading Passage p.80

Musical vs. Opera

Musicals and opera both involve a live performance of a story that includes songs. So what is the difference between the two art forms? Some people claim that musicals are more showy. They include elements like tap dance and comedy. Opera, meanwhile, may seem more serious. However, this distinction is not always true. Some musicals, such as "Les Miserables," are more dramatic than humorous. Other people think that opera involves pure singing, whereas musicals involve both spoken words and singing. But actually in some musicals, the performers also sing the whole time.
It may seem, therefore, that there are no clear lines dividing musicals from opera. However, one expert has pointed out a key difference: the lyrics. He says that in opera, music is the most important part, while in musicals, it is the words that are more important. Opera has lyrics, of course, but the stories are more general. Moreover, the details of the lyrics are not as important. In musicals, clever lyrics give the story its special meaning. The difference may not always be clear, but perhaps there is a small distinction between musicals and operas after all.

뮤지컬 대 오페라

뮤지컬과 오페라는 모두 노래가 있는 이야기의 실제 공연과 관련된다. 그렇다면 두 예술 형식의 차이는 무엇일까? 어떤 사람들은 뮤지컬이 더 화려하다고 주장한다. 그것은 탭댄스나 코미디 같은 요소를 포함한다. 오페라는, 반면에, 좀 더 진지해 보인다. 하지만, 이 구별이 항상 사실인 것은 아니다. "Les Miserables (레미제라블)" 과 같은 몇몇 뮤지컬은, 유머러스하기보다는 극적이다. 다른 이들은 오페라가 순전한 노래만 수반하는 반면, 뮤지컬은 대사와 노래를 모두 포함한다고 생각한다. 하지만 사실 몇몇 뮤지컬에서는, 배우들이 또한 내내 노래를 부른다. 그래서, 뮤지컬을 오페라로부터 구분하는 명확한 경계가 없는 것처럼 보인다. 하지만, 한 전문가가 주요 차이점을 지적했다: 가사이다. 그는 오페라에서는 음악이 가장 중요한 부분이고, 반면 뮤지컬에서는, 더 중요한 것이 바로 가사라고 말했다. 당연히, 오페라에도 가사가 있지만, 그것의 이야기는 좀 더 보편적이다. 더욱이, 가사의 세부적인 것들은 그다지 중요하지 않다. 뮤지컬에서는, 기발한 가사들이 이야기에 특별한 의미를 부여한다. 차이점이 항상 명확하지는 않을지라도, 어쨌든 아마도 뮤지컬과 오페라 사이에 작은 차이점이 있을지도 모른다.

어휘 involve ~와 관련되다; ~을 수반[포함]하다 | include 포함하다 | form 형식 | claim 주장하다 | showy 화려한, 현란한 | element 요소 | distinction 구별 | dramatic 극적인 | humorous 유머러스한 | pure 순전한 | word (노래의) 가사; 말, 낱말; 이야기 | performer 공연하는 사람, 배우 | divide 나누다 | key 주요한 | lyric 가사 | general 보편적인 | detail 세부사항, 디테일 | clever 기발한, 영리한 | prefer 선호하다 | so-so 그저 그런, 평범한 | novel 소설 | sculpture 조각 | costume 의상 | operatic 오페라의, 가극의 | seating 좌석, 자리 | lighting 조명 | director 연출(자), 감독 | training 훈련 | silly 유치한; 어리석은 | open call 공개 모집 | act 연기하다 | traditional 전통적인 | number (특히 공연에서 여러 개 중의 한) 노래[춤], 넘버 | aria 아리아 | backstage 무대 뒤, 백스테이지 | builder 시공자 | classical 클래식의; 고전적인 | film 촬영하다 | construct 시공하다, 건설하다 | set (무대) 세트 | matter 중요하다 | volunteer 자원 봉사자 | meanwhile 그 동안[사이]에 | aspect 측면, 양상

⏱ Comprehension Questions   p.81

1. A: What is the difference <u>between</u> rap music and hip-hop?
   B: Actually, the difference is not always clear.

   (A) in
   (B) of
   (C) from
   (D) between

해석 A: 랩 음악과 힙합 <u>사이의</u> 차이는 뭐니?
     B: 사실, 그 차이가 항상 명료한 것은 아니야.

     (A) ~ 안에
     (B) ~의
     (C) ~부터
     (D) ~사이에

풀이 'A와 B의 사이'를 뜻할 때 'between A and B'라고 표현할 수 있으므로 (D)가 정답이다.

새겨 두기 '차이'를 뜻하는 명사 'difference'는 전치사구 'between A and B'와 자주 쓰인다는 점에 주목한다.

관련 문장 So what is the difference between the two art forms?

2. A: Which do you prefer: opera or musicals?
   B: I think opera is so-so, <u>but</u> I really love musicals.

   (A) or
   (B) so
   (C) but
   (D) then

해석 A: 무엇을 더 선호하니: 오페라 아니면 뮤지컬?
     B: 오페라는 그냥 그렇다고 생각하<u>지만</u>, 뮤지컬은 정말 좋아해.

     (A) 또는
     (B) 그래서
     (C) 하지만
     (D) 그다음에

풀이 오페라가 그럭저럭('I think opera is so-so')이라는 말과 뮤지컬을 매우 좋아한다('I really love musicals')는 말은 상반되는 내용이다. 이처럼 빈칸 앞뒤 두 문장이 서로 대립하므로 '그러나, 하지만'을 뜻하는 접속사 (C)가 정답이다.

관련 문장 Opera has lyrics, of course, but the stories are more general.

3. The kids know all the <u>lyrics</u>.
   (A) lyrics
   (B) novels
   (C) paintings
   (D) sculptures

해석 아이들은 모든 <u>가사</u>를 안다.
     (A) 가사
     (B) 소설
     (C) 그림
     (D) 조각상

풀이 아이들이 노래를 부르고 있으므로 그림과 가장 어울리는 (A)가 정답이다.

관련 문장 Opera has lyrics, of course, but the stories are more general.

4. The <u>clever</u> fox will get the cheese.
   (A) black
   (B) flying
   (C) clever
   (D) sleeping

해석 그 <u>영리한</u> 여우는 치즈를 얻을 것이다.
     (A) 검은색의
     (B) 날고 있는
     (C) 영리한
     (D) 자고 있는

풀이 여우가 치즈를 문 까마귀를 보며 어떤 아이디어를 떠올리고 있으므로 그림과 가장 어울리는 (C)가 정답이다.

관련 문장 In musicals, clever lyrics give the story its special meaning.

[5-6]

해석

공개 모집 오디션:

"중학생: 더 뮤지컬"

노래하고, 춤추고, 연기할 수 있나요?
그렇다면 "중학생: 더 뮤지컬" 오디션에 참여하는 건
어때세요?
이 뮤지컬에는 몇몇 오페라 노래뿐만 아니라 전통
브로드웨이식 노래-춤 넘버를 모두 포함합니다.

(다음을) 할 수 있는 사람이 필요합니다:

1) 오페라 아리아 노래하기   2) 탭 댄스 및 왈츠 추기

3월 16일 토요일: 오전 9시부터 오후 1시까지
Kendrick 중학교 극장

또한 무대 뒤 자원봉사자들도 필요합니다:
의상 디자이너, 무대 세트 디자이너, (무대) 시공자

더 자세한 내용은, kathymusical@internet.com으로 Kathy
에게 이메일을 보내주세요

---

5. What is true about the auditions?

(A) They will be held in a gym.
(B) They take place on a Sunday.
(C) They occur over a four-hour period.
(D) They are for a classical opera performance.

해석 오디션에 관해 옳은 설명은 무엇인가?

(A) 체육관에서 열릴 것이다.
(B) 일요일에 진행한다.
(C) 네 시간 동안 진행될 것이다.
(D) 클래식 오페라 공연을 위한 것이다.

풀이 오전 9시에서 오후 1시까지('9:00 AM to 1:00 PM') 진행한다고
나와 있으므로 (C)가 정답이다. (A)는 극장에서 열린다고
했으므로 오답이다. (B)는 토요일에 진행한다고 했으므로
오답이다. (D)는 브로드웨이식 춤과 노래가 들어간다는 것으로
보아 고전 오페라 공연과는 거리가 멀다는 것을 알 수 있으므로
오답이다.

6. According to the advertisement, who among the
following would most likely be needed?

(A) someone who can film actors
(B) someone who can dance ballet
(C) someone who knows the best camera shots
(D) someone who knows how to construct a set

해석 광고에 따르면, 다음 중 누가 가장 필요한가?

(A) 배우를 촬영할 수 있는 사람
(B) 발레를 출 수 있는 사람
(C) 가장 알맞은 카메라 숏을 아는 사람
(D) 무대 세트 시공하는 법을 아는 사람

풀이 'We also need backstage volunteers: costume designers,
set designers, and builders'에서 세트 디자이너와 (무대)
시공자 등이 필요하다고 했으므로 (D)가 정답이다. (A)와 (C)는
촬영과 카메라에 관한 역할은 언급되지 않았으므로 오답이다.
(B)는 발레가 아니라 탭댄스와 왈츠를 출 줄 아는 사람만
언급되었으므로 오답이다.

[7-10]

Musicals and opera both involve a live performance of a story that includes songs. So what is the difference between the two art forms? Some people claim that musicals are more showy. They include elements like tap dance and comedy. Opera, meanwhile, may seem more serious. However, this distinction is not always true. Some musicals, such as "Les Miserables," are more dramatic than humorous. Other people think that opera involves pure singing, whereas musicals involve both spoken words and singing. But actually in some musicals, the performers also sing the whole time. It may seem, therefore, that there are no clear lines dividing musicals from opera. However, one expert has pointed out a key difference: the lyrics. He says that in opera, music is the most important part, while in musicals, it is the words that are more important. Opera has lyrics, of course, but the stories are more general. Moreover, the details of the lyrics are not as important. In musicals, clever lyrics give the story its special meaning. The difference may not always be clear, but perhaps there is a small distinction between musicals and operas after all.

해석

뮤지컬과 오페라는 모두 노래가 있는 이야기의 실제 공연과 관련된다. 그렇다면 두 예술 형식의 차이는 무엇일까? 어떤 사람들은 뮤지컬이 더 화려하다고 주장한다. 그것은 탭댄스나 코미디 같은 요소를 포함한다. 오페라는, 반면에, 좀 더 진지해 보인다. 하지만, 이 구별이 항상 사실인 것은 아니다. "Les Miserables (레미제라블)"과 같은 몇몇 뮤지컬은, 유머러스하기보다는 극적이다. 다른 이들은 오페라가 순전한 노래만 수반하는 반면, 뮤지컬은 대사와 노래를 모두 포함한다고 생각한다. 하지만 사실 몇몇 뮤지컬에서는, 배우들이 또한 내내 노래를 부른다. 그래서, 뮤지컬을 오페라로부터 구분하는 명확한 경계가 없는 것처럼 보인다. 하지만, 한 전문가가 주요 차이점을 지적했다: 가사이다. 그는 오페라에서는 음악이 가장 중요한 부분이고, 반면 뮤지컬에서는, 더 중요한 것이 바로 가사라고 말했다. 당연히, 오페라에도 가사가 있지만, 그것의 이야기는 좀 더 보편적이다. 더욱이, 가사의 세부적인 것들은 그다지 중요하지 않다. 뮤지컬에서는, 기발한 가사들이 이야기에 특별한 의미를 부여한다. 차이점이 항상 명확하지는 않을지라도, 어쨌든 아마도 뮤지컬과 오페라 사이에 작은 차이점이 있을지도 모른다.

7. What is the passage mainly about?

(A) the costumes in musicals and opera
(B) how musicals became more operatic
(C) **the difference between musicals and opera**
(D) why musicals are more popular than opera

해석 지문은 주로 무엇에 관한 내용인가?

(A) 뮤지컬과 오페라의 복장
(B) 뮤지컬이 어떻게 더 오페라처럼 되었는지
(C) 뮤지컬과 오페라의 차이점
(D) 뮤지컬이 왜 오페라보다 더 인기 있는지

유형 전체 내용 파악

풀이 첫 문장에서 뮤지컬과 오페라라는 중심 소재가 드러나고, 그다음 문장 'So what is the difference between the two art forms?'에서 다음에 이어질 내용을 암시하고 있다. 이어서 뮤지컬과 오페라의 차이점은 무엇인지 자세하게 설명하고 있으므로 (C)가 정답이다.

8. Which aspect of musicals and operas is mentioned?

(A) seating
(B) lighting
(C) directors
(D) **performers**

해석 다음 중 뮤지컬과 오페라의 어떤 측면이 언급되었는가?

(A) 좌석
(B) 조명
(C) 연출
(D) 배우

유형 세부 내용 파악

풀이 'But actually in some musicals, the performers also sing the whole time.'에서 노래와 관련하여 배우라는 요소가 언급되었으므로 (D)가 정답이다. 나머지는 언급되지 않았으므로 오답이다.

9. What statement does the passage say is not always true?

(A) Opera performers hate tap dancing.
(B) **Opera is more serious than musicals.**
(C) Opera performers have a lot of training.
(D) Opera is more expensive than musicals.

해석 지문에서 항상 사실은 아니라고 말한 내용은 무엇인가?

(A) 오페라 배우들은 탭댄스를 싫어한다.
(B) 오페라는 뮤지컬보다 더 진지하다.
(C) 오페라 배우들은 훈련을 많이 한다.
(D) 오페라는 뮤지컬보다 더 비싸다.

유형 세부 내용 파악

풀이 'Opera, meanwhile, may seem more serious. However, this distinction is not always true [...] than humorous.'에서 오페라가 뮤지컬보다 더 진지하다는 구별이 언제나 사실은 아니라며 예를 들어 밝히고 있으므로 (B)가 정답이다. 나머지는 언급되지 않았으므로 오답이다.

10. According to the passage, what has one expert said about musicals and opera?

(A) The stories in opera are silly.
(B) In opera, people sometimes speak a lot.
(C) The dancing in musicals makes them special.
(D) **In musicals, words are more important than the music.**

해석 지문에 따르면, 한 전문가가 뮤지컬과 오페라에 관해 뭐라고 했는가?

(A) 오페라의 이야기는 유치하다.
(B) 오페라에서, 사람들이 때때로 말을 많이 한다.
(C) 뮤지컬의 춤은 뮤지컬을 특별하게 한다.
(D) 뮤지컬에서, 가사가 음악보다 더 중요하다.

유형 세부 내용 파악

풀이 'However, one expert has pointed out a key difference: the lyrics. He says that in opera, music is the most important part, while in musicals, it is the words that are more important.'에서 한 전문가의 의견을 인용하며 오페라에서는 음악이 더 중요하고, 뮤지컬에서는 가사가 더 중요하다는 차이점을 제시하고 있다. 따라서 (D)가 정답이다.

 **Listening Practice** ▶ J2-9   p.84

Musicals and opera both involve a live performance of a story that includes songs. So what is the difference between the two art forms? Some people <u>claim</u> that musicals are more showy. They include elements like tap dance and comedy. Opera, meanwhile, may seem more serious. However, this distinction is not always true. Some musicals, such as "Les Miserables," are more dramatic than humorous. Other people think that opera involves pure singing, whereas musicals involve both <u>spoken</u> words and singing. But actually in some musicals, the performers also sing the whole time.
It may seem, therefore, that there are no clear lines dividing musicals from opera. However, one expert has pointed out a <u>key</u> difference: the <u>lyrics</u>. He says that in opera, music is the most important part, while in musicals, it is the words that are more important. Opera has lyrics, of course, but the stories are more general. Moreover, the details of the lyrics are not as important. In musicals, <u>clever</u> lyrics give the story its special meaning. The difference may not always be clear, but perhaps there is a small <u>distinction</u> between musicals and operas after all.

1. claim
2. spoken
3. key
4. lyrics
5. clever
6. distinction

 **Writing Practice**   p.85

1. claim
2. spoken
3. key
4. lyrics
5. clever
6. distinction

📄 **Summary**

The distinction between musicals and <u>opera</u> is not always clear. However, a key difference <u>between</u> musicals and opera may be the <u>lyrics</u>. In opera, maybe <u>music</u> is the most important part, while in musicals, the words matter more.

뮤지컬과 <u>오페라</u>의 구별은 항상 명확한 것은 아니다. 하지만, 뮤지컬과 오페라 <u>사이의</u> 주요 차이점은 <u>가사</u>일 수도 있다. 오페라에서는, 아마도 <u>음악</u>이 가장 중요한 부분이고, 반면에 뮤지컬에서는, 가사가 더 중요하다.

🧩 **Word Puzzle**   p.86

Across	Down
3. claim	1. lyrics
4. spoken	2. distinction
5. key	3. clever

Unit 10 | Vivaldi's "The Four Seasons" p.87

Pre-reading Questions p.87

Do you listen to classical music?

How many composers can you name?

클래식 음악을 듣나요?

작곡가 이름을 몇 명이나 말할 수 있나요?

Reading Passage p.88

Vivaldi's "The Four Seasons"

These days, Vivaldi's classical piece "The Four Seasons" will sound very familiar to many people's ears. However, when Italian audiences first heard this piece in 1725, it was completely new. What Vivaldi had done was something called "program music." Program music is when a composer puts writing, like a poem, into musical form. One day, Vivaldi saw some beautiful paintings. Then, he found or wrote some poems on the themes from the paintings. After that, he took the themes from the poems and put them into song. "The Four Seasons" is not the first example of program music. But before Vivaldi wrote it, program music was not considered high art. Even after "The Four Seasons," program music did not become popular until many years later. So when a symphony played the beautiful sounds of "The Four Seasons" to an Italian audience, people were shocked and delighted. Music lovers enjoyed hearing a barking dog, chirping birds, and crackling fire in song form. Today, people have listened to "The Four Seasons" so often that it now represents classical music.

Vivaldi의 "사계"

오늘날에는, Vivaldi의 클래식 곡인 "사계"는 많은 사람의 귀에 매우 친숙하게 들릴 것이다. 그러나, 1725년에 이탈리아 청중들이 이 작품을 처음 들었을 때는, 그것은 완전히 새로운 것이었다. Vivaldi가 완성한 것은 "표제 음악"이라 불리는 것이었다. 표제 음악이란 작곡가가 시와 같은 글을 음악 형태에 집어넣는 것이다. 어느 날, Vivaldi는 어떤 아름다운 그림들을 보았다. 그러고 나서, 그는 그 그림들의 주제에 대한 몇몇 시들을 찾거나 썼다. 그 후, 그는 시로부터 주제들을 꺼내어 그것들을 노래에 집어넣었다. "사계"는 표제 음악의 최초 예는 아니다. 그러나 Vivaldi가 그것을 쓰기 전에, 표제 음악은 고급 예술로 여겨지지 않았다. 심지어 "사계" 이후에도, 표제 음악은 수년이 지나도록 인기를 끌지 못했다. 그래서 교향악단이 "사계"의 아름다운 소리들을 이탈리아 청중에게 연주했을 때, 사람들은 충격을 받았고 즐거워했다. 음악 애호가들은 짖는 개, 짹짹거리는 새, 그리고 치직거리며 타는 불을 노래 형태로 듣는 것을 즐겼다. 오늘날, 사람들은 "사계"를 너무 자주 들어서 그것은 이제 클래식 음악을 대표한다.

어휘 classical 클래식의, 고전의 | composer 작곡가 | piece 작품, 곡 | sound ~처럼 들리다 | familiar 친숙한 | audience 관중 [청중] | completely 완전히 | program 프로그램; 프로그램을 짜다 | program music 표제 음악 | form 형태 | poem 시 | theme 주제 | high 고급의; 높은 | symphony 교향악단; 교향곡 | shocked 충격에 빠진 | delighted 즐거워하는 | bark 짖다 | chirp 짹짹거리다 | crackle 치직거리다 | represent 대표하다 | lyric 가사 | novelist 소설가 | architect 건축가 | perform 공연하다 | royalty 왕족 | meow 야옹하고 울다 | whistle 삑삑 소리를 내다 | setting 배경, 세팅 | breathtaking 숨이 멎는 듯한 | crisp 상쾌한; (기분 좋게) 바삭바삭한 | tone 음색 | highlight 하이라이트, 가장 좋은 부분 | vintage 빈티지의, 고전적인, 전통 있는, 유서 깊은 | instrument 악기 | interpret 해석하다 | vividly 생생하게 | all-age 전연령의 | tourist 관광객 | must-see 꼭 보아야 할 것 | temple 신전 | miss 놓치다 | attend 참석하다 | gondola 곤돌라 | release 공개[발표]하다 | region 지방, 지역 | instantly 즉각, 즉시

⏱ **Comprehension Questions**   p.89

1. A: What's the name of this song? It sounds very <u>familiar</u>.
    B: It's a hip-hop version of a classical song.

    (A) **familiar**
    (B) familiarly
    (C) familiarity
    (D) more familiar

해석 A: 이 노래의 제목이 뭐니? 매우 <u>친숙하게</u> 들려.
     B: 그것은 클래식 곡의 힙합 버전이야.

     (A) 친숙한
     (B) 친근하게
     (C) 익숙함
     (D) 더 친숙한

풀이 'sound'는 2형식 동사로서 형용사를 보어로 취하므로 (A)가 정답이다. (C)는 부사 'very'가 명사 'familiarity'를 바로 수식할 수 없으므로 오답이다. (D)는 부사 'very'와 비교급을 나타내는 부사 'more'이 같이 쓰이면 어색하므로 오답이다.

새겨 두기 'look, sound, smell, taste, feel' 등과 같이 감각을 나타내는 동사는 보어로 형용사를 취하는 2형식 동사이다.

관련 문장 These days, Vivaldi's classical piece "The Four Seasons" will sound very familiar to many people's ears.

2. A: Have you heard this song before?
    B: Oh yes. I've listened to it <u>so often that</u> I know all the lyrics.

    (A) often
    (B) as often
    (C) it is often
    (D) **so often that**

해석 A: 전에 이 노래 들어본 적이 있니?
     B: 그럼. <u>너무 자주</u> 들어<u>서</u> 모든 가사를 아는 걸.

     (A) 자주
     (B) 그렇게 자주
     (C) 그것은 종종 ~이다
     (D) 너무 자주 해서 ~하다

풀이 문맥상 노래를 너무 많이 들어서 가사를 모두 안다는 내용이 자연스럽다. '너무 A해서 B하다'라는 뜻을 나타낼 때 'so A that B'라는 표현을 사용할 수 있으므로 (D)가 정답이다.

관련 문장 Today, people have listened to "The Four Seasons" so often that it now represents classical music.

3. There were at least a hundred people <u>in the audience</u>.

    (A) on the roof
    (B) in the band
    (C) on the stage
    (D) **in the audience**

해석 <u>관중에</u> 적어도 백 명의 사람이 있었다.

     (A) 지붕 위에
     (B) 밴드에
     (C) 무대 위에
     (D) 관중에

풀이 콘서트에 수많은 관중이 모인 모습이므로 (D)가 정답이다. (B)는 무대 위에 올라온 밴드에는 구성원이 네 명밖에 없으므로 오답이다.

관련 문장 However, when Italian audiences first heard this piece in 1725, it was completely new. […] So when a symphony played the beautiful sounds of "The Four Seasons" to an Italian audience, people were shocked and delighted.

4. He is a <u>composer</u>.

    (A) chef
    (B) novelist
    (C) architect
    (D) **composer**

해석 그는 <u>작곡가</u>이다.

     (A) 요리사
     (B) 소설가
     (C) 건축가
     (D) 작곡가

풀이 종이에 곡을 쓰고 있는 작곡가의 모습이므로 (D)가 정답이다.

[5-6]

Concert Reviews

Reviewer 1
How special it was to see "The Four Seasons" performed when we were in Venice. Everyone who visits Venice must do this! The music and church setting are breathtaking.

Reviewer 2
Hearing the crisp, beautiful tones of Vivaldi's music in a church in Venice was the highlight of our trip to Italy.

Reviewer 3
This is an incredible concert. They played the music on vintage instruments from a museum!

Reviewer 4
The musicians really interpret the music so vividly. You can hear thunder, bird calls, and spring rain. The all-age audience loved it. Incredible!

해석

연주회 후기	
리뷰어 1 저희가 베니스에 있을 때 "사계"가 연주되는 것을 본 게 얼마나 특별한 일이었는지요. 베니스에 방문하는 사람들 모두 이 경험을 해야 해요! 음악과 교회 배경은 숨이 멎는 듯 해요.	**리뷰어 2** 베니스의 교회에서 Vivaldi 음악의 산뜻하고, 아름다운 음색을 듣는 것은 우리 이탈리아 여행의 하이라이트였어요.
리뷰어 3 이건 믿을 수 없는 연주회예요. 박물관에서 가져 온 빈티지 악기들로 음악을 연주했어요!	**리뷰어 4** 음악가들은 정말로 음악을 아주 생생하게 해석해요. 천둥소리, 새 소리, 봄비소리를 들을 수 있어요. 전연령의 청중들이 아주 좋아했어요. 대단해요!

5. Which of the following is true?

(A) Reviewer 1 thinks the show is a tourist must-see in Venice.
(B) Reviewer 2 likes that the show took place in a Greek temple.
(C) Reviewer 3 believes the event place should be bigger.
(D) Reviewer 4 missed half of the whole show because of rain.

해석 다음 중 옳은 설명은 무엇인가?

(A) 리뷰어 1은 공연이 베니스 관광객이 꼭 봐야 하는 것이라고 생각한다.
(B) 리뷰어 2는 공연이 그리스 신전에서 열렸던 게 마음에 든다.
(C) 리뷰어 3은 공연 장소가 더 커야 한다고 생각한다.
(D) 리뷰어 4는 비 때문에 공연 전체 중 절반을 놓쳤다.

풀이 'Everyone who visits Venice must do this!'에서 리뷰어 1이 베니스에 오면 사계 공연을 꼭 봐야 한다고 추천하고 있음을 알 수 있으므로 (A)가 정답이다. (B)는 Hearing the crisp, beautiful tones of Vivaldi's music in a church [...]'에서 리뷰어 2가 마음에 들어 한 연주회는 그리스 신전이 아니라 교회에서 열렸음을 알 수 있으므로 오답이다.

6. According to the reviews, what is most likely true about the concert?

(A) It took place in a church.
(B) Vivaldi attended the concert.
(C) Musicians were on gondola boats.
(D) Children were not allowed to attend.

해석 후기에 따르면, 연주회에 관해 옳은 설명으로 가장 적절한 것은 무엇인가?

(A) 교회에서 열렸다.
(B) Vivaldi가 콘서트에 참석했다.
(C) 음악가들은 곤돌라 배에 있었다.
(D) 아이들은 참석할 수 없었다.

풀이 리뷰어 1의 'church setting'과 리뷰어 2의 'in a church in Venice'에서 연주회가 베니스의 한 교회에서 열렸다는 것을 알 수 있으므로 (A)가 정답이다. (D)는 리뷰어 4의 'The all-age audience loved it.'에서 모든 연령이 참석했다는 것을 알 수 있으므로 오답이다.

These days, Vivaldi's classical piece "The Four Seasons" will sound very familiar to many people's ears. However, when Italian audiences first heard this piece in 1725, it was completely new. What Vivaldi had done was something called "program music." Program music is when a composer puts writing, like a poem, into musical form. One day, Vivaldi saw some beautiful paintings. Then, he found or wrote some poems on the themes from the paintings. After that, he took the themes from the poems and put them into song. "The Four Seasons" is not the first example of program music. But before Vivaldi wrote it, program music was not considered high art. Even after "The Four Seasons," program music did not become popular until many years later. So when a symphony played the beautiful sounds of "The Four Seasons" to an Italian audience, people were shocked and delighted. Music lovers enjoyed hearing a barking dog, chirping birds, and crackling fire in song form. Today, people have listened to "The Four Seasons" so often that it now represents classical music.

해석

오늘날에는, Vivaldi의 클래식 곡인 "사계"는 많은 사람의 귀에 매우 친숙하게 들릴 것이다. 그러나, 1725년에 이탈리아 청중들이 이 작품을 처음 들었을 때는, 그것은 완전히 새로운 것이었다. Vivaldi가 완성한 것은 "표제 음악"이라 불리는 것이었다. 표제 음악이란 작곡가가 시와 같은 글을 음악 형태에 집어넣는 것이다. 어느 날, Vivaldi는 어떤 아름다운 그림들을 보았다. 그러고 나서, 그는 그 그림들의 주제에 대한 몇몇 시들을 찾거나 썼다. 그 후, 그는 시로부터 주제들을 꺼내어 그것들을 노래에 집어넣었다. "사계"는 표제 음악의 최초 예는 아니다. 그러나 Vivaldi가 그것을 쓰기 전에, 표제 음악은 고급 예술로 여겨지지 않았다. 심지어 "사계" 이후에도, 표제 음악은 수년이 지나도록 인기를 끌지 못했다. 그래서 교향악단이 "사계"의 아름다운 소리들을 이탈리아 청중에게 연주했을 때, 사람들은 충격을 받았고 즐거워했다. 음악 애호가들은 짖는 개, 짹짹거리는 새, 그리고 치직거리며 타는 불을 노래 형태로 듣는 것을 즐겼다. 오늘날, 사람들은 "사계"를 너무 자주 들어서 그것은 이제 클래식 음악을 대표한다.

7. Which of the following is the best title for the passage?
(A) Italy's First Classical Song
(B) Vivaldi's Special Classical Piece
(C) Computers That Program Music
(D) Regions That Have Four Seasons

해석 다음 중 지문에 가장 알맞은 제목은 무엇인가?

(A) 이탈리아의 첫 번째 클래식 곡
(B) Vivaldi의 특별한 클래식 곡
(C) 음악 프로그램을 짜는 컴퓨터
(D) 사계절이 있는 지역들

유형 전체 내용 파악

풀이 첫 문장에서부터 Vivaldi의 클래식 곡인 사계('The Four Seasons')라는 중심 소재가 드러나고 있다. 그 후에 사계가 속하는 표제 음악('program music')이란 음악 양식을 설명하면서, 사계가 발표되었을 당시 청중들의 반응을 서술하고 있는 글이다. 따라서 (B)가 정답이다.

8. According to the passage, what is program music?
(A) when poets learn to play the piano
(B) when singers perform music in films
(C) when composers turn writing into song
(D) when writers listen to music while walking

해석 지문에 따르면, 표제 음악은 무엇인가?

(A) 시인들이 피아노 연주하는 것을 배우는 것
(B) 영화에서 가수들이 음악을 공연하는 것
(C) 작곡가들이 글을 노래로 바꾸는 것
(D) 작가들이 걷는 도중에 음악을 듣는 것

유형 세부 내용 파악

풀이 'Program music is when a composer puts writing, like a poem, into musical form. One day, Vivaldi saw some beautiful paintings [...] put them into song.'에서 표제 음악이란 시와 같은 글을 음악 형태로 바꿔서 표현하는 음악 양식임을 알 수 있으므로 (C)가 정답이다.

9. According to the passage, what is true about "The Four Seasons"?

(A) Italian royalty banned it from theatres.
(B) **Italians hearing it in 1725 were shocked.**
(C) It instantly made program music popular.
(D) It was the first example of program music.

해석 지문에 따르면, "사계"에 관해 옳은 설명은 무엇인가?

(A) 이탈리아 왕족은 극장에서 그것을 금지했다.
(B) 1725년에 그것을 들은 이탈리아인들은 충격을 받았다.
(C) 그것은 곧바로 표제 음악을 인기 있게 만들었다.
(D) 그것은 표제 음악의 최초 예였다.

유형 세부 내용 파악

풀이 'However, when Italian audiences first heard this piece in 1725, it was completely new.', 'So when a symphony played the beautiful sounds of "The Four Seasons" to an Italian audience, people were shocked and delighted.' 에서 사계가 1725년 처음 발표되었을 당시 곡을 들은 이탈리아 청중들이 충격을 받고 즐거워했다는 사실을 알 수 있으므로 (B)가 정답이다. (C)는 'Even after "The Four Seasons," program music did not become popular until many years later.'에서 사계가 발표되고 수년이 지나서야 표제 음악이 인기를 얻었다고 하였으므로 오답이다. (D)는 '"The Four Seasons" is not the first example of program music.'에서 사계가 표제 음악의 최초 예가 아니라고 하였으므로 오답이다.

10. According to the passage, which is represented in "The Four Seasons"?

(A) a crying baby
(B) **a barking dog**
(C) a meowing cat
(D) a whistling train

해석 지문에 따르면, 다음 중 "사계"에 표현되는 것은 무엇인가?

(A) 우는 아기
(B) 짖는 개
(C) 야옹 하고 우는 고양이
(D) 경적을 울리는 기차

유형 세부 내용 파악

풀이 'Music lovers enjoyed hearing a barking dog, chirping birds, and crackling fire in song form.'에서 사계 속에 개 짖는 소리가 표현되었다는 것을 알 수 있으므로 (B)가 정답이다. 나머지 선택지는 언급되지 않았으므로 오답이다.

 Listening Practice   ▶ J2-10   p.92

These days, Vivaldi's <u>classical</u> piece "The Four Seasons" will sound very familiar to many people's ears. However, when Italian audiences first heard this piece in 1725, it was completely new. What Vivaldi had done was something called "program music." Program music is when a <u>composer</u> puts writing, like a poem, into musical form. One day, Vivaldi saw some beautiful paintings. Then, he found or wrote some poems on the themes from the paintings. After that, he took the <u>themes</u> from the poems and put them into song. "The Four Seasons" is not the first example of program music. But before Vivaldi wrote it, program music was not considered high art. Even after "The Four Seasons," program music did not become popular until many years later. So when a symphony played the beautiful sounds of "The Four Seasons" to an Italian <u>audience</u>, people were <u>shocked</u> and <u>delighted</u>. Music lovers enjoyed hearing a barking dog, chirping birds, and crackling fire in song form. Today, people have listened to "The Four Seasons" so often that it now represents classical music.

1. classical
2. composer
3. themes
4. audience
5. shocked
6. delighted

 Writing Practice   p.93

1. classical
2. composer
3. theme
4. audience
5. shocked
6. delighted

📄 **Summary**

Vivaldi's "The Four Seasons" was completely new when it was first released. Vivaldi turned some <u>poems</u> into song, and people were <u>shocked</u> and delighted when they heard this song. Today, "The Four <u>Seasons</u>" is so popular that it represents <u>classical</u> music.

Vivaldi의 "사계"는 처음 나왔을 때 완전히 새로운 것이었다. Vivaldi는 몇몇 <u>시들</u>을 노래로 바꾸었고, 사람들은 이 곡을 들었을 때 <u>충격을 받았고</u> 즐거워했다. 오늘날, "<u>사계</u>"는 너무 인기가 많아서 <u>클래식</u> 음악을 대표한다.

Word Puzzle

p.94

Across	Down
1. composer	2. shocked
6. audience	3. classical
	4. theme
	5. delighted

Pre-reading Questions

p.95

Do you recognize any of symbols in the image?
What do you think they are?

사진에 있는 기호를 알아볼 수 있나요?
그것들이 무엇이라고 생각하나요?

Reading Passage

p.96

Dynamics in Music

People who read and play music have to understand a little Italian. Italian words and symbols are used to show how loudly music should be played. The music word 'piano' means 'quietly' or 'softly,' and 'forte' means 'loudly.' In written music, 'piano' becomes 'p' and forte becomes 'f.' In addition, 'mezzo' means 'moderately,' and becomes 'm.' Also, when music words end with '-issimo,' it means 'very' and it can become 'pp' or 'ff.' This gives us six key ways to show the volume of music. First, 'ff' is 'fortissimo' and means 'very loudly.' An 'f' is 'forte' and means 'loudly' while 'mf' is 'mezzo forte' and means 'moderately loudly.' In addition, 'mp' is 'mezzo piano' and means 'moderately quietly.' A 'p' means 'piano' or 'quietly,' and 'pp' is 'pianissimo' and means 'very quietly.' These words are very important to music. Interestingly, the instruments we now call pianos were first called a 'pianofortes' because they could be played both loudly and quietly. These days we only use the first part of the full word.

음악 속 셈여림

음악을 읽고 연주하는 사람들은 이탈리아어를 조금 이해해야 한다. 이탈리아어 단어와 기호들은 음악이 얼마나 크게 연주되어야 하는지 보여주기 위해 사용된다. 음악 용어 '피아노'는 '조용히' 또는 '여리게' 를 뜻하고, '포르테'는 '세게'를 뜻한다. 악보에서, '피아노'는 'p'가 되고 '포르테'는 'f'가 된다. 더불어, '메조'는 '중간 정도로'를 뜻하고, 'm'이 된다. 또한, 음악 용어가 '-이시모'로 끝나면, '매우'라는 뜻이며 'pp' 또는 'ff'가 될 수 있다. 이는 음악의 세기를 표시하는 주요 여섯 가지 방법을 제시한다. 첫째, 'ff'는 '포르티시모'이며 '매우 세게'라는 뜻이다. 'f'는 '포르테'이고 '세게'를 뜻하는 한편 'mf'는 '메조 포르테' 로 '조금 세게'를 뜻한다. 더불어, 'mp'는 '메조 피아노'로 '중간 정도로 여리게'를 뜻한다. 'p'는 '피아노' 즉 '여리게'를 뜻하고, 'pp'는 '피아니시모'이며 '매우 여리게'를 뜻한다. 이러한 용어들은 음악에서 매우 중요하다. 흥미롭게도, 현재 우리가 피아노라고 부르는 악기는 처음에 '피아노포르테스'라고 불렸는데 세게든 여리게든 모두 연주될 수 있었기 때문이다. 오늘날 우리는 전체 용어에서 오직 첫 부분만 사용한다.

어휘 dynamics 강약, 셈여림 | recognize 알아보다 | symbol 기호 | softly 부드럽게 | in addition 더불어, 게다가 | moderately 중간 정도로, 보통 | end with ~로 끝나다 | volume 세기, 음량, 볼륨 | instrument 악기 | control 조절하다 | scale 척도; 음계; 등급 | not at all 전혀 ~가 아닌 | modern 현대의 | unique 독특한, 특별한 | in particular 특히 | mix up 뒤섞다, 혼동하다 | rehearsal 연습, 리허설 | imagine 상상하다 | yell at ~에게 소리치다 | prepared 준비가 되어 있는

⏱ **Comprehension Questions**   p.97

1. A: What <u>does</u> this word mean? I don't speak Italian.
    B: It means "quietly."

    (A) is
    (B) do
    (C) are
    (D) does

해석 A: 이 단어의 뜻이 뭐니? 난 이탈리아어를 못 해.
     B: "조용하게"라는 뜻이야.

     (A) ~이다
     (B) ~하다
     (C) ~이다
     (D) ~하다

풀이 일반 동사가 들어간 의문문은 '(wh- 의문사) + do 조동사 + 주어 + 일반 동사 ~?'의 구조를 가지므로 빈칸에는 do 조동사가 들어가야 한다. 주어가 3인칭 단수 'this word'이므로 이에 어울리는 형태인 (D)가 정답이다.

2. A: What are all these symbols?
    B: They're music words. They show <u>how</u> loudly we should play music.

    (A) too
    (B) very
    (C) how
    (D) which

해석 A: 이 기호들은 다 뭐야?
     B: 음악 용어야. 그것들은 우리가 음악을 <u>얼마나</u> 크게 연주해야 하는지 나타내.

     (A) 너무 (~한)
     (B) 매우
     (C) 얼마나
     (D) 어느

풀이 '_____ loudly'는 해당 문장에서 부사 역할을 하는 부사구이다. 따라서 빈칸에는 'loudly'와 같은 부사와 함께 쓰여 어느 정도인지를 물을 때 사용하는 의문사 'how'가 들어가는 것이 문맥상 자연스럽다. 따라서 (C)가 정답이다.

새겨 두기 아래와 같이 해당 문장의 문장 구조를 확실히 파악한다.
      <u>They</u> <u>show</u> <u>how loudly we should play music.</u>
      주어   동사   목적어절 (간접의문문)

          <u>how loudly</u> <u>we</u> <u>should play</u> <u>music</u>
          의문사구 (부사 역할) 주어   동사부   목적어

관련 문장 Italian words and symbols are used to show how loudly music should be played.

3. These buttons control the <u>volume</u> on my computer.

    (A) color
    (B) picture
    (C) volume
    (D) download

해석 이 버튼들은 내 컴퓨터의 <u>음량</u>을 조절한다.

     (A) 색깔
     (B) 그림
     (C) 음량
     (D) 다운로드

풀이 음량 조절 기호들을 나타낸 그림이므로 (C)가 정답이다.

관련 문장 This gives us six key ways to show the volume of music.

4. On this happiness scale, yellow means you are <u>moderately</u> happy.

    (A) not at all
    (B) moderately
    (C) always
    (D) very

해석 이 행복 척도에서, 노란색은 당신이 <u>중간 정도로</u> 행복하다는 것을 뜻한다.

     (A) 전혀 ~하지 않는
     (B) 적당히
     (C) 항상
     (D) 매우

풀이 행복 척도가 행복하지도 불행하지도 않은 중간 표정을 가리키고 있다. 따라서 '중간 정도로, 적당히, 보통'을 뜻하는 (B)가 정답이다.

관련 문장 In addition, 'mezzo' means 'moderately', and becomes 'm'.

[5-6]

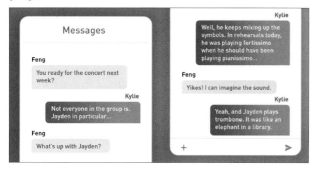

해석

문자 메시지

Feng: 너희들 다음 주 연주회 준비됐어?

Kylie: 그룹의 모두가 그렇진 않아. 특히 Jayden은...

Feng: Jayden은 무슨 일인데?

Kylie: 글쎄, 계속 기호들을 혼동하고 있어. 오늘 리허설에서, 피아니시모를 연주해야 했는데 포르티시모를 연주하고 있더라...

Feng: 이런! 소리가 상상되네.

Kylie: 응, 그리고 Jayden이 트롬본을 연주하잖아. 마치 도서관의 코끼리 같았어.

5. What is Kylie's problem?

(A) She was yelled at by Jayden.
(B) She cannot easily read music.
(C) She forgot the words to a song.
(D) **She thinks Jayden is not prepared.**

해석 Kylie의 문제는 무엇인가?

(A) 그녀에게 Jayden이 소리 질렀다.
(B) 그녀는 음악을 잘 읽을 수 없다.
(C) 그녀는 노래 가사를 잊어버렸다.
(D) 그녀는 Jayden이 준비가 안 되었다고 생각한다.

풀이 연주회 준비가 됐는지 묻는 말에 Kylie가 'Not everyone in the group is. Jayden in particular...'라며 특히 Jayden이 준비되지 않았다고 대답하고 있다. 또한 'Well, he keeps mixing up the symbols.'에서 Jayden이 기호를 계속 혼동한다고 설명하고 있다. 따라서 Kylie는 Jayden이 아직 연주회 할 준비가 되지 않았다고 생각하고 있다는 것을 알 수 있으므로 (D)가 정답이다.

6. What is probably meant by, "It was like an elephant in a library"?

(A) There was a big person in a small room.
(B) **There was a loud sound in a quiet place.**
(C) There was an old instrument in a new area.
(D) There was an interesting animal in a boring building.

해석 "마치 도서관의 코끼리 같았어"라고 말한 의도는 무엇이겠는가?

(A) 작은 방에 큰 사람이 있었다.
(B) 조용한 장소에 시끄러운 소리가 났다.
(C) 새로운 지역에 오래된 악기가 있었다.
(D) 지루한 건물에 흥미로운 동물이 있었다.

풀이 'an elephant in a library'는 Jayden이 피아니시모를 연주해야 하는 부분에서 포르티시모를 연주했을 때 났던 소리('the sound')를 비유한 말이다. 도서관은 대개 조용한 장소이고 코끼리는 크기가 매우 크고 울음소리가 시끄러운 동물이라는 점을 고려했을 때, 'an elephant in a library'는 조용한 장소에서 아주 시끄러운 소리가 난 상황을 빗댄 표현임을 추측할 수 있으므로 (B)가 정답이다.

[7-10]

People who read and play music have to understand a little Italian. Italian words and symbols are used to show how loudly music should be played. The music word 'piano' means 'quietly' or 'softly,' and 'forte' means 'loudly.' In written music, 'piano' becomes 'p' and forte becomes 'f.' In addition, 'mezzo' means 'moderately,' and becomes 'm.' Also, when music words end with '-issimo,' it means 'very' and it can become 'pp' or 'ff.' This gives us six key ways to show the volume of music. First, 'ff' is 'fortissimo' and means 'very loudly.' An 'f' is 'forte' and means 'loudly' while 'mf' is 'mezzo forte' and means 'moderately loudly.' In addition, 'mp' is 'mezzo piano' and means 'moderately quietly.' A 'p' means 'piano' or 'quietly,' and 'pp' is 'pianissimo' and means 'very quietly.' These words are very important to music. Interestingly, the instruments we now call pianos were first called a 'pianofortes' because they could be played both loudly and quietly. These days we only use the first part of the full word.

해석

음악을 읽고 연주하는 사람들은 이탈리아어를 조금 이해해야 한다. 이탈리아어 단어와 기호들은 음악이 얼마나 크게 연주되어야 하는지 보여주기 위해 사용된다. 음악 용어 '피아노'는 '조용히' 또는 '여리게'를 뜻하고, '포르테'는 '세게'를 뜻한다. 악보에서, '피아노'는 'p'가 되고 '포르테'는 'f'가 된다. 더불어, '메조'는 '중간 정도로'를 뜻하고, 'm'이 된다. 또한, 음악 용어가 '-이시모'로 끝나면, '매우'라는 뜻이며 'pp' 또는 'ff'가 될 수 있다. 이는 음악의 세기를 표시하는 주요 여섯 가지 방법을 제시한다. 첫째, 'ff'는 '포르티시모'이며 '매우 세게'라는 뜻이다. 'f'는 '포르테'이고 '세게'를 뜻하는 한편 'mf'는 '메조 포르테'로 '조금 세게'를 뜻한다. 더불어, 'mp'는 '메조 피아노'로 '중간 정도로 여리게'를 뜻한다. 'p'는 '피아노' 즉 '여리게'를 뜻하고, 'pp'는 '피아니시모'이며 '매우 여리게'를 뜻한다. 이러한 용어들은 음악에서 매우 중요하다. 흥미롭게도, 현재 우리가 피아노라고 부르는 악기는 처음에 '피아노포르테스'라고 불렸는데 세게든 여리게든 모두 연주될 수 있었기 때문이다. 오늘날 우리는 전체 용어에서 오직 첫 부분만 사용한다.

7. What is the passage mainly about?
(A) how instruments got their names
(B) Italian words and symbols in music
(C) why students should learn two languages
(D) how modern music is worse than classical music

해석 이 지문은 주로 무엇에 관한 내용인가?
(A) 악기들에 어떻게 이름이 붙여졌는지
(B) 음악 속의 이탈리아 단어와 기호
(C) 왜 학생들이 두 개의 언어를 배워야 하는지
(D) 현대 음악이 고전 음악보다 어떻게 더 엉망인지

유형 전체 내용 파악

풀이 'piano', 'forte', 'mezzo', '-issimo'라는 이탈리아어 단어와 이를 나타내는 기호를 설명한 뒤, 이 단어와 기호들을 조합하여 표시하는 주요 음악 셈여림표 여섯 개를 중점적으로 설명하고 있는 글이다. 따라서 (B)가 정답이다.

8. According to the passage, which music word means "moderately"?
(A) mixto
(B) mezzo
(C) mestizo
(D) mozzarella

해석 지문에 따르면, "중간 정도로"를 뜻하는 음악 용어는 무엇인가?
(A) mixto
(B) mezzo
(C) mestizo
(D) mozzarella

유형 세부 내용 파악

풀이 'In addition, 'mezzo' means 'moderately', and becomes 'm'.'에서 'mezzo'(메조)가 'moderately'(중간 정도로)를 뜻한다는 것을 알 수 있으므로 (B)가 정답이다.

9. According to the passage, how many ways are there to show volume?
(A) six
(B) seven
(C) eight
(D) nine

해석 지문에 따르면, 세기를 표시하는 방법에는 몇 가지가 있는가?
(A) 여섯 개
(B) 일곱 개
(C) 여덟 개
(D) 아홉 개

유형 세부 내용 파악

풀이 'This gives us six key ways to show the volume of music.'에서 음악의 세기를 나타내는 주요 방법에 여섯 가지가 있다는 것을 알 수 있으므로 (A)가 정답이다.

10. According to the passage, why did pianofortes get that name?

(A) because they had strong legs
(B) **because they were both quiet and loud**
(C) because they were made from unique wood
(D) because they had both black and white keys

해석   지문에 따르면, 피아노포르테스는 왜 그렇게 이름이 붙여졌는가?

(A) 강한 다리를 가졌기 때문에
(B) 여리면서 세기도 했기 때문에
(C) 특별한 나무로 만들어졌기 때문에
(D) 검은색과 흰색 건반을 모두 가졌기 때문에

유형   세부 내용 파악

풀이   'Interestingly, the instruments we now call pianos were first called a 'pianofortes' because they could be played both loudly and quietly.'에서 피아노포르테스가 여리게 연주할 수 있을 뿐만 아니라 세게도 연주할 수 있기 때문에 그렇게 이름이 붙여졌다는 사실을 알 수 있으므로 (B)가 정답이다.

 Listening Practice   ▶ J2-11   p.100

People who read and play music have to understand a little Italian. Italian words and <u>symbols</u> are used to show how loudly music should be played. The music word 'piano' means 'quietly' or 'softly,' and 'forte' means 'loudly.' In written music, 'piano' becomes 'p' and forte becomes 'f.' In addition, 'mezzo' means 'moderately,' and becomes 'm.' Also, when music words <u>end</u> with '-issimo,' it means 'very' and it can become 'pp' or 'ff.' This gives us six key ways to show the <u>volume</u> of music. First, 'ff' is 'fortissimo' and means 'very loudly.' An 'f' is 'forte' and means 'loudly' while 'mf' is 'mezzo forte' and means 'moderately loudly.' <u>In addition</u>, 'mp' is 'mezzo piano' and means '<u>moderately</u> quietly.' A 'p' means 'piano' or 'quietly,' and 'pp' is 'pianissimo' and means 'very quietly.' These words are very important to music. <u>Interestingly</u>, the instruments we now call pianos were first called a 'pianofortes' because they could be played both loudly and quietly. These days we only use the first part of the full word.

1. symbols
2. end
3. volume
4. In addition
5. moderately
6. Interestingly

 **Writing Practice**   p.101

1. symbol
2. in addition
3. moderately
4. end with
5. volume
6. interestingly

📄 **Summary**

Italian words are used to show the <u>volume</u> of music. "Piano" means "<u>quietly</u>," "forte" means "<u>loudly</u>," and "mezzo" means "<u>moderately</u>." When music words end with "-issimo," it means "very."

이탈리아어 단어는 음악의 <u>세기</u>를 표시하기 위해 사용된다. "피아노"는 "<u>여리게</u>"를 뜻하고, "포르테"는 "<u>세게</u>"를 뜻하며, "메조"는 "<u>중간 정도로</u>"를 뜻한다. 음악 용어가 "-이시모"로 끝나면, 그것은 "매우"를 의미한다.

🔡 **Word Puzzle**   p.102

Across	Down
4. symbol	1. interestingly
5. end with	2. volume
6. in addition	3. moderately

Pre-reading Questions   p.103

Do you know the name of the instrument in the picture?
What kind of sound might it make?

사진 속에 있는 악기의 이름을 알고 있나요?
그것이 어떤 소리를 낼까요?

Reading Passage   p.104

The Alphorn

The alphorn is Europe's antique cellphone. The long cone shape of the instrument allows it to be heard far away. It is very effective in areas with natural echoes, such as mountains and valleys. For many years, it was used to communicate in the mountains of Switzerland, Austria, Germany, and Northern Italy. In the 17th to 19th centuries, alphorns were used as signals in village communities there. They were often used when there were no church bells. However, they were mostly used by people who kept cattle herds. The horns let them communicate with other cow owners in the neighboring mountains. They could even signal people in the nearest village. Moreover, they could call the cows from the fields to the dairy when it was milking time. Alphorn music was then used to relax the cows while they were being milked. Today, alphorns are still used in festivals, TV commercials, and as tourist attractions. Sadly, the fascinating signal function of the alphorn and its uses to call or calm cattle have been lost.

알펜호른

알펜호른은 유럽의 골동품 휴대전화이다. 이 기구의 기다란 원뿔 모양은 멀리에서도 잘 들리게 해준다. 그것은 산이나 계곡과 같이 자연 메아리가 있는 지역에서 매우 효과적이다. 수년 동안, 그것은 스위스, 오스트리아, 독일, 그리고 북이탈리아의 산악지대에서 의사소통하기 위해 사용되었다. 17~19세기에, 알펜호른은 그곳 마을 공동체의 신호로서 사용되었다. 그것들은 교회 종이 없을 때 흔히 사용되었다. 그런데, 그것들은 주로 소 떼를 길렀던 사람들에 의해 사용되었다. 호른은 인접한 산에 있는 다른 소 주인들과 그들이 의사소통하도록 해주었다. 그것들은 심지어 가장 가까운 마을의 사람들에게 신호를 보낼 수 있었다. 게다가, 그것들은 우유를 짜는 시간이 되면 소들을 들판에서 낙농장으로 부를 수 있었다. 알펜호른 음악은 그런 다음 젖을 짜는 동안 소들을 편안하게 하는 데 사용되었다. 오늘날, 알펜호른 음악은 여전히 축제, TV 광고에서, 그리고 관광 명물로서 사용되고 있다. 슬프게도, 알펜호른의 대단히 흥미로운 신호 기능 및 소(떼)를 부르거나 안심시키는 용도는 사라졌다.

어휘 alphorn 알펜호른 | instrument 기구, 도구; 악기 | antique 골동품인 | cone 원뿔 | effective 효과적인 | echo 메아리 | valley 계곡 | communicate 의사소통하다 | Austria 오스트리아 | signal 신호; 신호를 보내다 | function 기능 | community 공동체 | cattle (집합적으로) 소 | herd 떼, 무리 | horn 호른; 뿔 | owner 주인 | neighboring 인접하는 | dairy 낙농장 | milk 우유[젖]를 짜다 | relax 편안히 하다, 안심시키다 | commercial 광고 | tourist attraction 관광 명물[명소] | calm 진정시키다 | rocking 흔들리는 | turkey 칠면조 | volcano 화산 | thief 절도범, 도둑 | purpose 목적 | show off 과시하다, 자랑하다 | wealth 부유함 | note 음 | basically 기본적으로 [무엇보다도] (자기 의견이나 해당 상황에서 중요한 것을 말할 때 쓰는 표현) | spit 내뱉다 | attach 첨부하다 | expect 예상하다 | observe 관찰하다 | require 필요로 하다 | complicated 복잡한 | move 움직임 | purpose 목적; 용도, 의도

Junior Book 2

1. A: What's that?
   B: It's a typewriter. Before computers, people used these <u>to</u> write letters.

   (A) if
   (B) to
   (C) for
   (D) when

해석 A: 그게 뭐야?
    B: 타자기야. 컴퓨터가 있기 전에, 사람들은 글자를 쓰<u>기 위해</u> 이것들을 사용했어.

   (A) 만약 ~면
   (B) ~하기 위해
   (C) ~을 위해
   (D) ~할 때

풀이 to 부정사('to V')의 부사적 용법을 사용하여 목적이나 의도를 나타낼 수 있으므로 (B)가 정답이다. 나머지 선택지의 접속사들은 동사 원형 바로 앞에서 쓰이면 어색하므로 오답이다.

새겨 두기 해당 문장의 문장 구조를 확실히 파악한다.

    'Before computers': 시기를 나타내는 전치사구

    'people used these': 주어 + 동사 + 동사의 목적어로 구성된 완전한 절

    'to write letters': 목적을 나타내는 부사구

관련 문장 They also used it to call the cows from the fields to the dairy when it was milking time.

2. A: Do people still play these instruments?
   B: Sure. They're used in special events, <u>such as</u> festivals.

   (A) so as
   (B) as so
   (C) such as
   (D) as such

해석 A: 사람들이 여전히 이 악기들을 연주해?
    B: 당연하지. 그것들은 축제<u>와 같은</u> 특별한 행사에서 사용돼.

   (A) 그래서 ~로서
   (B) 그와 같이
   (C) ~와 같은
   (D) 그와 같은

풀이 'festivals'는 'special events'에 속하는 하나의 예이다. 예를 나타낼 때 'such as'(예를 들어, ~와 같은)란 표현을 사용할 수 있으므로 (C)가 정답이다.

새겨 두기 'such as' 뒤에는 명사가 나온다는 것에 유의하자.

관련 문장 It is very effective in areas with natural echoes, such as mountains and valleys.

3. You must not sit in that <u>antique</u> chair.

   (A) violet
   (B) metal
   (C) rocking
   (D) antique

해석 그 <u>골동품</u> 의자에 앉아서는 안된다.

   (A) 보라색
   (B) 금속
   (C) 흔들리는
   (D) 골동품

풀이 제작 연도가 1789년인 골동품 의자의 모습이므로 (D)가 정답이다.

관련 문장 The alphorn is Europe's antique cellphone.

4. She keeps <u>cattle</u>.

   (A) cattle
   (B) geese
   (C) rabbits
   (D) turkeys

해석 그녀는 <u>소</u>를 기른다.

   (A) 소
   (B) 거위
   (C) 토끼
   (D) 칠면조

풀이 농부가 젖소를 기르고 있는 모습이다. 젖소는 소의 한 종류이므로 (A)가 정답이다.

새겨 두기 'cattle'은 단어 자체가 '소 무리, 소 떼'라는 복수의 뜻을 가졌으나, 단수 취급을 하는 집합 명사라는 것을 알아두자.

관련 문장 However, they were mostly used by people who kept cattle herds.

Hi Jaehyung,

How's life in Mokpo? Here in Spiez, life is great. Guess what! We learned to play the alphorn at school today. You may think it's easy to play. Trust me- it's not! The alphorn is 3 meters long, so it's really hard to make a sound. Not only that, but you have to control every note with your breath. Basically, we stood in the grass on the side of a mountain and spit into an alphorn. Some cows watched us. I've attached a picture of our teacher!

Anyway, I'm having lots of fun here.
Can't wait to hear your news!

Missing you,
Marco

해석

안녕 Jaehyung아.

목포에서의 생활은 어때? 여기 스피즈에서의 생활은 굉장해. 무슨 일인지 맞혀봐! 우리는 오늘 학교에서 알펜호른 연주하는 것을 배웠어. 그게 연주하기 쉽다고 생각할지도 몰라. 날 믿어- 그렇지 않아! 알펜호른은 길이가 3미터라서, 소리를 내기가 정말 어려워. 그뿐만 아니라, 모든 음을 호흡으로 조절해야 해. 무엇보다도, 우리는 산허리에 있는 풀밭에 서서 알펜호른을 불었어. 이떤 소들은 우리를 지켜보기도 했어. 우리 선생님의 사진을 첨부했어!

어쨌든, 난 여기서 아주 재미있게 지내고 있어.
빨리 네 소식을 듣고 싶어!

그리워하며,
Marco

5. Who is in the photo?

(A) Marco
(B) Jaehyung
(C) **Marco's teacher**
(D) Jaehyung's teacher

해석 사진에 있는 사람은 누구인가?

(A) Marco
(B) Jaehyung
(C) **Marco의 선생님**
(D) Jaehyung의 선생님

풀이 'I've attached a picture of our teacher!'에서 편지에 첨부된 사진 속의 사람은 편지를 보낸 Marco의 선생님이라는 것을 알 수 있으므로 (C)가 정답이다.

6. What does Marco say about playing the alphorn?

(A) It was easier than he expected.
(B) **The lesson was observed by cows.**
(C) It required complicated finger moves.
(D) The instrument was almost 2 meters long.

해석 알펜호른을 연주하는 것에 관해 Marco가 말한 내용은 무엇인가?

(A) 그가 예상한 것에 비해 더 쉬웠다.
(B) **소들이 수업을 지켜보았다.**
(C) 복잡한 손가락 움직임이 필요했다.
(D) 악기는 거의 2미터 정도로 길었다.

풀이 'Some cows watched us.'에서 소들이 Marco의 알펜호른 수업을 지켜봤다고 하였으므로 (B)가 정답이다. (A)는 연주하기 쉽지 않다고 하였으므로 오답이다. (D)는 3미터라고 하였으므로 오답이다.

[7-10]

The alphorn is Europe's antique cellphone. The long cone shape of the instrument allows it to be heard far away. It is very effective in areas with natural echoes, such as mountains and valleys. For many years, it was used to communicate in the mountains of Switzerland, Austria, Germany, and Northern Italy. In the 17th to 19th centuries, alphorns were used as signals in village communities there. They were often used when there were no church bells. However, they were mostly used by people who kept cattle herds. The horns let them communicate with other cow owners in the neighboring mountains. They could even signal people in the nearest village. Moreover, they could call the cows from the fields to the dairy when it was milking time. Alphorn music was then used to relax the cows while they were being milked. Today, alphorns are still used in festivals, TV commercials, and as tourist attractions. Sadly, the fascinating signal function of the alphorn and its uses to call or calm cattle have been lost.

해석

알펜호른은 유럽의 골동품 휴대전화이다. 이 기구의 기다란 원뿔 모양은 멀리에서도 잘 들리게 해준다. 그것은 산이나 계곡과 같이 자연 메아리가 있는 지역에서 매우 효과적이다. 수년 동안, 그것은 스위스, 오스트리아, 독일, 그리고 북이탈리아의 산악지대에서 의사소통하기 위해 사용되었다. 17~19세기에, 알펜호른은 그곳 마을 공동체의 신호로서 사용되었다. 그것들은 교회 종이 없을 때 흔히 사용되었다. 그런데, 그것들은 주로 소 떼를 길던 사람들에 의해 사용되었다. 호른은 인접한 산에 있는 다른 소 주인들과 그들이 의사소통하도록 해주었다. 그것들은 심지어 가장 가까운 마을의 사람들에게 신호를 보낼 수 있었다. 게다가, 그것들은 우유를 짜는 시간이 되면 소들을 들판에서 낙농장으로 부를 수 있었다. 알펜호른 음악은 그런 다음 젖을 짜는 동안 소들을 편안하게 하는 데 사용되었다. 오늘날, 알펜호른 음악은 여전히 축제, TV 광고에서, 그리고 관광 명물로서 사용되고 있다. 슬프게도, 알펜호른의 대단히 흥미로운 신호 기능 및 소(떼)를 부르거나 안심시키는 용도는 사라졌다.

Junior Book 2

7. Which of the following would be the best title for the passage?

(A) How to Play an Alphorn
(B) Where to Buy an Alphorn
(C) Why Cows Like Alphorns
(D) How Alphorns Were Used

해석 다음 중 지문에 가장 알맞은 제목은 무엇인가?

(A) 알펜호른을 어떻게 연주하는가
(B) 알펜호른을 어디에서 살 수 있는가
(C) 소들은 왜 알펜호른을 좋아하는가
(D) 알펜호른은 어떻게 사용되었는가

유형 전체 내용 파악

풀이 첫 문장에서부터 알펜호른('alphorn')이라는 중심 소재가 드러나고 있다. 그 후에 과거 17~19세기에 알펜호른이 어디서 무슨 용도로 쓰였는지 중점적으로 설명하고 있는 글이므로 (D)가 정답이다.

8. According to the passage, where would an alphorn most likely have been used in the 18th century?

(A) at a farm in Peru
(B) in a Chinese dairy
(C) on a Swiss mountain
(D) near a Japanese volcano

해석 지문에 따르면, 18세기에 알펜호른이 사용되었을 장소로 가장 적절한 곳은 어디인가?

(A) 페루 농장에서
(B) 중국 낙농장에서
(C) 스위스 산에서
(D) 일본 화산 근처에서

유형 세부 내용 파악 & 추론하기

풀이 'For many years, it was used to communicate in the mountains of Switzerland, Austria, Germany, and Northern Italy. In the 17th to 19th centuries, alphorns were used as signals in village communities there.'에서 알펜호른이 17~19세기에 수년 동안 스위스를 비롯해 유럽 중앙부의 산악지대와 그 마을 공동체에서 사용되었다는 사실을 알 수 있다. 따라서 (C)가 정답이다.

9. Which use of alphorns is NOT mentioned?

(A) to calm milk cows
(B) to stop animal thieves
(C) to replace church bells
(D) to get cows out of a field

해석 다음 중 알펜호른의 용도로 언급되지 않은 것은 무엇인가?

(A) 젖소를 안정시키는 것
(B) 동물 절도범을 막는 것
(C) 교회 종을 대체하는 것
(D) 들판에서 소를 부르는 것

유형 세부 내용 파악

풀이 알펜호른의 용도로 동물 절도범을 막는 것은 본문에서 언급되지 않았으므로 (B)가 정답이다. (A)는 'Alphorn music was then used to relax the cows while they were being milked.'에서, (C)는 'They were often used when there were no church bells.'에서, (D)는 'Moreover, they could call the cows from the fields to the dairy when it was milking time.'에서 확인할 수 있으므로 오답이다.

10. Which of these statements would the writer most likely agree with?

(A) "People playing alphorns looked silly."
(B) "Cows should learn to play the alphorn."
(C) "The signal function of alphorns was interesting."
(D) "The main purpose of alphorns was to show off wealth."

해석 다음 중 글쓴이가 가장 동의할 것 같은 문장은 무엇인가?

(A) "알펜호른을 연주하는 사람들은 어리석어 보였다."
(B) "소들이 알펜호른 연주하는 것을 배워야 한다."
(C) "알펜호른의 신호 기능은 흥미로웠다."
(D) "알펜호른의 주된 용도는 부유함을 과시하는 것이다."

유형 추론하기

풀이 마지막 문장 'Sadly, the fascinating signal function of the alphorn and its uses to call or calm cattle have been lost.'에서 글쓴이가 알펜호른의 신호 기능이 사라진 것을 안타까워하고 있고, 알펜호른의 신호 기능을 흥미롭다('fascinating')고 표현하고 있으므로 (C)가 정답이다.

Listening Practice ▶ J2-12 p.108

The alphorn is Europe's antique cellphone. The long cone shape of the instrument allows it to be heard far away. It is very <u>effective</u> in areas with natural echoes, such as mountains and valleys. For many years, it was used to communicate in the mountains of Switzerland, Austria, Germany, and Northern Italy. In the 17th to 19th centuries, alphorns were used as signals in village communities there. They were often used when there were no church bells. However, they were mostly used by people who kept cattle <u>herds</u>. The horns let them <u>communicate</u> with other cow owners in the neighboring mountains. They could even signal people in the nearest village. Moreover, they could call the cows from the fields to the <u>dairy</u> when it was milking time. Alphorn music was then used to relax the cows while they were being milked. Today, alphorns are still used in festivals, TV commercials, and as tourist attractions. Sadly, the fascinating <u>signal</u> function of the alphorn and its uses to call or calm <u>cattle</u> have been lost.

1. effective
2. herds
3. communicate
4. dairy
5. signal
6. cattle

Writing Practice p.109

1. effective
2. cattle
3. herd
4. communicate with
5. signal
6. dairy

📄 Summary

The alphorn once had a <u>signal</u> function in the mountains and villages of <u>Europe</u>. It was mostly used by people who kept <u>cattle</u> herds to call or calm cows. Now it is mainly used at festivals or in <u>commercials</u>.

알펜호른은 한때 <u>유럽</u>의 산악지대와 마을에서 <u>신호</u> 기능을 했다. 그것은 주로 <u>소</u> 떼를 키우는 사람들에 의해 소들을 부르거나 안심시키려고 사용되었다. 이제 그것은 주로 축제나 <u>광고</u>에서 사용된다.

Word Puzzle p.110

Across	Down
2. effective	1. cattle
5. signal	3. communicate with
6. herd	4. dairy

One Composer, Two Heads

The famous Austrian composer Joseph Haydn died in 1809. Eight days after he died, two people took the head from his dead body. At the time, there was a common belief that the bumps in people's skulls could be "read." It was thought that "reading" the bumps in Haydn's head would reveal how the composer could write such beautiful music.

Eleven years after Haydn's death, an Austrian prince wanted to move Haydn's tomb to another place. It was then discovered that the composer's body had no head. Haydn's wig was there, but there was no skull. The prince was very angry, and searched for Haydn's skull. The thieves tricked the prince, giving him another skull that could go in Haydn's grave with the skeleton.

Decades later, in 1895, a music society in Vienna, Austria received a gift. It was Haydn's skull. Many decades after that, in 1954, Haydn's skull was placed together in the tomb with Haydn's skeleton. However, the other skull was left in the tomb, too, so there are now two skulls in Haydn's grave. But to whom does the other skull belong? It is a mystery in the world of classical music.

한 명의 작곡가, 두 개의 머리

유명한 오스트리아의 작곡가 Joseph Haydn은 1809년에 별세했다. 그가 죽은 지 8일 후, 두 사람이 그의 시체에서 머리를 가져갔다. 당시에는, 사람의 두개골의 튀어나와 있는 부분이 "읽힐" 수 있다는 통념이 있었다. Haydn의 머리의 튀어나온 부분을 읽는 것이 작곡가가 어떻게 그렇게 아름다운 음악을 쓸 수 있는지를 드러내리라 생각되었다.

Haydn의 사망 후 11년이 지난 뒤, 오스트리아 왕자는 Haydn의 무덤을 다른 장소로 옮기기를 원했다. 그러자 그 작곡가의 몸에 머리가 없다는 것이 발견되었다. Haydn의 가발은 거기 있었지만, 두개골은 없었다. 왕자는 몹시 화가 났고, Haydn의 두개골을 찾으려 했다. 절도범들은 그에게 Haydn의 뼈대와 함께 무덤에 들어갈 수 있는 다른 두개골을 주면서 왕자를 속였다.

수십 년이 지난 후, 1895년에, 오스트리아 빈의 한 음악 협회는 선물을 받았다. 그것은 Haydn의 두개골이었다. 그로부터 수십 년 후, 1954년에, Haydn의 두개골은 Haydn의 뼈대와 함께 무덤에 안치되었다. 하지만, 다른 두개골도 무덤에 남겨졌기 때문에, 지금 Haydn의 무덤에는 두개골이 두 개 있다. 그런데 다른 두개골은 누구의 것일까? 그것은 클래식 음악의 세계에서 미스터리이다.

MEMO

MEMO

TOSEL® Reading

Junior Book 3

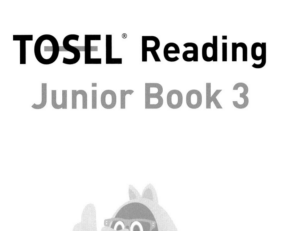

Junior Book 3

ANSWERS

UNIT 1 (J3-1, p.11)

⏱ 1 (B) | 2 (D) | 3 (B) | 4 (D) | 5 (D) | 6 (C) | 7 (B) | 8 (C) | 9 (B) | 10 (B)

🎧 1 chemistry 2 experiments 3 materials 4 molecules 5 nuclear 6 disagreed

✏ 1 chemistry 2 experiment 3 material 4 molecule 5 diagree with 6 nuclear weapon

📄 chemistry, Nobel, nuclear, disagreed

🔠 → 1 experiment 5 material 6 molecule   ↓ 2 nuclear weapon 3 disagree with 4 chemistry

UNIT 2 (J3-2, p.19)

⏱ 1 (D) | 2 (D) | 3 (D) | 4 (A) | 5 (A) | 6 (C) | 7 (D) | 8 (A) | 9 (C) | 10 (C)

🎧 1 fascinating 2 geometry 3 imaginary 4 surfaces 5 billiard 6 ground-breaking

✏ 1 geometry 2 fascinating 3 imaginary 4 surface 5 billiard ball 6 ground-breaking

📄 mathematician, Medal, first, cancer

🔠 → 3 imaginary 5 surface 6 fascinating   ↓ 1 billiard ball 2 ground-breaking 4 geometry

UNIT 3 (J3-3, p.27)

⏱ 1 (B) | 2 (C) | 3 (D) | 4 (B) | 5 (A) | 6 (C) | 7 (C) | 8 (A) | 9 (D) | 10 (C)

🎧 1 advanced 2 scholarship 3 particles 4 revolutionary 5 establish 6 institutes

✏ 1 advance 2 scholarship 3 particle 4 revolutionary 5 establish 6 institute

📄 effect, clear, revolutionary, Physics

🔠 → 4 establish 6 advance   ↓ 1 particle 2 scholarship 3 revolutionary 5 institute

UNIT 4 (J3-4, p.35)

⏱ 1 (D) | 2 (B) | 3 (B) | 4 (C) | 5 (D) | 6 (C) | 7 (D) | 8 (D) | 9 (D) | 10 (C)

🎧 1 hired 2 subjects 3 passion 4 invention 5 automatically 6 potential

✏ 1 hire 2 subject 3 have a deep passion for 4 invention 5 automatically 6 saw the potential of

📄 computer, potential, engine, programs

🔠 → 5 saw the potential of 6 subject   ↓ 1 invention 2 automatically 3 hire 4 have a deep passion for

UNIT 5 (J3-5, p.45)

⏱ 1 (B) | 2 (B) | 3 (B) | 4 (B) | 5 (D) | 6 (C) | 7 (B) | 8 (C) | 9 (B) | 10 (D)

🎧 1 respect 2 recovered 3 cure for 4 boiled 5 soaked 6 humanity

✏ 1 respect 2 recover 3 cure for 4 boil 5 soak 6 humanity

📄 medicine, cure, research, plant

🔠 → 1 recover 4 humanity 5 boil   ↓ 1 respect 2 soak 3 cure for

UNIT 6 (J3-6, p.53)

⏱ 1 (A) | 2 (B) | 3 (C) | 4 (B) | 5 (D) | 6 (B) | 7 (C) | 8 (B) | 9 (A) | 10 (D)

🎧 1 hostile 2 escape 3 protect 4 rights 5 representative 6 impact

✏ 1 hostile 2 escape 3 protect 4 rights 5 representative for 6 have an impact on

📄 save, Guatemala, war, impact

🔠 → 4 hostile 5 escape 6 have an impact on   ↓ 1 rights 2 protect 3 representative for

UNIT 7 (J3-7, p.61)

⏱ 1 (C) | 2 (B) | 3 (A) | 4 (A) | 5 (C) | 6 (A) | 7 (D) | 8 (B) | 9 (A) | 10 (B)

🎧 1 plans 2 original 3 later on 4 curve 5 unusual 6 unique

✏ 1 plans 2 original 3 later on 4 curve 5 unusual 6 unique

📄 architects, buildings, unique, creativity

🔠 → 2 unusual 5 unique 6 original   ↓ 1 plans 3 later on 4 curve

UNIT 8 (J3-8, p.69)

⏱ 1 (D) | 2 (D) | 3 (D) | 4 (D) | 5 (B) | 6 (D) | 7 (D) | 8 (A) | 9 (B) | 10 (B)

🎧 1 activist 2 veterinarians 3 founded 4 thanks 5 soil 6 influence

✏ 1 activist 2 veterinarian 3 found 4 thanks to 5 soil 6 influence others

📄 environment, Belt, influence, trees

🔠 → 1 activist 3 veterinarian 5 found 6 soil   ↓ 2 thanks to 4 influence others

UNIT 9 (J3-9, p.79)

⏱ 1 (B) | 2 (B) | 3 (A) | 4 (D) | 5 (B) | 6 (B) | 7 (C) | 8 (B) | 9 (B) | 10 (C)

🎧 1 quality 2 spaceships 3 Eventually 4 trained 5 head of 6 opportunities

✏ 1 bad in quality 2 spaceship 3 eventually 4 train to 5 head of 6 opportunity

📄 woman, head, opportunities, space

🔠 → 2 spaceship 6 eventually   ↓ 1 opportunity 3 bad in quality 4 train to 5 head of

UNIT 10 (J3-10, p.87)

⏱ 1 (B) | 2 (D) | 3 (B) | 4 (D) | 5 (D) | 6 (D) | 7 (C) | 8 (C) | 9 (B) | 10 (B)

🎧 1 generals 2 took over 3 based 4 bestseller 5 translated 6 worldwide

✏ 1 general 2 take over 3 be based on 4 bestseller 5 translate 6 worldwide

📄 authors, book, translated, languages

🔠 → 5 translate 6 take over   ↓ 1 be based on 2 bestseller 3 worldwide 4 general

UNIT 11 (J3-11, p.95)

⏱ 1 (B) | 2 (D) | 3 (A) | 4 (C) | 5 (C) | 6 (A) | 7 (C) | 8 (B) | 9 (C) | 10 (C)

🎧 1 sailing 2 prove 3 ancient 4 distances 5 interest in 6 increased

✏ 1 sailing 2 prove 3 increase 4 ancient 5 long distance 6 interest in

📄 was, sailing, maps, researchers

🔠 → 3 ancient 4 sailing 6 prove   ↓ 1 interest in 2 long distance 5 increase

UNIT 12 (J3-12, p.103)

⏱ 1 (D) | 2 (C) | 3 (A) | 4 (A) | 5 (A) | 6 (D) | 7 (B) | 8 (C) | 9 (A) | 10 (B)

🎧 1 cliffs 2 skeleton 3 fossils 4 dug up 5 traded 6 on her

✏ 1 skeleton 2 cliff 3 fossil 4 dig up 5 trade 6 look down on

📄 fossils, down, work, decades

🔠 → 1 cliff 3 skeleton 6 dig up   ↓ 2 fossil 4 look down on 5 trade

Chapter 1. Famous People 1

Pre-reading Questions   p.11

Have you ever heard of Linus Pauling?

Look at the illustration.

What do you think Pauling was known for?

Linus Pauling에 관해 들어봤나요?

삽화를 보세요.

Pauling이 무엇으로 알려져 있다고 생각하나요?

Reading Passage   p.12

Linus Pauling

Linus Pauling loved chemistry from a very young age. When he was still in junior high school in Oregon, USA, Pauling and his friends did experiments after school. They would go to a nearby factory looking for materials to practice chemistry. In university, Linus Pauling continued to study chemistry, and eventually became a professor. He mostly researched how the molecules of different chemicals bond together. His research is still studied today and was so important that Pauling won a Nobel Prize in chemistry in 1954. However, he was not just well known because of his scientific achievements. He also worked very hard to bring peace to the world. Throughout his life, he talked about the need to stop all wars. He believed that all wars are bad. In particular, he was against nuclear weapons, thinking that they were too dangerous to use. Many people disagreed with him, and even the government sometimes disliked what he said, but he continued to speak about how terrible war is. In 1962, Linus Pauling won the Nobel Peace Prize. This made him the second person to win two Nobel Prizes after scientist Marie Curie.

Linus Pauling

Linus Pauling은 아주 어렸을 때부터 화학을 아주 좋아했다. 그가 아직 미국 오리건주에서 중학교에 다니고 있을 때, Pauling과 그의 친구들은 방과 후에 실험을 했다. 그들은 화학을 실습할 재료들을 찾으러 근처 공장에 가곤 했다. 대학에서, Linus Pauling은 화학 공부를 계속했고, 결국 교수가 되었다. 그는 어떻게 여러 화학 물질의 분자들이 서로 결합하는지를 주로 연구했다. 그의 연구는 오늘날에도 여전히 연구되고 있으며 너무나도 중요해서 Pauling은 1954년에 노벨 화학상을 받았다. 하지만, 그는 그의 과학적 성과만으로 유명한 것은 아니었다. 그는 또한 세계에 평화를 가져오기 위해 매우 열심히 일했다. 일생을 통틀어, 그는 모든 전쟁을 중단해야 할 필요성에 관해 이야기했다. 그는 모든 전쟁이 나쁘다고 믿었다. 특히, 그는 사용하기에 너무 위험하다고 생각하며 핵무기에 반대했다. 많은 사람이 그의 말에 동의하지 않았고, 심지어 정부조차 때때로 그의 발언을 싫어했지만, 그는 전쟁이 얼마나 끔찍한지를 계속해서 이야기했다. 1962년에, Linus Pauling은 노벨 평화상을 수상했다. 이로써 그는 과학자 Marie Curie에 이어 두 개의 노벨상을 받은 두 번째 사람이 되었다.

어휘 chemistry 화학 | experiment 실험 | nearby 근처의, 가까운 곳의 | material 재료 | practice 실습하다 | eventually 결국 | professor 교수 | research 연구하다; 연구 | molecule 분자 | chemical 화학 물질 | win (상을) 타다 | achievement 성과 | nuclear 핵 | weapon 무기 | disagree 동의하지 않다 | government 정부 | dislike 싫어하다 | reading 읽기 자료, 독서물 | presenter 발표자 | statistics 통계학 | astronomy 천문학 | economics 경제학 | debate 논쟁 | acid 산성의 | right 권리 | pollution 오염 | biochemist 생화학자 | activist 운동가, 활동가 | inventor 발명가 | expert 전문가 | plant 공장 | local 지역의, 현지의 | injure 상처를 입히다, 해치다 | physicist 물리학자 | atomic 원자의 | hydrogen 수소 | prevent 예방하다 | damage 피해, 손상 | fallout (방사능) 낙진; 좋지 못한 결과 | radioactivity 방사능 | continued 계속되는 | severe 극심한 | match 경기 | shut down 폐쇄하다 | power plant 발전소 | speak against ~에 대해 반대 발언을 하다 | argue 언쟁을 하다, 다투다, 주장하다

✓ Comprehension Questions   p.13

1. A: How is your science class?
   B: Good, but difficult. Some of the readings are <u>too hard to</u> understand.

   (A) too hard
   (B) too hard to
   (C) as hard to we
   (D) as to hard we

해석 A: 과학 수업은 어때?
   B: 좋아, 그렇지만 어려워. 읽기 자료 중 몇 개는 <u>너무 어려워서</u> 이해하<u>기 힘들어.</u>

   (A) 너무 어려운
   (B) ~하기에 너무 어려운
   (C) 어색한 표현
   (D) 어색한 표현

풀이 'A하기에 너무 B하다'라는 뜻을 나타낼 때 'too B to A'라고 표현할 수 있으므로 (B)가 정답이다.

새겨 두기 해당 문장에서 동사 'understand'의 목적어는 'Some of the readings'이다.

관련 문장 In particular, he was against nuclear weapons, thinking that they were too dangerous to use.

2. A: I thought that presenter was great!
   B: He was interesting, but I don't really <u>agree with</u> him.

   (A) agree
   (B) agree by
   (C) agree for
   (D) agree with

해석 A: 나는 그 발표자가 훌륭하다고 생각했어!
   B: 그는 흥미로웠지만, 나는 그의 의견<u>에</u> 별로 <u>동의하지</u> 않아.

   (A) 동의하다
   (B) ~로써 동의하다
   (C) 동사 agree + 전치사 for
   (D) ~에 동의하다

풀이 '~에 동의하다(하지 않다)'라는 뜻을 나타낼 때 동사 '(dis)agree'와 전치사 'with'를 사용하여 '(dis)agree with'라고 표현하므로 (D)가 정답이다.

관련 문장 Many people disagreed with him, [...].

3. I love all my classes, but my favorite subject is <u>chemistry</u>.

   (A) statistics
   (B) chemistry
   (C) astronomy
   (D) economics

해석 나는 모든 수업을 아주 좋아하지만, 가장 좋아하는 과목은 <u>화학</u>이다.

   (A) 통계학
   (B) 화학
   (C) 천문학
   (D) 경제학

풀이 칠판에 여러 분자 구조가 적혀있고, 학생이 액체로 실험을 하고 있다. 이러한 것들은 화학 수업과 관련이 깊으므로 (B)가 정답이다.

관련 문장 Linus Pauling loved chemistry from a very young age.

4. There are debates about <u>nuclear weapons</u>.

   (A) acid rain
   (B) animal rights
   (C) water pollution
   (D) nuclear weapons

해석 <u>핵무기</u>에 관한 논쟁들이 있다.

   (A) 산성비
   (B) 동물의 권리
   (C) 수질 오염
   (D) 핵무기

풀이 방사능 표시가 있는 핵탄두 그림이므로 (D)가 정답이다.

관련 문장 In particular, he was against nuclear weapons, [...]

해석

	오늘밤! TV 생중계!	
	두 명의 발언자	
Edward Teller		Linus Pauling
• 물리학자		• 화학자
• 원자 폭탄 공동 제작자		• 핵무기 개발 지속에 반대함
• 수소 폭탄을 만듦		
입장: 핵무기는 제3차 세계대전을 막는데 도움을 줄 수 있다. 그리고 핵 낙진*에 의한 피해가 다른 방사능만큼 나쁘지 않을 수도 있다.		입장: 핵무기가 전쟁을 막기 위한 방법으로서 개발되어서는 안된다. 핵 낙진으로 인한 피해는 극심하다.

*핵 낙진 = 핵폭발에 의하여 생겨나 주변의 땅 위에 떨어지는 방사성 물질

5. What is the notice most likely for?

(A) a book

(B) a radio show

(C) a sports match

(D) a debate on TV

해석 안내문은 무엇을 위한 것이겠는가?

(A) 책

(B) 라디오 쇼

(C) 운동 경기

(D) TV 토론

풀이 'Tonight! Live on Television!'에서 TV 생방송 프로그램임을 알 수 있고, 밑에 핵무기 개발에 상반된 입장을 보이는 두 발언자('Two Speakers')의 의견을 소개하고 있다. 따라서 해당 안내문은 TV 토론 프로그램을 알리는 것임을 알 수 있으므로 (D)가 정답이다.

6. According to the notice, what is true?

(A) Teller helped shut down a nuclear power plant.

(B) Pauling proved that nuclear fallout was not severe.

(C) Teller argues nuclear weapons can help prevent war.

(D) Pauling shows why nuclear weapons should be developed.

해석 안내문에 따르면, 옳은 설명은 무엇인가?

(A) Teller는 원자력 발전소 폐쇄하는 것을 도왔다.

(B) Pauling은 핵 낙진이 심각하지 않았다고 증명했다.

(C) Teller는 핵무기가 전쟁을 막는 데 도움이 된다고 주장한다.

(D) Pauling은 왜 핵무기들이 개발되어야 하는지를 증명한다.

풀이 'Nuclear weapons can help to prevent a third world war.'에서 Teller가 핵무기가 전쟁 예방에 도움이 된다고 주장하고 있음을 알 수 있으므로 (C)가 정답이다. (B)는 'Damage from nuclear fallout is severe.'에서 Pauling이 핵 낙진으로 인한 피해는 극심하다고 하였으므로 오답이다. (D)는 Pauling은 핵무기 개발을 지지하지 않으므로 오답이다.

Linus Pauling loved chemistry from a very young age. When he was still in junior high school in Oregon, USA, Pauling and his friends did experiments after school. They would go to a nearby factory looking for materials to practice chemistry. In university, Linus Pauling continued to study chemistry, and eventually became a professor. He mostly researched how the molecules of different chemicals bond together. His research is still studied today and was so important that Pauling won a Nobel Prize in chemistry in 1954. However, he was not just well known because of his scientific achievements. He also worked very hard to bring peace to the world. Throughout his life, he talked about the need to stop all wars. He believed that all wars are bad. In particular, he was against nuclear weapons, thinking that they were too dangerous to use. Many people disagreed with him, and even the government sometimes disliked what he said, but he continued to speak about how terrible war is. In 1962, Linus Pauling won the Nobel Peace Prize. This made him the second person to win two Nobel Prizes after scientist Marie Curie.

해석

Linus Pauling은 아주 어렸을 때부터 화학을 아주 좋아했다. 그가 아직 미국 오리건주에서 중학교에 다니고 있을 때, Pauling과 그의 친구들은 방과 후에 실험을 했다. 그들은 화학을 실습할 재료들을 찾으러 근처 공장에 가곤 했다. 대학에서, Linus Pauling은 화학 공부를 계속했고, 결국 교수가 되었다. 그는 어떻게 여러 화학 물질의 분자들이 서로 결합하는지를 주로 연구했다. 그의 연구는 오늘날에도 여전히 연구되고 있으며 너무나도 중요해서 Pauling은 1954년에 노벨 화학상을 받았다. 하지만, 그는 그의 과학적 성과만으로 유명한 것은 아니었다. 그는 또한 세계에 평화를 가져오기 위해 매우 열심히 일했다. 일생을 통틀어, 그는 모든 전쟁을 중단해야 할 필요성에 관해 이야기했다. 그는 모든 전쟁이 나쁘다고 믿었다. 특히, 그는 사용하기에 너무 위험하다고 생각하며 핵무기에 반대했다. 많은 사람이 그의 말에 동의하지 않았고, 심지어 정부조차 때때로 그의 발언을 싫어했지만, 그는 전쟁이 얼마나 끔찍한지를 계속해서 이야기했다. 1962년에, Linus Pauling은 노벨 평화상을 수상했다. 이로써 그는 과학자 Marie Curie에 이어 두 개의 노벨상을 받은 두 번째 사람이 되었다.

7. Which is the best title for the passage?
(A) Linus Pauling: Biochemist and Soldier
(B) Linus Pauling: Chemist and Peace Activist
(C) Linus Pauling: Inventor of Nuclear Weapons
(D) Linus Pauling: 18th Century Chemistry Expert

해석 지문에 가장 알맞은 제목은 무엇인가?
(A) Linus Pauling: 생화학자 겸 군인
(B) Linus Pauling: 화학자 겸 평화 운동가
(C) Linus Pauling: 핵무기 발명가
(D) Linus Pauling: 18세기 화학 전문가

유형 전체 내용 파악

풀이 글의 첫 문장에서부터 'Linus Pauling'이란 중심인물이 소개되고, 전반부에는 노벨화학상을 받은 화학자로서의 업적, 후반부에는 전쟁 반대에 힘써 노벨 평화상을 수상하는 등 평화 운동가로서의 업적을 다루고 있다. 따라서 (B)가 정답이다.

8. According to the passage, what did Pauling do as a child?
(A) work in a chemical plant
(B) make weapons for his country
(C) look for materials from a local factory
(D) injure an eye in a chemistry experiment

해석 지문에 따르면, Pauling이 어릴 때 한 일은 무엇인가?
(A) 화학 공장에서 일하기
(B) 자국용 무기 만들기
(C) 지역 공장에서 재료 찾기
(D) 화학 실험에서 눈 상처 입기

유형 세부 내용 파악

풀이 'Linus Pauling loved chemistry from a very young age. When he was still in junior high school [...] They would go to a nearby factory looking for materials to practice chemistry.'에서 Pauling과 친구들이 학창시절에 실험 재료를 찾으러 근처 공장에 갔다고 언급하고 있다. 따라서 (C)가 정답이다.

9. Which of the following is mentioned about Pauling?
(A) his wife
(B) his friends
(C) his children
(D) his mentors

해석 다음 중 Pauling에 관해 언급된 내용은 무엇인가?
(A) 그의 아내
(B) 그의 친구들
(C) 그의 자녀들
(D) 그의 멘토들

유형 세부 내용 파악

풀이 'Pauling and his friends did experiments after school.'에서 Pauling이 친구들과 방과 후에 실험하였다고 하였으므로 (B)가 정답이다.

10. According to the passage, which of the following statements would Pauling most likely agree with?

(A) "Humans need to go to war sometimes."

(B) "War is never the right choice for the world."

(C) "Chemistry's purpose is to help the military."

(D) "At least nuclear weapons are safer than other ones."

해석 지문에 따르면, 다음 중 Pauling이 가장 동의할 문장은 무엇이겠는가?

(A) "인간은 때때로 전쟁해야 한다."

(B) "전쟁은 결코 세상을 위한 옳은 선택이 아니다."

(C) "화학의 목적은 군대를 돕기 위함이다."

(D) "최소한 핵무기는 다른 것들에 비해 안전하다."

유형 추론하기

풀이 글의 후반부를 보면 Pauling은 전쟁과 핵무기에 반대했고, 정부를 비롯해 반대 세력에도 불구하고 계속 전쟁의 끔찍함에 대해 목소리를 내 1962년에 노벨 평화상까지 받았다고 하였다. 따라서 Pauling은 반전쟁주의자로서 전쟁이 옳은 선택이 아니라는 말에 동의할 것이므로 (B)가 정답이다. 나머지 선택지는 Pauling이 전쟁에 반대했을 뿐 아니라 핵무기도 지지하지 않았으므로 오답이다.

 Listening Practice J3-1 p.16

Linus Pauling loved <u>chemistry</u> from a very young age. When he was still in junior high school in Oregon, USA, Pauling and his friends did <u>experiments</u> after school. They would go to a nearby factory looking for <u>materials</u> to practice chemistry. In university, Linus Pauling continued to study chemistry, and eventually became a professor. He mostly researched how the <u>molecules</u> of different chemicals bond together. His research is still studied today and was so important that Pauling won a Nobel Prize in chemistry in 1954. However, he was not just well known because of his scientific achievements. He also worked very hard to bring peace to the world. Throughout his life, he talked about the need to stop all wars. He believed that all wars are bad. In particular, he was against <u>nuclear</u> weapons, thinking that they were too dangerous to use. Many people <u>disagreed</u> with him, and even the government sometimes disliked what he said, but he continued to speak about how terrible war is. In 1962, Linus Pauling won the Nobel Peace Prize. This made him the second person to win two Nobel Prizes after scientist Marie Curie.

1. chemistry

2. experiments

3. materials

4. molecules

5. nuclear

6. disagreed

 **Writing Practice** p.17

1. chemistry

2. experiment

3. material

4. molecule

5. disagree with

6. nuclear weapon

 Summary

Linus Pauling's <u>chemistry</u> research was so important that he won a <u>Nobel</u> Prize. He also spoke against wars and <u>nuclear</u> weapons, even though many people <u>disagreed</u> with him.

Linus Pauling의 <u>화학</u> 연구는 아주 중요해서 그는 <u>노벨상</u>을 받았다. 비록 많은 사람이 그에게 <u>동의하지 않았</u>어도, 그는 또한 전쟁과 핵무기에 반대하는 주장을 펼쳤다.

 Word Puzzle p.18

Across

1. experiment

5. material

6. molecule

Down

2. nuclear weapon

3. disagree with

4. chemistry

Pre-reading Questions　　　　p.19

Have you ever heard of Maryam Mirzakhani?

Look at the illustration.

What do you think Mirzakhani was known for?

Maryam Mirzakhani에 대해 들어본 적이 있나요?

삽화를 보세요.

Maryam Mirzakhani가 무엇으로 알려졌다고 생각하나요?

Reading Passage　　　　p.20

Maryam Mirzakhani

Maryam Mirzakhani was an incredible person in the world of mathematics. She was famous for a variety of reasons. First, she was the only woman ever to win the Fields Medal. Sixty people have won the award so far. Except for Mirzakhani, they have all been male. Second, Mirzakhani was the first person from Iran to win it. In doing so, she reminded the world of Iran's long tradition of mathematics. Third, Mirzakhani's work was fascinating to mathematicians all over the globe. As a mathematician, Mirzakhani thought of many confusing problems and aimed to find solutions. She worked in a difficult area of geometry and studied imaginary surfaces. The surfaces she studied were both curved like a wavy potato chip and closed like a doughnut. She also explored the movement of shapes like billiard balls. Her ideas about surfaces helped lead other mathematicians to new questions. Fourth, Mirzakhani was famous for her bravery in the face of illness. Even when she got cancer, she kept working on her research. In short, Maryam Mirzakhani will be remembered by the world for her incredible work as a ground-breaking mathematician.

Maryam Mirzakhani

Maryam Mirzakhani는 수학계에서 놀라운 사람이었다. 그녀는 다양한 이유로 유명했다. 첫 번째, 그녀는 필즈상을 받은 유일한 여성이었다. 지금까지 육십 명이 그 상을 받았다. Mirzakhani를 제외하고, 그들은 모두 남성이었다. 두 번째, Mirzakhani는 그것을 수상한 첫 번째 이란 출신이다. 그렇게 함으로써, 그녀는 이란의 오랜 수학 전통을 세계에 상기시켰다. 세 번째, Mirzakhani의 성과는 전 세계 수학자들에게 매우 흥미로운 것이었다. 수학자로서, Mirzakhani는 많은 복잡한 문제들을 고민했고 해결책 찾기를 목표로 했다. 그녀는 기하학의 어려운 분야에서 연구했고, 가상의 표면들에 관해 공부했다. 그녀가 연구했던 표면들은 물결치는 감자 칩처럼 구부러져 있으면서도 도넛처럼 닫혀있었다. 그녀는 또한 당구공과 같은 형태의 움직임도 연구했다. 표면에 대한 그녀의 생각은 다른 수학자들을 새로운 문제로 이끌도록 도왔다. 네 번째, Mirzakhani는 병 앞에서 용감한 것으로 유명했다. 심지어 그녀가 암에 걸렸을 때도, 그녀는 연구를 계속했다. 요약하면, Maryam Mirzakhani는 획기적인 수학자로서 이룬 그녀의 놀라운 업적으로 세계에 의해 기억될 것이다.

어휘 a variety of 다양한 | award 상 | male 남성의 | remind A of B
A에게 B를 상기시키다 | tradition 전통 | fascinating 대단히
흥미로운, 매혹적인, 매력적인 | the globe 세계 | confusing
복잡한, 혼란스러운 | aim to V V하는 것을 목표로 하다 |
geometry 기하학 | study 연구하다 | imaginary 가상의 |
surface [기하]면; 표면, 표층 | curved 구부러진 | wavy
물결치는 | closed 닫힌 | explore 탐구하다 | billiard 당구 |
lead A to B A를 B로 이끌다 | bravery 용감함 | illness 질병 |
cancer 암 | ground-breaking 획기적인 | fascinate 마음을
사로잡다, 매혹[매료]시키다 | anatomy 해부학 | literature
문학 | striped 줄무늬가 있는 | sunken 물속에 가라앉은,
침몰한 | face 직면하다 | succeed 성공하다 | cure 치료하다 |
prize 상 | disease 질병 | nutrition 영양 | politician 정치인 |
graduate 졸업하다 | related to ~와 관련된 | share 공유하다 |
subject 과목, 학과; 주제, 대상 | proof 증명 | showcase 발표회,
쇼케이스, 전시, 진열 | overnight 하룻밤 동안 | stay overnight
밤새우다 | cabin 오두막 | task 과제 | present 발표하다 |
consider 고려하다 | continue 계속되다; 계속하다

Comprehension Questions p.21

1. A: Did you read that book I recommended?
   B: I did, and I found it really <u>fascinating</u>.

   (A) fascinate
   (B) fascinator
   (C) fascinated
   (D) **fascinating**

해석 A: 내가 추천했던 책 읽었니?
    B: 읽었어, 정말 <u>매혹적</u>이었어.

    (A) 매료시키다
    (B) 머리 장식품
    (C) 매료된
    (D) **매혹적인**

풀이 빈칸은 목적어 'it'의 목적격 보어 자리이고, 'it'은 앞 문장의 사물
    'that book'을 가리키므로 빈칸에는 능동형 뜻을 갖는 형용사가
    적절하다. 따라서 (D)가 정답이다.

새겨 두기 'A가 B라고 생각하다[여기다]'를 표현할 때 'find A(목적어)
    B(목적격 보어)'의 5형식 구조를 사용할 수 있음을 알아두자.

새겨 두기 '-ed'와 '-ing'로 끝나는 형용사의 차이를 알아둔다. 대개
    '-ed'는 수동의 의미를, '-ing'는 능동의 의미를 갖는다.
    따라서 'That book is fascinating.'(그 책은 [사람들의]
    마음을] 매료시킨다, 사로잡는다.)은 의미가 자연스럽지만,
    'That book is fascinated.'(그 책은 매료됐어, 마음이
    사로잡혔어.)는 'That book'이 사물이므로 어색하다.

관련 문장 Third, Mirzakhani's work was fascinating to
    mathematicians all over the globe.

2. A: Did she win the award?
   B: She did! Sixty people <u>have won</u> it so far, but she's
   the first woman.

   (A) win
   (B) won
   (C) wins
   (D) **have won**

해석 A: 그녀가 상을 받았니?
    B: 그래! 지금까지 육십 명이 그 상을 <u>받았었는</u>데, 그녀가 최초
       여성이야.

    (A) 수상하다
    (B) 수상했다
    (C) 수상하다
    (D) **수상해왔다**

풀이 'so far'(지금까지)라는 표현이 있는 것으로 보아 그동안 60명이
    상을 받았다는 내용이 적절하다. 과거 어느 시점에서 현재까지
    이어지는 사건을 이야기할 때 현재 완료 시제를 사용할 수
    있으므로 (D)가 정답이다.

새겨 두기 'so far', 'since', 'already' 등 의미상 완료 시제와 자주
    어울리는 구절을 알아 둔다.

관련 문장 Sixty people have won the award so far. Except for
    Mirzakhani, they have all been male.

3. Ms. Parva teaches the <u>geometry</u> class.
   (A) biology
   (B) anatomy
   (C) literature
   (D) **geometry**

해석 Parva 선생님은 <u>기하학</u> 수업을 가르친다.
    (A) 생물학
    (B) 해부학
    (C) 문학
    (D) **기하학**

풀이 칠판에 도형과 공식이 쓰여 있다. 따라서 도형과 공간의 성질을
    연구하는 수학 분야인 기하학을 가르치고 있다는 내용이 가장
    자연스러우므로 (D)가 정답이다.

관련 문장 She worked in a difficult area of geometry and
    studied imaginary surfaces.

4. There are seven <u>billiard</u> balls on the table.

(A) **billiard**
(B) basket
(C) striped
(D) sunken

해석 테이블 위에 일곱 개의 <u>당구공</u>이 있다.

(A) 당구
(B) 바구니
(C) 줄무늬가 있는
(D) 물속에 가라앉은

풀이 당구공들이 7개 있으므로 (A)가 정답이다.

관련 문장 She also explored the movement of shapes like billiard balls.

[5-6]

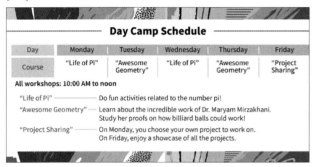

해석

일일 캠프 일정표				
요일	월요일	화요일	수요일	목요일	금요일
강의	"파이 이야기"	"엄청난 기하학"	"파이 이야기"	"엄청난 기하학"	"프로젝트 공유"

모든 워크숍: 오전 10시부터 정오까지

"파이 이야기" - 숫자 파이와 관련된 재미있는 활동들을 해요!

"엄청난 기하학" - Maryam Mirzakhani 박사의 놀라운 업적에 관해 배워요. 당구공이 어떻게 작동할 수 있는지에 관한 그녀의 증명을 공부해요!

"프로젝트 공유" - 월요일에, 여러분은 본인이 수행할 프로젝트를 선택해요. 금요일에, 모든 프로젝트의 발표 행사를 즐겨요.

5. What kind of camp is this most likely to be?

(A) **math**
(B) sports
(C) theater
(D) chemistry

해석 이 캠프의 종류로 가장 적절한 것은 무엇인가?

(A) 수학
(B) 운동
(C) 연극
(D) 화학

풀이 'Life of Pi', 'Awesome Geometry' 등 특정 숫자와 기하학에 관한 활동이 있는 캠프이므로 (A)가 정답이다.

6. Which would campers most likely do at the camp?

(A) stay overnight on a Thursday in a forest cabin
(B) arrive for geometry lessons on Tuesday afternoon
(C) **do a task with the number 3.14 on a Wednesday morning**
(D) present a finished project on billiard balls on Friday evening

해석 다음 중 캠프 참여자들이 캠프에서 할 활동으로 가장 적절한 것은 무엇인가?

(A) 목요일에 숲속 오두막에서 밤새우기
(B) 화요일 오후에 기하학 수업에 도착하기
(C) 수요일 오전에 숫자 3.14에 관한 과제 수행하기
(D) 금요일 저녁에 당구공에 관해 완수된 프로젝트 발표하기

풀이 수요일 'Life of Pi' 워크숍의 'Do fun activities related to the number pi!'에서 숫자 파이에 관한 활동을 한다고 나와 있다. 'number pi'는 약 3.14의 값을 갖는 원주율(π)의 기호이므로 (C)가 정답이다. (B)와 (D)는 모든 워크숍은 오전 10시에서 정오 12시 사이에 진행하므로 오답이다.

Maryam Mirzakhani was an incredible person in the world of mathematics. She was famous for a variety of reasons. First, she was the only woman ever to win the Fields Medal. Sixty people have won the award so far. Except for Mirzakhani, they have all been male. Second, Mirzakhani was the first person from Iran to win it. In doing so, she reminded the world of Iran's long tradition of mathematics. Third, Mirzakhani's work was fascinating to mathematicians all over the globe. As a mathematician, Mirzakhani thought of many confusing problems and aimed to find solutions. She worked in a difficult area of geometry and studied imaginary surfaces. The surfaces she studied were both curved like a wavy potato chip and closed like a doughnut. She also explored the movement of shapes like billiard balls. Her ideas about surfaces helped lead other mathematicians to new questions. Fourth, Mirzakhani was famous for her bravery in the face of illness. Even when she got cancer, she kept working on her research. In short, Maryam Mirzakhani will be remembered by the world for her incredible work as a ground-breaking mathematician.

해석

Maryam Mirzakhani는 수학계에서 놀라운 사람이었다. 그녀는 다양한 이유로 유명했다. 첫 번째, 그녀는 필즈상을 받은 유일한 여성이었다. 지금까지 육십 명이 그 상을 받았다. Mirzakhani를 제외하고, 그들은 모두 남성이었다. 두 번째, Mirzakhani는 그것을 수상한 첫 번째 이란 출신이다. 그렇게 함으로써, 그녀는 이란의 오랜 수학 전통을 세계에 상기시켰다. 세 번째, Mirzakhani의 성과는 전 세계 수학자들에게 매우 흥미로운 것이었다. 수학자로서, Mirzakhani는 많은 복잡한 문제들을 고민했고 해결책 찾기를 목표로 했다. 그녀는 기하학의 어려운 분야에서 연구했고, 가상의 표면들에 관해 공부했다. 그녀가 연구했던 표면들은 물결치는 감자 칩처럼 구부러져 있으면서도 도넛처럼 닫혀있었다. 그녀는 또한 당구공과 같은 형태의 움직임도 연구했다. 표면에 대한 그녀의 생각은 다른 수학자들을 새로운 문제로 이끌도록 도왔다. 네 번째, Mirzakhani는 병 앞에서 용감한 것으로 유명했다. 심지어 그녀가 암에 걸렸을 때도, 그녀는 연구를 계속했다. 요약하면, Maryam Mirzakhani는 획기적인 수학자로서 이룬 그녀의 놀라운 업적으로 세계에 의해 기억될 것이다.

7. What is the passage mainly about?

(A) difficulties Maryam Mirzakhani faced in life
(B) how Maryam Mirzakhani succeeded in Iran
(C) Maryam Mirzakhani's work on curing cancer
(D) four reasons Maryam Mirzakhani was famous

해석 지문은 주로 무엇에 관한 내용인가?

(A) Maryam Mirzakhani가 인생에서 직면했던 고난
(B) Maryam Mirzakhani가 어떻게 이란에서 성공했는지
(C) Maryam Mirzakhani의 암 치료에 관한 연구
(D) Maryam Mirzakhani가 유명했던 네 가지 이유

유형 전체 내용 파악

풀이 첫 문장에서부터 수학계의 놀라운 인물인 Maryam Mirzakhani 를 소개한 뒤, 'She was famous for a variety of reasons.'를 언급하며 Mirzakhani가 유명한 이유를 총 네 가지로 들어서 설명하고 있는 글이다. 따라서 (D)가 정답이다.

8. Which of the following is NOT mentioned about Mirzakhani?

(A) books she liked
(B) a prize she won
(C) her home country
(D) a disease she had

해석 다음 중 Mirzakhani에 관해 언급되지 않은 내용은 무엇인가?

(A) 그녀가 좋아했던 책들
(B) 그녀가 받은 상
(C) 그녀의 고국
(D) 그녀가 앓았던 병

유형 세부 내용 파악

풀이 해당 지문에서 Mirzakhani가 좋아했던 책은 구체적으로 언급되지 않았으므로 (A)가 정답이다. (B)는 'First, she was the only woman ever to win the Fields Medal.'에서, (C)는 'Second, Mirzakhani was the first person from Iran to win it.'에서, (D)는 'Even when she got cancer, she kept working on her research.'에서 확인할 수 있으므로 오답이다.

9. What subject did Mirzakhani focus on?

(A) sports
(B) nutrition
(C) geometry
(D) economics

해석 Mirzakhani는 무슨 주제에 집중했는가?

(A) 운동
(B) 영양
(C) 기하학
(D) 경제학

유형 세부 내용 파악

풀이 'Maryam Mirzakhani was an incredible person in the world of mathematics.', 'She worked in a difficult area of geometry and studied imaginary surfaces.' 등에서 Mirzakhani는 수학자이며 특히 기하학('geometry') 분야를 집중해서 연구했다는 사실을 알 수 있으므로 (C)가 정답이다.

10. According to the passage, which of the following did Mirzakhani do?

   (A) become a politician
   (B) invent a new kind of potato chip
   (C) consider how billiard balls move
   (D) graduate from university at the age of ten

해석 지문에 따르면, 다음 중 Mirzakhani는 무엇을 하였는가?

   (A) 정치가 되기
   (B) 새로운 종류의 감자 칩 개발하기
   (C) 당구공이 어떻게 움직이는지 고민하기
   (D) 열 살에 대학교 졸업하기

유형 세부 내용 파악

풀이 'She also explored the movement of shapes like billiard balls.'에서 Mirzakhani가 당구공과 같은 모양의 움직임을 연구했다고 하였으므로 (C)가 정답이다.

🎧 Listening Practice   ▶ J3-2   p.24

Maryam Mirzakhani was an incredible person in the world of mathematics. She was famous for a variety of reasons. First, she was the only woman ever to win the Fields Medal. Sixty people have won the award so far. Except for Mirzakhani, they have all been male. Second, Mirzakhani was the first person from Iran to win it. In doing so, she reminded the world of Iran's long tradition of mathematics. Third, Mirzakhani's work was <u>fascinating</u> to mathematicians all over the globe. As a mathematician, Mirzakhani thought of many confusing problems and aimed to find solutions. She worked in a difficult area of <u>geometry</u> and studied <u>imaginary</u> surfaces. The <u>surfaces</u> she studied were both curved like a wavy potato chip and closed like a doughnut. She also explored the movement of shapes like <u>billiard</u> balls. Her ideas about surfaces helped lead other mathematicians to new questions. Fourth, Mirzakhani was famous for her bravery in the face of illness. Even when she got cancer, she kept working on her research. In short, Maryam Mirzakhani will be remembered by the world for her incredible work as a <u>ground-breaking</u> mathematician.

1. fascinating
2. geometry
3. imaginary
4. surfaces
5. billiard
6. ground-breaking

✏️ Writing Practice   p.25

1. geometry
2. fascinating
3. imaginary
4. surface
5. billiard ball
6. ground-breaking

📄 Summary

Ground-breaking <u>mathematician</u> Maryam Mirzakhani was the only woman ever to win the Fields <u>Medal</u> and the <u>first</u> Iranian to win it. She continued her fascinating research even when she got <u>cancer</u>.

획기적인 <u>수학자</u>인 Maryam Mirzakhani는 필즈<u>상</u>을 수상한 유일한 여성이자 그것을 수상한 <u>최초의</u> 이란인이었다. 그녀는 심지어 암에 걸렸을 때도 매우 흥미로운 연구를 계속했다.

🔲 Word Puzzle   p.26

Across	Down
3. imaginary	1. billiard ball
5. surface	2. ground-breaking
6. fascinating	4. geometry

Junior Book 3

Pre-reading Questions   p.27

Have you ever heard of CV Raman?

Look at the illustration.

What do you think Raman was known for?

CV Raman에 대해 들어본 적이 있나요?

삽화를 보세요.

Raman이 무엇으로 알려졌다고 생각하나요?

Reading Passage   p.28

CV Raman

Sir Chandrasekhara Venkata Raman, better known as C.V. Raman, was a scientist born in India in 1888. He advanced in his education very quickly, beginning high school at the age of eleven. By thirteen, he had finished high school and received a scholarship to go to university. When he was only sixteen, Raman graduated with a university degree in physics, and three years later earned his master's degree. As a professor at the University of Calcutta, Raman studied how light reacts when it goes through a clear object. Most light goes straight through, but some of the light changes direction. This discovery helped prove that light is made of small particles called "photons." The research Raman did was so revolutionary that he won the Nobel Prize for Physics in 1930, and the changes to light when it goes through a clear object are called the "Raman effect." Raman continued to work on his research with light and sound but also used his success to provide opportunities for other people. He helped establish many research institutes in India so that other young, bright students could make new discoveries in science.

CV Raman

C.V. Raman으로 더 잘 알려진, Chandrasekhara Venkata Raman 경은, 1888년에 인도에서 태어난 과학자였다. 그는 열한 살의 나이에 고등학교를 시작하면서, 교육에서 매우 빠르게 발전했다. 열세 살에, 그는 고등학교를 마쳤고 대학을 가기 위한 장학금을 받았다. 그가 겨우 열여섯 살이었을 때, Raman은 물리학 대학 학위를 받으며 졸업했고, 삼 년 후에는 석사 학위를 받았다. 캘커타 대학의 교수로서, Raman은 빛이 투명한 물체를 통과할 때 어떤 반응을 보이는지를 연구했다. 대부분의 빛이 똑바르게 통과하지만, 일부 빛은 방향을 바꾼다. 이 발견은 빛이 "광자"라고 불리는 작은 입자들로 이루어져 있다는 것을 증명하는 데 도움이 되었다. Raman이 수행한 연구는 너무나 혁명적이어서 그는 1930년에 노벨 물리학상을 받았고, 투명한 물체를 통과할 때 나타나는 빛의 변화는 "Raman 효과"라고 불린다. Raman은 빛과 소리에 관한 그의 연구를 계속했으며 또한 그의 성공을 이용하여 다른 사람들에게 기회를 제공하기도 했다. 그는 다른 젊고 영리한 학생들이 과학에서 새로운 발견을 할 수 있도록 인도에 많은 연구소를 설립하는 것을 도왔다.

어휘 advance 진보하다, 향상하다; 전진하다, 진전하다 | at the age of ~살에 | graduate 졸업하다 | degree 학위 | physics 물리학 | earn 얻다 | master 석사 | react 반응하다 | clear 투명한 | object 물체 | straight 똑바르게 | direction 방향 | discovery 발견 | prove 증명하다 | be made of ~로 만들어지다 | particle 입자 | photon 광자 | revolutionary 혁명적인 | effect 효과 | opportunity 기회 | establish 설립하다 | institute 기관[협회] | experiment 실험 | highlighter 형광펜 | part from ~에서 떠나다 | remain 남다; 남겨지다 | winner 수상자 | genius 천재 | specialist 전문가 | drop out 중퇴하다 | receive 받다 | neuron 신경 세포, 뉴런 | ambulance 응급차 | siren 사이렌 | demand 수요 | certificate 증명서 | excellence 우수(성), 탁월(성) | award 수여하다 | outstanding 뛰어난 | performance 성과 | annual 연례의, 매년의 | fair 박람회 | title 제목을 붙이다 | heat 열 | absorption 흡수 | sign 서명하다 | president -장, 회장 | participant 참가자 | contestant 참가자

⏱ Comprehension Questions   p.29

1. A: What an incredible musician!
   B: Yeah. She gave her first concert at the age <u>of</u> four.

   (A) in
   (B) of
   (C) at
   (D) for

해석 A: 정말 놀라운 음악가야!
   B: 맞아. 그녀는 네 살의 나이에 첫 연주회를 열었어.

   (A) ~ 안에
   (B) ~의
   (C) ~에
   (D) ~을 위해

풀이 '~살에'라는 뜻을 나타낼 때 전치사 'of'를 사용하여 'at the age of ~'라고 표현하므로 (B)가 정답이다.

관련 문장 He advanced in his education very quickly, beginning high school at the age of eleven.

2. A: What did this experiment prove?
   B: It proved that light <u>is made</u> up of different parts.

   (A) made
   (B) making
   (C) is made
   (D) is making

해석 A: 이 실험은 무엇을 증명했니?
   B: 그것은 빛이 다른 부분들로 <u>이루어져 있다</u>는 것을 증명했어.

   (A) 만들어진
   (B) 만드는 중인
   (C) 만들어지다
   (D) 만드는 중이다

풀이 빈칸은 동사 자리이다. '~로 만들어진, ~로 구성된'이라는 뜻을 나타낼 때 'make'의 수동형을 사용하여 'be made (up) of'라고 표현하므로 (C)가 정답이다.

관련 문장 This discovery helped prove that light is made of small particles called "photons."

3. Meena has been offered a <u>scholarship</u> for school.

   (A) trophy
   (B) uniform
   (C) highlighter
   (D) scholarship

해석 Meena는 학교 <u>장학금</u>을 제안받았다.

   (A) 트로피
   (B) 교복
   (C) 형광펜
   (D) 장학금

풀이 학사모와 돈과 책을 보여주는 그림이므로 장학금을 받았다는 것이 가장 어울린다. 따라서 (D)가 정답이다.

관련 문장 By thirteen, he finished high school and received a scholarship to go to university.

4. If you get past the dragon, you <u>advance to</u> the rainbow level.

   (A) part from
   (B) advance to
   (C) fall between
   (D) remain before

해석 용을 지나면, 무지개 단계로 <u>전진한다</u>.

   (A) ~에서 떠나다
   (B) ~로 전진하다
   (C) ~ 사이로 떨어지다
   (D) ~ 전에 남다

풀이 용을 통과하면 'Rainbow' 단계에 도달한다고 화살표로 표시되어 있다. '~로 전진하다, 나아가다'라는 뜻을 나타내는 표현으로 'advance to'를 쓸 수 있으므로 (B)가 정답이다.

관련 문장 He advanced in his education very quickly, beginning high school at the age of eleven.

This Certificate of Scientific Excellence

is awarded to Rosa Juarez

for her outstanding performance at the 23rd Annual Firestone Physics Fair

this day of 12 July, 2020
at Firestone Community Hall for her project titled
"Light and Heat Absorption."

Signed: _____
Maria Rannells, President of the Firestone Physics Society

해석

과학 우수 증명서

제23회 연례 Firestone 물리학 박람회에서 뛰어난 성과를
보여 Rosa Juarez에 수여함

금일 2020년 7월 12일,
Firestone 커뮤니티 홀에서 그녀의
"빛과 열 흡수"라는 제목의 프로젝트를 축하하며.

서명: _____

Firestone 물리학회장, Maria Rannells

5. According to the certificate, who most likely is Rosa Juarez?

(A) a participant at a science fair
(B) a contestant in an art contest
(C) the MVP in a baseball league
(D) the president of a biology club

해석 증명서에 따르면, Rosa Juarez로 가장 적절한 사람은 누구인가?

(A) 과학 박람회 참여자
(B) 미술 대회 참가자
(C) 야구 리그 최우수 선수
(D) 생물 동아리 회장

풀이 '[...] for her outstanding performance at the 23rd Annual Firestone Physics Fair'에서 물리학 박람회에서 뛰어난 성과를 보여 Rosa Juarez에 증명서를 수여 한다고 했으므로 (A)가 정답이다.

6. Which of the following is NOT mentioned?

(A) the event date
(B) the event place
(C) the number of prizes
(D) the name of the project

해석 다음 중 언급되지 않은 내용은 무엇인가?

(A) 행사 날짜
(B) 행사 장소
(C) 상의 개수
(D) 프로젝트의 이름

풀이 상의 개수는 언급되지 않았으므로 (C)가 정답이다. (A)는 'this day of 12 July, 2020'에서, (B)는 'at Firestone Community Hall'에서, (D)는 'her project titled "Light and Heat Absorption."'에서 확인할 수 있으므로 오답이다.

Sir Chandrasekhara Venkata Raman, better known as C.V. Raman, was a scientist born in India in 1888. He advanced in his education very quickly, beginning high school at the age of eleven. By thirteen, he had finished high school and received a scholarship to go to university. When he was only sixteen, Raman graduated with a university degree in physics, and three years later earned his master's degree. As a professor at the University of Calcutta, Raman studied how light reacts when it goes through a clear object. Most light goes straight through, but some of the light changes direction. This discovery helped prove that light is made of small particles called "photons." The research Raman did was so revolutionary that he won the Nobel Prize for Physics in 1930, and the changes to light when it goes through a clear object are called the "Raman effect." Raman continued to work on his research with light and sound but also used his success to provide opportunities for other people. He helped establish many research institutes in India so that other young, bright students could make new discoveries in science.

해석

C.V. Raman으로 더 잘 알려진, Chandrasekhara Venkata Raman 경은, 1888년에 인도에서 태어난 과학자였다. 그는 열한 살의 나이에 고등학교를 시작하면서, 교육에서 매우 빠르게 발전했다. 열세 살에, 그는 고등학교를 마쳤고 대학을 가기 위한 장학금을 받았다. 그가 겨우 열여섯 살이었을 때, Raman은 물리학 대학 학위를 받으며 졸업했고, 삼 년 후에는 석사 학위를 받았다. 캘커타 대학의 교수로서, Raman은 빛이 투명한 물체를 통과할 때 어떤 반응을 보이는지를 연구했다. 대부분의 빛이 똑바르게 통과하지만, 일부 빛은 방향을 바꾼다. 이 발견은 빛이 "광자"라고 불리는 작은 입자들로 이루어져 있다는 것을 증명하는 데 도움이 되었다. Raman이 수행한 연구는 너무나 혁명적이어서 그는 1930년에 노벨 물리학상을 받았고, 투명한 물체를 통과할 때 나타나는 빛의 변화는 "Raman 효과"라고 불린다. Raman은 빛과 소리에 관한 그의 연구를 계속했으며 또한 그의 성공을 이용하여 다른 사람들에게 기회를 제공하기도 했다. 그는 다른 젊고 영리한 학생들이 과학에서 새로운 발견을 할 수 있도록 인도에 많은 연구소를 설립하는 것을 도왔다.

7. Which would be the best title for the passage?

(A) C.V. Raman: Peace Prize Winner
(B) C.V. Raman: From India to Europe
(C) **A Physics Genius Called C.V. Raman**
(D) A Math Specialist Named C.V. Raman

해석 지문에 가장 알맞은 제목은 무엇인가?

(A) C.V. Raman: 평화상 수상자
(B) C.V. Raman: 인도에서 유럽까지
(C) C.V. Raman이라 불리는 물리학 천재
(D) C.V. Raman이라는 이름의 수학 전문가

유형 전체 내용 파악

풀이 첫 문장에서부터 C.V. Raman이라는 중심인물을 소개하고, 초반부에 그가 아주 어린 나이에 물리학 분야에서 고등 교육을 끝마쳤다는 사실을 언급하며 그의 천재성을 암시하고 있다. 이어서 노벨 물리학 수상자 Raman이 물리학 발전에 어떤 획기적인('revolutionary') 공헌을 했는지 등의 업적을 설명하고 있는 글이므로 (C)가 정답이다.

8. According to the passage, which of the following did Raman do?

(A) **earn a master's degree when he was 19**
(B) drop out of middle school when he was 16
(C) graduate from high school when he was 11
(D) receive a university scholarship when he was 17

해석 지문에 따르면, 다음 중 Raman이 한 일은 무엇인가?

(A) 19살에 석사 학위 받기
(B) 16살에 중학교 중퇴하기
(C) 11살에 고등학교 졸업하기
(D) 17살에 대학 장학금 받기

유형 세부 내용 파악

풀이 'When he was only sixteen, Raman graduated with a university degree in physics, and three years later earned his master's degree.'에서 Raman이 16살에 대학교를 졸업하고, 3년 후인 19살에 석사 학위를 받았다는 것을 알 수 있으므로 (A)가 정답이다. (C)와 (D)는 'By thirteen, he finished high school and received a scholarship to go to university.' 에서 13살에 고등학교를 졸업하고 대학 장학금을 받았다고 하였으므로 오답이다.

9. According to the passage, what did Raman's discovery help prove?

(A) that outer space is dark
(B) that brains have neurons
(C) that most objects are clear
(D) **that light is made of photons**

해석 지문에 따르면, Raman의 발견이 무엇을 증명하는 데 도움이 되었는가?

(A) 우주 공간이 어둡다는 것
(B) 뇌에 신경세포가 있다는 것
(C) 대부분의 물체가 투명하다는 것
(D) 빛이 광자로 이루어져 있다는 것

유형 세부 내용 파악

풀이 'This discovery helped prove that light is made of small particles called "photons."'에서 Raman의 발견이 빛이 광자로 만들어졌다는 사실을 증명하는 데 일조했다고 하였으므로 (D)가 정답이다.

10. What is the "Raman effect"?

(A) the changing of water into three forms
(B) the changing sound of an ambulance siren
(C) **the changes to light going through a clear object**
(D) the changes to prices when there is more demand

해석 "Raman 효과"는 무엇인가?

(A) 물의 세 가지 형태로의 변화
(B) 응급차 사이렌의 달라지는 소리
(C) 투명한 물체를 통과하는 빛의 변화
(D) 더 많은 수요가 있을 때 가격의 변화

유형 세부 내용 파악

풀이 '[...] the changes to light when it goes through a clear object are called the "Raman effect."'에서 Raman 효과는 빛이 투명한 물체를 통과할 때 나타나는 빛의 변화를 가리킨다는 것을 알 수 있으므로 (C)가 정답이다.

Listening Practice ▶ J3-3 p.32

Sir Chandrasekhara Venkata Raman, better known as C.V. Raman, was a scientist born in India in 1888. He advanced in his education very quickly, beginning high school at the age of eleven. By thirteen, he had finished high school and received a scholarship to go to university. When he was only sixteen, Raman graduated with a university degree in physics, and three years later earned his master's degree. As a professor at the University of Calcutta, Raman studied how light reacts when it goes through a clear object. Most light goes straight through, but some of the light changes direction. This discovery helped prove that light is made of small particles called "photons." The research Raman did was so revolutionary that he won the Nobel Prize for Physics in 1930, and the changes to light when it goes through a clear object are called the "Raman effect." Raman continued to work on his research with light and sound but also used his success to provide opportunities for other people. He helped establish many research institutes in India so that other young, bright students could make new discoveries in science.

1. advanced
2. scholarship
3. particles
4. revolutionary
5. establish
6. institutes

Writing Practice p.33

1. advance
2. scholarship
3. particle
4. revolutionary
5. establish
6. institute

📄 Summary

C.V. Raman, of India, discovered the "Raman effect", the changes light undergoes when it goes through a clear object. This research was so revolutionary that he won the Nobel Prize for Physics.

인도의 C.V. Raman은 빛이 투명한 물체를 통과할 때 생기는 변화인 "Raman 효과"를 발견했다. 이 연구는 너무 혁명적이어서 그는 노벨 물리학상을 받았다.

Word Puzzle p.34

Across
4. establish
6. advance

Down
1. particle
2. scholarship
3. revolutionary
5. institute

Part A. Sentence Completion p.37

  1 (D)   2 (B)

Part B. Situational Writing p.37

  3 (B)   4 (C)

Part C. Practical Reading and Retelling p.38

  5 (D)   6 (C)

Part D. General Reading and Retelling p.39

  7 (D)   8 (D)   9 (D)   10 (C)

Listening Practice p.40

  1 hired   2 subjects
  3 passion   4 invention
  5 automatically 6 potential

Writing Practice p.41

  1 hire   2 subject
  3 have a deep passion for
  4 invention   5 automatically
  6 saw the potential of
  Summary computer, potential, engine,
           programs

Word Puzzle p.42

  Across
  5 saw the potential of
  6 subject
  Down
  1 invention   2 automatically
  3 hire   4 have a deep passion for

Pre-reading Questions p.35

Have you ever heard of Ada Lovelace?
Look at the illustration.
What do you think Lovelace was known for?

Ada Lovelace에 대해 들어본 적이 있나요?
삽화를 보세요.
Lovelace가 무엇으로 알려졌다고 생각하나요?

 ### Reading Passage p.36

Ada Lovelace

Ada Lovelace, daughter of famous British poet Lord Byron, was born in 1815. From an early age, Lovelace's mother pushed her to study mathematics. Lovelace was often sick as a child, but that did not stop her from continuing her education. In the United Kingdom at the time, girls did not study much math and science in school. Only boys went to those classes. However, Lovelace's mother hired tutors to teach those subjects to her daughter at home. Lovelace had a deep passion for mathematics and studied university-level material on her own. At the age of 17, she met the inventor Charles Babbage. He taught her about his newest invention: the difference engine. This engine could solve math equations automatically when someone put in the numbers. Lovelace saw the potential of this engine, and suggested that it could be used to create automatic programs. Her research and comments on this topic directly led to simple versions of what we would eventually call "computers." During her life, many people did not know of her work, but in the 1950s, the world discovered how much she helped the beginning of development of computer technology. That is why now Ada Lovelace is called the world's "first computer programmer."

Ada Lovelace

유명한 영국 시인 Byron 경의 딸인 Ada Lovelace는, 1815년에 태어났다. 어릴 때부터, Lovelace의 어머니는 그녀가 수학을 공부하도록 강요했다. Lovelace는 어린아이일 때 자주 아팠지만, 그것이 그녀가 공부를 계속하는 것을 멈추지는 못했다. 그 당시 영국에서는, 여자아이들은 학교에서 수학과 과학을 많이 배울 수 없었다. 오직 남자아이들만이 그런 수업들을 들었다. 하지만, Lovelace의 어머니는 개인 지도 교사를 고용하여 집에서 그녀의 딸에게 그러한 과목들을 가르치도록 했다. Lovelace는 수학을 향한 깊은 열정이 있었고 스스로 대학교 수준의 내용을 공부했다. 17살 때, 그녀는 발명가인 Charles Babbage를 만났다. 그는 그녀에게 자신의 최신 발명품에 관해 가르쳤다: 차분기관이었다. 이 기관은 누군가가 숫자를 입력하면 자동으로 수학 방정식을 해결할 수 있었다. Lovelace는 이 기관의 잠재력을 보았고, 그것이 자동 프로그램을 개발하는 데 사용될 수 있다고 제안했다. 이 주제에 대한 그녀의 연구와 견해들은 우리가 최종적으로 "컴퓨터"라고 부르는 것의 단순한 형태들로 곧장 이어졌다. 그녀의 일생 동안, 많은 사람이 그녀의 업적에 관해 알지 못했지만, 1950년대에, 세계는 그녀가 컴퓨터 기술 개발의 시작에 얼마나 많은 도움을 주었는지를 깨달았다. 그것이 Ada Lovelace가 세계의 "첫 컴퓨터 프로그래머" 라고 불리는 이유이다.

어휘 poet 시인 | education 교육 | at the time 당시에 | hire 고용하다 | tutor 개인 지도 교사 | subject 과목 | passion 열정 | material 내용, 자료, 소재 | inventor 발명가 | invention 발명 | engine (엔진) 기관 | solve 해결하다 | equation 방정식 | automatically 자동으로 | potential 잠재력 | automatic 자동의 | comment 견해 | directly 곧장, 직접 | eventually 최종적으로 | discover 알아내다 | development 개발 | heat 열 | fire 해고하다 | injured 부상을 입은, 다친 | annoyed 짜증이 난, 약이 오른 | rest 받치다, 기대다 | footwear 신발 | racehorse 경주마 | biologist 생물학자 | major in ~을 전공하다 | gambling 도박 | translate 번역하다 | celebrate 기념하다 | engineering 공학 | local 현지의, 지역의 | expert 전문가 | performance 공연 | book signing 책 사인회 | demonstration 시범/설명 | competition 대회 | serve (식당 등에서 음식을) 제공하다 | host 진행하다; 주최하다 | honor ~에게 명예를 주다 | compete 경쟁하다 | involve ~을 포함하다; ~와 관련되다 | offer 제공하다 | treat (특히 남을 대접하여 하는 [주는]) 특별한 것[선물], 대접, 한턱 | aim 목표하다; 목적, 목표 | suggest 제안[제의]하다

Comprehension Questions   p.37

1. A: Why is Kelsie such a great runner?
   B: She never lets the heat stop <u>her from running</u>.

   (A) her to running
   (B) to her running
   (C) from her running
   (D) her from running

   해석 A: Kelsie가 그렇게 훌륭한 달리기 선수인 이유는 뭐니?
   B: 그녀는 결코 더위가 <u>그녀가 달리는 것</u>을 멈추지 못하게 해.

   (A) 어색한 표현
   (B) 어색한 표현
   (C) 어색한 표현
   (D) 그녀를 달리는 것으로부터

   풀이 'A가 V하는 것을 못 하게 하다/멈추게 하다'라는 뜻을 나타낼 때 'stop A from V-ing'이란 표현을 사용하므로 (D)가 정답이다.

   관련 문장 Lovelace was often sick as a child, but that did not stop her from continuing her education.

2. A: What is this machine <u>used</u> for?
   B: It's for calculating numbers quickly.

   (A) use
   (B) used
   (C) using
   (D) to using

   해석 A: 이 기계는 어디에 <u>사용되는</u> 것이니?
   B: 숫자들을 빨리 계산하기 위한 거야.

   (A) 사용하다
   (B) 사용되는
   (C) 사용하기
   (D) 어색한 표현

   풀이 '(~로) 사용되다'라는 뜻을 나타낼 때 동사 'use'의 수동형을 사용하여 'be used (for)'라고 표현하므로 (B)가 정답이다.

   관련 문장 Lovelace saw the potential of this engine, and suggested that it could be used to create automatic programs.

3. My brother got <u>hired</u> as a nurse at the hospital.

   (A) fired
   (B) hired
   (C) injured
   (D) annoyed

   해석 나의 남동생은 병원의 간호사로 <u>고용되었다</u>.

   (A) 해고된
   (B) 고용된
   (C) 다친
   (D) 짜증이 난

   풀이 이력서에 누군가 체크 표시를 하고 있다. 따라서 선택지 중 고용되었다는 것이 그림에 가장 적합하므로 (B)가 정답이다.

   관련 문장 However, Lovelace's mother hired tutors to teach those subjects to her daughter at home.

4. The caveman's new <u>invention</u> is resting by his feet.

   (A) bat
   (B) footwear
   (C) invention
   (D) racehorse

   해석 원시인의 새로운 <u>발명품</u>이 그의 발 옆에 놓여 있다.

   (A) 방망이
   (B) 신발
   (C) 발명품
   (D) 경주마

   풀이 원시인이 발 옆에 놓여진 돌로 만든 새로 발명된 바퀴를 의문스럽게 보고 있는 모습이다. '발명품'은 'invention'이므로 (C)가 정답이다.

   관련 문장 He taught her about his newest invention: the difference engine.

Ada Lovelace Day Event

Ada Lovelace Day is celebrated all around the world on the second Tuesday in October. This year it is on October 13. Join us at this free event as we celebrate women in science, technology, engineering, and math.

6:30 to 9:00 PM   Kettering Events Hall

6:30-7:30 Talk by local computer science expert Dr. Fumiko Helmand
7:30-8:00 Performance by "math magician" Helena Pierce
8:00-9:00 Book signings, 3D printer demonstrations, and a hacking competition

Snacks and drinks will be served from 8:00-9:00

Hosted by the Friends of Ada Society

해석

Ada Lovelace의 날 행사

Ada Lovelace의 날은 10월 두 번째 화요일에 전 세계에서 기념합니다.

올해는 10월 13일입니다. 과학, 기술, 공학, 그리고 수학에 종사하는 여성들을 기념하는 이 무료 행사에 참여하세요.

오후 6시 30분부터 9시까지   Kettering 이벤트 홀

6:30-7:30 현지 컴퓨터 과학 전문가 Fumiko Helmand의 연설

7:30-8:00 "수학 마술사" Helena Pierce의 공연

8:00-9:00 책 사인회, 3D 프린터 시연, 해킹 대회

8:00-9:00에 간식과 음료수가 제공됩니다.

주최: Ada 협회 후원자

5. What is true about the event?

(A) It aims to honor young women in the arts.
(B) It is hosted by the family of Ada Lovelace.
(C) It takes place at the Helmand Events Hall.
(D) **It happens on a different date of the week each year.**

해석 행사에 관해 옳은 설명은 무엇인가?

(A) 예술계의 젊은 여성들을 기리는 것을 목표로 한다.
(B) Ada Lovelace의 가족이 주최한다.
(C) Helmand 이벤트 홀에서 열린다.
(D) 매년 다른 날짜에 열린다.

풀이 'Ada Lovelace Day is celebrated all around the world on the second Tuesday in October. This year it is on October 13.'에서 Ada Lovelace의 날은 10월 두 번째 화요일이라는 것을 알 수 있다. 이는 10월 두 번째 화요일이 언제인지에 따라 날짜가 달라진다는 의미이므로 (D)가 정답이다. (A)는 예술계가 아니라 과학, 기술, 공학, 수학에 종사한 여성들을 기리는 행사이므로 오답이다. (B)는 주최 측이 Ada Lovelace의 가족이 아니라 Ada 협회 후원자('The Friends of Ada Society')이므로 오답이다. (C)는 'Kettering Events Hall'에서 행사가 열리므로 오답이다.

6. What will participants most likely see at 7:45 PM?

(A) two hackers competing
(B) a bubble and lights show
(C) **a magic show involving numbers**
(D) snack servers offering treats from trays

해석 오후 7시 45분에 참가자들이 볼 것으로 가장 적절한 것은 무엇인가?

(A) 경쟁 중인 두 해커
(B) 비눗방울과 조명 쇼
(C) 숫자들을 포함하는 마술 공연
(D) 쟁반을 들고 먹을 것을 제공하는 서빙 직원

풀이 '7:30-8:00 Performance by "math magician" Helena Pierce'에서 오후 7시 45분에는 수학 마술쇼가 공연되고 있음을 알 수 있으므로 (C)가 정답이다. (A)는 해킹 대회가 오후 8시에서 9시 사이에 열린다고 했으므로 오답이다. (D)는 'Snacks and drinks will be served from 8:00-9:00'에서 간식과 음료가 오후 8시에서 9시 사이에 제공된다고 했으므로 오답이다.

Ada Lovelace, daughter of famous British poet Lord Byron, was born in 1815. From an early age, Lovelace's mother pushed her to study mathematics. Lovelace was often sick as a child, but that did not stop her from continuing her education. In the United Kingdom at the time, girls did not study much math and science in school. Only boys went to those classes. However, Lovelace's mother hired tutors to teach those subjects to her daughter at home. Lovelace had a deep passion for mathematics and studied university-level material on her own. At the age of 17, she met the inventor Charles Babbage. He taught her about his newest invention: the difference engine. This engine could solve math equations automatically when someone put in the numbers. Lovelace saw the potential of this engine, and suggested that it could be used to create automatic programs. Her research and comments on this topic directly led to simple versions of what we would eventually call "computers." During her life, many people did not know of her work, but in the 1950s, the world discovered how much she helped the beginning of development of computer technology. That is why now Ada Lovelace is called the world's "first computer programmer."

해석

유명한 영국 시인 Byron 경의 딸인 Ada Lovelace는, 1815년에 태어났다. 어릴 때부터, Lovelace의 어머니는 그녀가 수학을 공부하도록 강요했다. Lovelace는 어린아이일 때 자주 아팠지만, 그것이 그녀가 공부를 계속하는 것을 멈추지는 못했다. 그 당시 영국에서는, 여자아이들은 학교에서 수학과 과학을 많이 배울 수 없었다. 오직 남자아이들만이 그런 수업들을 들었다. 하지만, Lovelace의 어머니는 개인 지도 교사를 고용하여 집에서 그녀의 딸에게 그러한 과목들을 가르치도록 했다. Lovelace는 수학을 향한 깊은 열정이 있었고 스스로 대학교 수준의 내용을 공부했다. 17살 때, 그녀는 발명가인 Charles Babbage를 만났다. 그는 그녀에게 자신의 최신 발명품에 관해 가르쳤다: 차분기관이었다. 이 기관은 누군가가 숫자를 입력하면 자동으로 수학 방정식을 해결할 수 있었다. Lovelace는 이 기관의 잠재력을 보았고, 그것이 자동 프로그램을 개발하는 데 사용될 수 있다고 제안했다. 이 주제에 대한 그녀의 연구와 견해들은 우리가 최종적으로 "컴퓨터"라고 부르는 것의 단순한 형태들로 곧장 이어졌다. 그녀의 일생 동안, 많은 사람이 그녀의 업적에 관해 알지 못했지만, 1950년대에, 세계는 그녀가 컴퓨터 기술 개발의 시작에 얼마나 많은 도움을 주었는지를 깨달았다. 그것이 Ada Lovelace가 세계의 "첫 컴퓨터 프로그래머"라고 불리는 이유이다.

7. According to the passage, which of the following best describes Ada Lovelace?

(A) poet
(B) biologist
(C) math tutor
(D) programmer

해석 지문에 따르면, 다음 중 Ada Lovelace를 가장 잘 묘사한 것은 무엇인가?

(A) 시인
(B) 생물학자
(C) 수학 개인 지도 교사
(D) 프로그래머

유형 전체 내용 파악

풀이 마지막 문장 'That is why now Ada Lovelace is called the world's "first computer programmer."'에서 Lovelace가 최초의 컴퓨터 프로그래머라고 불린다고 설명하며, 컴퓨터 과학이란 학문을 탄생시키는 데 일조한 Lovelace의 업적을 강조하고 있다. 따라서 Lovelace는 컴퓨터 프로그래머라 할 수 있으므로 (D)가 정답이다.

8. According to the passage, what is true about Lovelace?

(A) She studied math and science in a boys' school.
(B) She majored in mathematics at Oxford University.
(C) She was the daughter of a famous mathematician.
(D) She learned math and science from tutors at home.

해석 지문에 따르면, Lovelace에 관해 옳은 설명은 무엇인가?

(A) 남학교에서 수학과 과학을 공부했다.
(B) 옥스퍼드 대학에서 수학을 전공했다.
(C) 유명한 수학자의 딸이었다.
(D) 집에서 개인 지도 교사에게 수학과 과학을 배웠다.

유형 세부 내용 파악

풀이 'In the United Kingdom at the time, girls did not study much math and science in school. [...] However, Lovelace's mother hired tutors to teach those subjects to her daughter at home.'에서 Lovelace가 집에서 개인 지도 교사로부터 수학과 과학을 배웠다는 사실을 알 수 있으므로 (D)가 정답이다. (C)는 영국 시인 Byron 경의 딸이라는 사실만 언급되었으므로 오답이다.

9. Which of the following would Lovelace most likely say to Babbage?

    (A) "I love all of your poems, Dad."
    (B) "You were my student at university in 1950."
    (C) "I invented something I call the difference engine."
    (D) **"Your difference engine could create automatic programs."**

해석 다음 중 Lovelace가 Babbage에게 했을 말로 가장 적절한 것은 무엇인가?

    (A) "당신의 모든 시를 사랑해요, 아빠."
    (B) "자네는 1950년에 나의 대학교 제자였지."
    (C) "저는 제가 차분기관이라고 부르는 것을 발명했어요."
    (D) "당신의 차분기관은 자동 프로그램들을 개발해낼 수 있어요."

유형 추론하기

풀이 'He taught her about his newest invention: the difference engine. […] Lovelace saw the potential of this engine, and suggested that it could be used to create automatic programs.'에서 Lovelace가 Babbage가 발명한 차분기관이 자동 프로그램을 만드는 데 쓰일 수 있다고 Babbage에게 제안했다는 사실을 알 수 있으므로 (D)가 정답이다. (C)는 Lovelace가 아니라 Babbage가 차분기관을 발명한 것이므로 오답이다.

10. Which of the following is mentioned in the passage?

    (A) Lovelace never met her own father.
    (B) Lovelace's gambling idea lost a lot of money.
    (C) **Lovelace's work was not well known in her lifetime.**
    (D) Lovelace translated the work of an Italian mathematician.

해석 다음 중 지문에 언급된 내용은 무엇인가?

    (A) Lovelace는 자기 아버지를 만난 적이 없다.
    (B) Lovelace의 도박 아이디어는 많은 돈을 잃게 했다.
    (C) Lovelace의 업적은 그녀의 생전에 잘 알려지지 않았다.
    (D) Lovelace는 이탈리아 수학자의 성과를 번역했다.

유형 세부 내용 파악

풀이 'During her life, many people did not know of her work, but in the 1950s, the world discovered how much she helped the beginning of development of computer technology.'에서 Lovelace가 살아 있을 당시에는 업적이 잘 알려지지 않았고, 1950년대에 인정되기 시작했다고 했으므로 (C)가 정답이다.

🎧 Listening Practice   ▶ J3-4   p.40

Ada Lovelace, daughter of famous British poet Lord Byron, was born in 1815. From an early age, Lovelace's mother pushed her to study mathematics. Lovelace was often sick as a child, but that did not stop her from continuing her education. In the United Kingdom at the time, girls did not study much math and science in school. Only boys went to those classes. However, Lovelace's mother <u>hired</u> tutors to teach those <u>subjects</u> to her daughter at home. Lovelace had a deep <u>passion</u> for mathematics and studied university-level material on her own. At the age of 17, she met the inventor Charles Babbage. He taught her about his newest <u>invention</u>: the difference engine. This engine could solve math equations <u>automatically</u> when someone put in the numbers. Lovelace saw the <u>potential</u> of this engine, and suggested that it could be used to create automatic programs. Her research and comments on this topic directly led to simple versions of what we would eventually call "computers." During her life, many people did not know of her work, but in the 1950s, the world discovered how much she helped the beginning of development of computer technology. That is why now Ada Lovelace is called the world's "first computer programmer."

1. hired
2. subjects
3. passion
4. invention
5. automatically
6. potential

✏️ Writing Practice   p.41

1. hire
2. subject
3. have a deep passion for
4. invention
5. automatically
6. saw the potential of

📄 Summary

Ada Lovelace has been called the world's "first <u>computer</u> programmer." She saw the <u>potential</u> in an inventor's <u>engine</u> and suggested that it could be used to create automatic <u>programs</u>.

Ada Lovelace는 세계의 "첫 <u>컴퓨터</u> <u>프로그래머</u>"라고 불려왔다. 그녀는 한 발명가가 만든 <u>(엔진)</u> 기관에서 <u>잠재력</u>을 보았고 그것이 자동 <u>프로그램</u>을 개발하는 데 사용될 수 있다고 제안했다.

Across	Down
5. saw the potential of	**1**. invention
6. subject	**2**. automatically
	3. hire
	4. have a deep passion for

AMAZING STORIES
p.43

The Edison-Tesla Nobel Prize Rumor

For a while, Nicola Tesla and Thomas Edison were the biggest rivals in the scientific world of electricity. While Tesla hoped to see alternating current (AC) power the world, Edison backed direct current (DC). They sat on opposite sides in this debate. However, Edison and Tesla both had something very big in common: Neither inventor received the Nobel Prize. Moreover, there was even a rumor that both scientists would receive the Nobel Prize in the same year.

In 1915, a newspaper in London reported that both Tesla and Edison were going to receive the Nobel Prize in Physics that year. This story was published in many other newspapers around Europe. However, on November 15, 1915, it was officially announced that the Nobel Prize in Physics would instead go to two scientists who had studied X-rays.

So why was the false rumor published? Some people have said that either Tesla or Edison was going to refuse the Nobel Prize, and that as a result, the judges decided to choose a different recipient. However, the Nobel Prize judges denied this as just a rumor. But this leaves us with a bigger question. Why didn't Tesla or Edison ever receive a Nobel Prize? It is one of the scandals and mysteries in the history of the prize.

Edison-Tesla 노벨상 소문

한동안, Nicola Tesla와 Thomas Edison은 전기 과학계에서 가장 큰 라이벌이었다. Tesla가 교류(AC) 전력이 세상에 동력을 공급하는 것을 바라는 한편, Edison은 직류(DC)를 지지했다. 그들은 이 논쟁에서 반대편에 앉아 있었다. 하지만, Edison과 Tesla는 둘 다 무언가 아주 커다란 공통점이 있었다: 그들 중 어느 발명가도 노벨상을 받지 못했다. 더욱이, 두 과학자가 같은 해에 노벨상을 받을 것이라는 소문까지 돌았다.

1915년에, 런던의 한 신문은 Tesla와 Edison 모두 그 해에 노벨 물리학상을 받을 것이라고 보도했다. 이 이야기는 유럽의 많은 다른 신문에 게재됐다. 하지만, 1915년 11월 15일에, 노벨 물리학상은 (두 발명가 대신) 엑스레이를 연구한 두 과학자에게 갈 것이라고 공식적으로 발표되었다.

그렇다면 왜 이 거짓 소문이 게재된 것일까? 어떤 사람들은 Tesla나 Edison이 노벨상을 거부하려고 했고, 그 결과 심사위원들이 다른 수상자를 선택하기로 결정했다고 말했다. 하지만, 노벨상 심사위원들은 이를 그저 소문일 뿐이라고 부인했다. 하지만 이는 우리에게 더 커다란 질문을 남긴다. 왜 Tesla나 Edison이 노벨상을 받지 못 했을까? 이는 노벨상의 역사에서 일어난 추문과 불가사의 중 하나이다.

Chapter 2. Famous People 2

 Reading Passage   p.46

Tu Youyou

Tu Youyou was born in China in 1930 and grew up in a time when scientists there did not receive much respect. In high school, she became very sick with a disease called tuberculosis. Luckily, she recovered and was inspired to study medicine. She first studied traditional Chinese medicine, but eventually her government asked her to find a new cure for malaria, a deadly disease spread by mosquitoes. Using her knowledge of traditional medicine, she and her research team found a plant used in ancient China that might possibly help. However, when they boiled the plant to make the medicine, there was no effect. Tu Youyou was confused but continued her research and found a book from 340 BCE. It said that the plant should not be boiled, but rather soaked in cold water for a long time and then drunk. She tried this process, and it worked! Tu Youyou had found a cure for malaria that has helped millions of people to this day. Her discovery was so important to humanity that Tu won the Nobel Prize for Medicine in 2015, making her the first Chinese woman to receive the honor.

Tu Youyou

Tu Youyou는 1930년에 중국에서 태어났고 과학자들이 거기서 그다지 존중받지 못했던 때에 자랐다. 고등학교 때, 그녀는 결핵이라는 병으로 매우 아팠다. 다행히도, 그녀는 회복하였고 의학을 공부하는 데 동기부여를 받았다. 그녀는 처음에 전통 중국 의학을 공부했는데, 결국 정부는 그녀에게 모기가 퍼뜨리는 치명적인 질병인 말라리아에 대한 새로운 치료법을 찾아달라고 요청했다. 전통 의학에 대한 지식을 이용하여, 그녀와 그녀의 연구팀은 도움이 될 수도 있는 고대 중국에서 사용되었던 식물을 찾아냈다. 하지만, 약으로 만들려고 그 식물을 삶았을 때, 효과가 없었다. Tu Youyou는 혼란스러웠지만 그녀의 연구를 계속했고 기원전 340년의 책을 발견했다. 거기에는 그 식물은 삶으면 안 되며, 차가운 물에 오랫동안 담갔다가 마셔야 한다고 쓰여있었다. 그녀는 이 과정을 시도했고, 그것이 효과가 있었다! Tu Youyou는 오늘날까지 수백만 명을 도운 말라리아 치료법을 발견했다. 그녀의 발견은 인류에게 너무나도 중요해서 Tu는 2015년에 노벨 의학상을 받았고, 이로 인해 그녀는 이 영예를 안은 첫 번째 중국 여성이 되었다.

Pre-reading Questions   p.45

Have you ever heard of Tu Youyou?

Look at the illustration.

What do you think Tu is known for?

Tu Youyou에 대해 들어본 적이 있나요?

삽화를 보세요.

Tu가 무엇으로 알려졌다고 생각하나요?

Junior Book 3

어휘 receive 받다 | respect 존중, 중시; 배려 | disease 질병 | tuberculosis 결핵 | recover 회복하다 | inspire 동기를 부여하다; 고취시키다 | medicine 의학, 의료; 약(물) | traditional 전통적인 | cure 치료법 | malaria 말라리아 | deadly 치명적인 | spread 퍼뜨리다, 전염하다; 확산 | ancient 고대의 | boil 삶다 | effect 효과 | soak 담그다 | process 과정 | work 효과가 있다 | discovery 발견 | humanity 인류; 인간성 | honor 영예 | surround 둘러싸다, 에워싸다 | result 결과 | expectation 예상, 기대 | fry 튀기다 | chop 잘게 썰다 | dice 깍둑썰기를 하다 | stain 얼룩 | dab (가볍게) 꾹꾹 누르다 | beat 두드리다 | remove 제거하다 | thorn 가시 | test 실험하다 | awareness (of) (~에 관한) 인식 | risk 위험 | bite 물기, 무는 행위 | prevention 방지, 예방 | cover 씌우다, 덮다 | coil 모기향; (여러 겹으로 둥글게 감아 놓은) 고리 | medication 약(물) | diagnosis 진단 | symptom 증상 | advice 조언 | approach 접근법 | light 옅은, 밝은 | professional 전문가 | crucial 중대한, 결정적인

Comprehension Questions
p.47

1. A: Is that scientist famous?
   B: Yes! She's so famous that she is always surrounded by fans.

   (A) who
   (B) that
   (C) then
   (D) which

해석 A: 저 과학자는 유명하니?
   B: 그럼! 그녀는 너무 유명해서 항상 팬들로 둘러싸여 있어.

   (A) 관계대명사 who
   (B) 접속사 that
   (C) 부사 then
   (D) 관계대명사 which

풀이 문맥상 그녀가 너무 유명해서 늘 팬들로 둘러싸여 있다는 내용이 자연스럽다. '너무 A해서 B하다'라는 뜻을 나타낼 때 'so A that B'라고 표현하므로 (B)가 정답이다.

새겨 두기 'so A that B' 표현에서 B는 주어와 동사가 있는 절을 사용해야 한다는 것에 유의하자.

관련 문장 Her discovery was so important to humanity that Tu won the Nobel Prize for Medicine in 2015, [...]

2. A: Why did your team do the experiment again?
   B: We were confused because the first results were completely different from our expectations.

   (A) confuse
   (B) confused
   (C) confuses
   (D) confusing

해석 A: 왜 너희 팀은 그 실험을 다시 했니?
   B: 첫 번째 결과들이 우리의 예상과 완전히 달랐기 때문에 혼란스러웠어.

   (A) 혼란시키다
   (B) 혼란스러워하는
   (C) 혼란시키다
   (D) 혼란스럽게 하는

풀이 빈칸은 주격 보어 자리이다. 문맥상 결과가 예상과 달라 우리('We')가 혼란스럽다는 내용이 자연스럽다. 따라서 '혼란스러워하는'이란 수동의 의미를 지닌 형용사 (B)가 정답이다.

새겨 두기 '-ed'와 '-ing'로 끝나는 형용사의 차이를 알아둔다. 대개 '-ed'는 수동의 의미를, '-ing'는 능동의 의미를 갖는다. 예를 들어 'confused'(혼란스러워하는)와 'confusing' (혼란스럽게 하는)은 타동사 'confuse'(혼란스럽게 하다)를 활용한 형태라고 생각하면 이해하기 쉽다.

관련 문장 Tu Youyou was confused but continued her research and found a book from 340 BCE.

3. I decided to boil a potato for dinner.

   (A) fry
   (B) boil
   (C) chop
   (D) dice

해석 저녁으로 감자를 삶기로 결정했다.

   (A) 튀기다
   (B) 삶다
   (C) 잘게 썰다
   (D) 깍둑썰기를 하다

풀이 감자를 물에 끓이고 있으므로 (B)가 정답이다.

관련 문장 However, when they boiled the plant to make the medicine, there was no effect.

4. To get those stains out, <u>soak</u> the shirt for an hour.

    (A) dab
    (B) soak
    (C) beat
    (D) wear

해석 그 얼룩들을 빼내기 위해서, 한 시간 동안 셔츠를 <u>담가라</u>.

    (A) (가볍게) 꼭꼭 누르다
    (B) 담그다
    (C) 두드리다
    (D) 입다

풀이 얼룩이 묻은 셔츠를 물에 담그고 있으므로 (B)가 정답이다.

관련 문장 It said that the plant should not be boiled, but rather soaked in cold water for a long time and then drunk.

[5-6]

해석

ABCD 방법을 기억하세요!

A: 위험에 대한 인식
말라리아에 걸릴 위험이 있는지 확인하세요.

B: 물림 방지
곤충 스프레이를 사용하세요. 모기장을 침대 위에 씌우세요.
팔과 다리를 옷으로 감싸세요. 모기향을 사용하세요.

C: 확인하기
말라리아 예방약을 복용해야 하나요?

D: 진단
말라리아 증상이 있다고 생각되면 의사에게 찾아가세요.

5. Which of the following is the ABCD Way?

    (A) names of malaria medications
    (B) advice on which countries to visit
    (C) approaches to becoming a doctor
    (D) tips to avoid the spread of malaria

해석 다음 중 ABCD 방법은 무엇인가?

    (A) 말라리아 약의 이름들
    (B) 어느 나라를 방문할지에 대한 조언
    (C) 의사가 되기 위한 접근법
    (D) 말라리아 확산을 막기 위한 조언

풀이 말라리아에 걸릴 위험성을 인식하고, 모기장이나 모기향 등을 사용하여 물림 방지를 하며, 말라리아약을 복용해야 하는지 확인하고, 말라리아 증상이 보이면 의사에게 가라고 'ABCD Way'라는 이름을 들어 조언하고 있다. 이는 모두 말라리아 확산을 방지하는 방법이므로 (D)가 정답이다.

6. Which of the following is NOT in the list?

    (A) sleeping under a net
    (B) getting anti-mosquito coils
    (C) wearing light colored clothing
    (D) talking to a medical professional

해석 다음 중 목록에 있지 않은 것은 무엇인가?

    (A) 모기장 밑에서 자기
    (B) 모기향 마련하기
    (C) 밝은 색깔의 옷 착용하기
    (D) 의학 전문가에게 이야기하기

풀이 밝은 색깔의 옷을 착용하라는 내용은 언급되지 않았으므로 (C)가 정답이다. (A)는 'Put a mosquito net over your bed.'에서, (B)는 'Use coils.'에서, (D)는 'Go to the doctor if you think you have symptoms of malaria.'에서 확인할 수 있는 내용이므로 오답이다.

Tu Youyou was born in China in 1930 and grew up in a time when scientists there did not receive much respect. In high school, she became very sick with a disease called tuberculosis. Luckily, she recovered and was inspired to study medicine. She first studied traditional Chinese medicine, but eventually her government asked her to find a new cure for malaria, a deadly disease spread by mosquitoes. Using her knowledge of traditional medicine, she and her research team found a plant used in ancient China that might possibly help. However, when they boiled the plant to make the medicine, there was no effect. Tu Youyou was confused but continued her research and found a book from 340 BCE. It said that the plant should not be boiled, but rather soaked in cold water for a long time and then drunk. She tried this process, and it worked! Tu Youyou had found a cure for malaria that has helped millions of people to this day. Her discovery was so important to humanity that Tu won the Nobel Prize for Medicine in 2015, making her the first Chinese woman to receive the honor.

해석

Tu Youyou는 1930년에 중국에서 태어났고 과학자들이 거기서 그다지 존중받지 못했던 때에 자랐다. 고등학교 때, 그녀는 결핵이라는 병으로 매우 아팠다. 다행히도, 그녀는 회복하였고 의학을 공부하는 데 동기부여를 받았다. 그녀는 처음에 전통 중국 의학을 공부했는데, 결국 정부는 그녀에게 모기가 퍼뜨리는 치명적인 질병인 말라리아에 대한 새로운 치료법을 찾아달라고 요청했다. 전통 의학에 대한 지식을 이용하여, 그녀와 그녀의 연구팀은 도움이 될 수도 있는 고대 중국에서 사용되었던 식물을 찾아냈다. 하지만, 약으로 만들려고 그 식물을 삶았을 때, 효과가 없었다. Tu Youyou는 혼란스러웠지만 그녀의 연구를 계속했고 기원전 340년의 책을 발견했다. 거기에는 그 식물은 삶으면 안 되며, 차가운 물에 오랫동안 담갔다가 마셔야 한다고 쓰여있었다. 그녀는 이 과정을 시도했고, 그것이 효과가 있었다! Tu Youyou는 오늘날까지 수백만 명을 도운 말라리아 치료법을 발견했다. 그녀의 발견은 인류에게 너무나도 중요해서 Tu는 2015년에 노벨 의학상을 받았고, 이로 인해 그녀는 이 영예를 안은 첫 번째 중국 여성이 되었다.

7. What is the passage mainly about?

(A) how Tu Youyou overcame tuberculosis
(B) **how Tu Youyou found a cure for malaria**
(C) why Tu Youyou chose to study medicine
(D) why Tu Youyou invented mosquito spray

해석 지문은 주로 무엇에 관한 내용인가?

(A) 어떻게 Tu Youyou가 결핵을 극복했는지
(B) 어떻게 Tu Youyou가 말라리아 치료법을 찾았는지
(C) 왜 Tu Youyou가 의학 공부하는 것을 선택했는지
(D) 왜 Tu Youyou가 모기 스프레이를 발명했는지

유형 전체 내용 파악

풀이 Tu가 어떻게 전통 의학 지식을 이용해 말라리아 치료법을 찾고, 노벨의학상까지 받게 되었는지 중점적으로 설명하고 있는 글이다. 따라서 (B)가 정답이다. (C)는 전체 내용이 아니라 일부만을 반영하는 제목이므로 오답이다.

8. According to the passage, what did Tu have?

(A) a sister with malaria
(B) an easy job in the government
(C) **knowledge of traditional medicine**
(D) family members working in hospitals

해석 지문에 따르면, Tu는 무엇을 갖고 있었는가?

(A) 말라리아에 걸린 여동생
(B) 정부에서의 쉬운 일
(C) 전통 의학 지식
(D) 병원에서 일하는 가족 구성원들

유형 세부 내용 파악

풀이 'She first studied traditional Chinese medicine, [...]. Using her knowledge of traditional medicine, she and her research team found a plant used in ancient China that might possibly help.'에서 Tu가 중국 전통 의학을 공부했고 전통 의학 지식을 연구에 활용했다는 것을 알 수 있으므로 (C)가 정답이다.

9. According to the passage, what did Tu learn from a book from 340 BCE?

(A) to plant seeds in spring
(B) to soak a plant in cold water
(C) to boil a plant for a long time
(D) to remove thorns from plants

해석 지문에 따르면, Tu가 기원전 340년의 책에서 배운 내용은 무엇인가?

(A) 봄에 씨앗 심기
(B) 찬물에 식물 담그기
(C) 오랫동안 식물 삶기
(D) 식물의 가시 제거하기

유형 세부 내용 파악

풀이 'Tu Youyou was confused but continued her research and found a book from 340 BCE. It said that the plant should not be boiled, but rather soaked in cold water for a long time and then drunk.'에서 혼란에 빠진 Tu가 기원전 340년에 쓰인 책을 발견했고, 그 책을 통해 특정 식물을 약으로 쓰려면 끓이지 말고 찬물에 오래 담근 다음에 마셔야 한다는 사실을 깨달았다는 것을 알 수 있으므로 (B)가 정답이다.

10. Which fact about Tu is mentioned in the passage?

(A) She studied at Peking University.
(B) She is the Chief Scientist at a famous academy.
(C) She and her team tested 2,000 medicines on mice.
(D) She is the first female Chinese Nobel Prize winner.

해석 지문에서 Tu에 관해 언급된 사실은 무엇인가?

(A) 그녀는 베이징대학에서 공부했다.
(B) 그녀는 유명한 학교의 수석 과학자이다.
(C) 그녀와 그녀의 팀은 쥐에 2,000개의 약물을 실험했다.
(D) 그녀는 최초의 중국인 여성 노벨상 수상자이다.

유형 세부 내용 파악

풀이 마지막 문장 'Her discovery was so important to humanity that Tu won the Nobel Prize for Medicine in 2015, making her the first Chinese woman to receive the honor.'에서 Tu가 노벨상을 받은 최초의 중국인 여성이라는 사실을 알 수 있으므로 (D)가 정답이다.

 Listening Practice   ● J3-5   p.50

Tu Youyou was born in China in 1930 and grew up in a time when scientists there did not receive much <u>respect</u>. In high school, she became very sick with a disease called tuberculosis. Luckily, she <u>recovered</u> and was inspired to study medicine. She first studied traditional Chinese medicine, but eventually her government asked her to find a new <u>cure for</u> malaria, a deadly disease spread by mosquitoes. Using her knowledge of traditional medicine, she and her research team found a plant used in ancient China that might possibly help. However, when they <u>boiled</u> the plant to make the medicine, there was no effect. Tu Youyou was confused but continued her research and found a book from 340 BCE. It said that the plant should not be boiled, but rather <u>soaked</u> in cold water for a long time and then drunk. She tried this process, and it worked! Tu Youyou had found a cure for malaria that has helped millions of people to this day. Her discovery was so important to <u>humanity</u> that Tu won the Nobel Prize for Medicine in 2015, making her the first Chinese woman to receive the honor.

1. respect
2. recovered
3. cure for
4. boiled
5. soaked
6. humanity

 Writing Practice   p.51

1. respect
2. recover
3. cure for
4. boil
5. soak
6. humanity

📄 Summary

Chinese Nobel Prize winner Tu Youyou studied traditional Chinese <u>medicine</u>. The government asked her to find a new <u>cure</u> for malaria, so she and her <u>research</u> team found a <u>plant</u> that could help, in a discovery that has been crucial to humans.

중국인 노벨상 수상자인 Tu Youyou는 중국 전통 <u>의학</u>을 공부했다. 정부는 그녀에게 말라리아를 위한 새로운 말라리아 <u>치료법</u>을 찾아달라고 요청했고, 그래서 그녀와 그녀의 <u>연구팀</u>은 도움이 될 수 있는 <u>식물</u> 하나를 찾아냈고, 이는 인류에게 중대한 발견이었다.

🔲 Word Puzzle   p.52

Across	Down
1. recover	1. respect
4. humanity	2. soak
5. boil	3. cure for

💡 Pre-reading Questions   p.53

Have you ever heard of Rigoberta Menchú?

Look at the illustration.

What do you think Menchú is known for?

Rigoberta Menchú에 대해 들어본 적이 있나요?

삽화를 보세요.

Menchú가 무엇으로 알려졌다고 생각하나요?

📖 Reading Passage

Rigoberta Menchú

Rigoberta Menchú was born in a poor village in Guatemala in 1959. Her country soon fell into a big war that started in 1960. Menchú is part of a group of people called the Maya, and the government was hostile against them. Many people died, but she was able to escape to Mexico. There, she worked hard to save the Mayan people in Guatemala. In 1982, she wrote a book about her experiences living in a poor village and dealing with the war. This book was translated from Spanish into many other languages, making her famous all over the world. Because of her work to help the Maya and other people in her country, she received the Nobel Peace Prize in 1992. She used her prize money to start the Rigoberta Menchú Tum Foundation to protect the rights of the Maya. The long war in Guatemala finally ended in 1996. Since then, Menchú's book has been criticized, as some of the events in it did not happen. Still, Menchú continues to be a representative for many Mayan people and even ran for President of Guatemala twice! Her life proves that even someone born in a small village can have a giant impact on her country and the entire world.

Rigoberta Menchú

Rigoberta Menchú는 1959년에 과테말라의 한 빈민촌에서 태어났다. 그녀의 국가는 곧 1960년에 시작된 큰 전쟁에 빠졌다. Menchú는 마야족이라고 불리는 집단의 일원이고, 정부는 그들에게 적대적이었다. 많은 사람이 죽었지만, 그녀는 멕시코로 탈출할 수 있었다. 거기서, 그녀는 과테말라의 마야인들을 구하기 위해 열심히 노력했다. 1982년에, 그녀는 빈민촌에 살고 전쟁을 겪은 그녀의 경험들에 관한 책을 썼다. 이 책은 스페인어에서 다른 많은 언어로 번역되었으며, 그녀를 세계적으로 유명하게 만들었다. 자국에 있는 마야족과 다른 사람들을 돕기 위한 그녀의 노력으로 인해, 그녀는 1992년에 노벨 평화상을 받았다. 그녀는 마야인들의 권리를 보호하려는 Rigoberta Menchú Tum 재단을 시작하기 위해 그녀의 상금을 썼다. 과테말라의 오랜 전쟁은 마침내 1996년에 끝났다. 그 이후로, Menchú의 책은 그 안에 나온 몇몇 사건들이 일어나지 않았기 때문에 비판을 받았다. 그런데도, Menchú는 많은 마야인의 대표로서 계속 활동하고 있으며 심지어 과테말라 대통령 선거에 두 번 출마하기도 했다! 그녀의 삶은 작은 마을에서 태어난 사람일지라도 그녀의 조국과 전 세계에 중대한 영향을 미칠 수 있다는 것을 증명한다.

어휘 fall into ~에 빠지다 | Maya 마야 문화(의); 마야 사람(의) (cf. Mayan 마야어) | hostile 적대적인 | escape 탈출하다 | save 구하다 | deal with ~을 상대하다, 다루다 | translate 번역하다 | receive 받다 | foundation 재단 | protect 보호하다 | right 권리 | criticize 비판하다 | representative 대표 | run for ~에 출마하다, 입후보하다 | giant 중대한, 위대한 | impact 영향 | entire 전체의, 온 | injured 다친 | soften 부드럽게 하다 | lighten 가볍게 하다 | highlight 강조하다 | timid 소심한 | friendly 다정한 | bubbly 명랑한 | poem 시 | manual 교육 설명서 | last 지속되다 | thank 감사를 표하다 | personally 개인적으로 | official 공식적인 | republic 공화국 | population 인구 | currency 화폐, 통화 | capital 수도 | mestizo 메스티조 (스페인과 북미 원주민의 피가 섞인 라틴 아메리카 사람) | recognized 인정된 | ethnic 인종의 | weaving 직조 | site 장소 | ancient 고대의 | ruin 유적 | heritage 유산 | separate 분리하다, 구분하다 | share 공유하다 | modern 현대의 | export 수출품 | equipment 장비 | poverty 가난

⏱ Comprehension Questions
p.55

1. A: What happened that year?
    B: Many people <u>died</u> in the war, and many others were injured.

    (A) died
    (B) had dead
    (C) were died
    (D) have been dead

해석 A: 그 해에 무슨 일이 일어났니?
　　 B: 많은 사람이 전쟁에서 <u>죽었고</u>, 다른 많은 사람이 다쳤다.

　　 (A) 죽었다
　　 (B) 어색한 표현
　　 (C) 어색한 표현
　　 (D) 죽어있었다 (죽은 상태로 이어졌다)

풀이 화자 A가 'that year'라는 특정 과거 시점에 무슨 일이 일어났는지 단순 과거 시제로 물어보고 있으므로, 빈칸에도 과거 시제 동사를 사용해야 자연스럽다. 따라서 (A)가 정답이다. (C)는 'die'가 자동사이기 때문에 수동형을 쓸 수 없고, 'were dead'가 되어야 적절하므로 오답이다.

관련 문장 Many people died, but she was able to escape to Mexico.

Junior for Teachers　199

2. A: Did you enjoy this book?
   B: Yes, it was great. It was translated from Chinese <u>into</u> English.

   (A) for
   (B) into
   (C) beside
   (D) against

해석 A: 이 책 재미있었니?
   B: 응, 훌륭했어. 그것은 중국어에서 영어로 번역되었어.

   (A) ~을 위해
   (B) ~로
   (C) ~옆에
   (D) ~에 반대하여

풀이 'A를 (C에서) B로 번역하다'라는 뜻을 나타낼 때 전치사 'to/into'를 사용하여 'translate A (from C) to/into B'라고 표현할 수 있다. 따라서 (B)가 정답이다.

관련 문장 This book was translated from Spanish into many other languages, making her famous all over the world.

3. Wear this to <u>protect</u> your head.

   (A) soften
   (B) lighten
   (C) protect
   (D) highlight

해석 당신의 머리를 <u>보호하기</u> 위해 이것을 쓰시오.

   (A) 부드럽게 하다
   (B) 가볍게 하다
   (C) 보호하다
   (D) 강조하다

풀이 머리를 보호하기 위한 안전모이므로 (C)가 정답이다.

관련 문장 She used her prize money to start the Rigoberta Menchú Tum Foundation to protect the rights of the Maya.

4. This dog is quite <u>hostile</u>.

   (A) timid
   (B) hostile
   (C) friendly
   (D) bubbly

해석 그 개는 꽤 <u>적대적이다</u>.

   (A) 소심한
   (B) 적대적인
   (C) 다정한
   (D) 명랑한

풀이 개가 사람의 다리를 무는 적대적인 행동을 하고 있으므로 (B)가 정답이다.

관련 문장 Menchú was part of a group of people called the Maya, and the government was hostile against them.

[5-6]

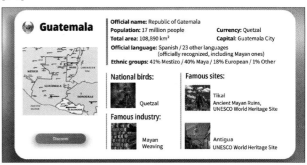

해석

과테말라	
공식 명칭: 과테말라공화국	
인구: 1,700만 명	화폐: 케찰
총면적: 108,890 km²	수도: 과테말라 시티
공식 언어: 스페인어 / 기타 23개의 언어가 공식적으로 인정됨 (마야 언어들도 포함)	
인종 집단: 41%: 메스티조 / 40%: 마야인 / 18%: 유럽인 / 1%: 기타	
국조: 케찰	유명 장소: 티칼 고대 마야 유적, 유네스코 세계문화유산
유명 산업: 마야 직조	안티구아 유네스코 세계문화유산

5. According to the chart, which of the following is true about Guatemala?

   (A) There are 23 official languages.
   (B) It separated Honduras and El Salvador.
   (C) Over 60% of its population is Mayan people.
   (D) Its money and national bird share the same name.

해석 표에 따르면, 다음 중 과테말라에 관해 옳은 설명은 무엇인가?

   (A) 23개의 공식 언어가 있다.
   (B) 온두라스와 엘살바도르를 구분 짓는다.
   (C) 인구의 60% 이상이 마야인이다.
   (D) 돈과 국조가 같은 이름을 공유한다.

풀이 화폐 단위와 국조가 'Quetzal'로 이름이 같으므로 (D)가 정답이다. (A)는 과테말라의 공식 언어가 스페인어와 기타 23개로 총 24개이기 때문에 오답이다. (B)는 지도에서 과테말라는 온두라스와 엘살바도르의 국경을 나누지 않으므로 오답이다. (C)는 마야인은 인종 집단에서 40%를 차지하므로 오답이다

6. Which of the following would a tourist in Antigua most likely say?

(A) "It is beautiful here in Guatemala's modern capital!"

(B) "I can understand why UNESCO chose this place!"

(C) "This place's most famous export is ski equipment!"

(D) "I can't believe 17 million people live in this one city!"

해석 다음 중 안티구아의 관광객이 할 말로 가장 적절한 것은 무엇인가?

(A) "여기 과테말라의 현대 수도가 참 아름답네요!"

(B) "왜 유네스코가 이 장소를 선택했는지 이해할 수 있겠어요!"

(C) "이곳의 가장 유명한 수출품은 스키 장비입니다!"

(D) "1,700만 명의 사람들이 이 한 도시에 산다니 믿을 수 없어요!"

풀이 'Antigua (UNESCO World Heritage site)'에서 안티구아는 유네스코 지정 세계문화유산이라는 것을 알 수 있다. 따라서 (B)가 정답이다. (D)는 1,700만 명은 과테말라의 전체 인구수이므로 오답이다.

[7-10]

Rigoberta Menchú was born in a poor village in Guatemala in 1959. Her country soon fell into a big war that started in 1960. Menchú is part of a group of people called the Maya, and the government was hostile against them. Many people died, but she was able to escape to Mexico. There, she worked hard to save the Mayan people in Guatemala. In 1982, she wrote a book about her experiences living in a poor village and dealing with the war. This book was translated from Spanish into many other languages, making her famous all over the world. Because of her work to help the Maya and other people in her country, she received the Nobel Peace Prize in 1992. She used her prize money to start the Rigoberta Menchú Tum Foundation to protect the rights of the Maya. The long war in Guatemala finally ended in 1996. Since then, Menchú's book has been criticized, as some of the events in it did not happen. Still, Menchú continues to be a representative for many Mayan people and even ran for President of Guatemala twice! Her life proves that even someone born in a small village can have a giant impact on her country and the entire world.

해석

Rigoberta Menchú는 1959년에 과테말라의 한 빈민촌에서 태어났다. 그녀의 국가는 곧 1960년에 시작된 큰 전쟁에 빠졌다. Menchú는 마야족이라고 불리는 집단의 일원이고, 정부는 그들에게 적대적이었다. 많은 사람이 죽었지만, 그녀는 멕시코로 탈출할 수 있었다. 거기서, 그녀는 과테말라의 마야인들을 구하기 위해 열심히 노력했다. 1982년에, 그녀는 빈민촌에 살고 전쟁을 겪은 그녀의 경험들에 관한 책을 썼다. 이 책은 스페인어에서 다른 많은 언어로 번역되었으며, 그녀를 세계적으로 유명하게 만들었다. 자국에 있는 마야족과 다른 사람들을 돕기 위한 그녀의 노력으로 인해, 그녀는 1992년에 노벨 평화상을 받았다. 그녀는 마야인들의 권리를 보호하려는 Rigoberta Menchú Tum 재단을 시작하기 위해 그녀의 상금을 썼다. 과테말라의 오랜 전쟁은 마침내 1996년에 끝났다. 그 이후로, Menchú의 책은 그 안에 나온 몇몇 사건들이 일어나지 않았기 때문에 비판을 받았다. 그런데도, Menchú는 많은 마야인의 대표로서 계속 활동하고 있으며 심지어 과테말라 대통령 선거에 두 번 출마하기도 했다! 그녀의 삶은 작은 마을에서 태어난 사람일지라도 그녀의 조국과 전 세계에 중대한 영향을 미칠 수 있다는 것을 증명한다.

7. Which would be the best title for the passage?

(A) Why a Mexican Doctor Won a Battle
(B) Spanish Doctor, President of Guatemala
(C) **Mayan Woman, Nobel Peace Prize Winner**
(D) How a Nurse from Guatemala Won the Nobel Prize

해석 지문에 가장 알맞은 제목은 무엇인가?

(A) 멕시코 의사가 전쟁에서 이긴 이유
(B) 스페인 의사, 과테말라의 대통령
(C) 마야 여성, 노벨 평화상 수상자
(D) 어떻게 과테말라의 간호사가 노벨상을 받았는지

유형 전체 내용 파악

풀이 저서 집필, 노벨 평화상 수상, 재단 설립 등 과테말라 출신 마야인 여성 Rigoberta Menchú의 일대기를 서술하고 있는 글이므로 (C)가 정답이다. (D)는 Menchú가 간호사였다는 내용은 언급되지 않았으므로 오답이다.

8. According to the passage, why did Menchú most likely go to Mexico?

(A) to marry someone living in Mexico City
(B) **to escape the government of Guatemala**
(C) to study whales who came to Mexican water
(D) to visit a cousin who lived by a famous beach

해석 지문에 따르면, Menchú가 멕시코로 간 이유로 가장 적절한 것은 무엇인가?

(A) 멕시코시티에 사는 사람과 결혼하려고
(B) 과테말라 정부에서 탈출하려고
(C) 멕시코 영해로 온 고래들을 연구하려고
(D) 유명한 해변에 사는 사촌을 방문하려고

유형 세부 내용 파악 & 추론하기

풀이 'Menchú was part of a group of people called the Maya, and the government was hostile against them. Many people died, but she was able to escape to Mexico.'에서 마야인이었던 Menchú가 당시 마야인에게 적대적인 과테말라 정부를 피해 목숨을 부지하려고 멕시코로 탈출했음을 알 수 있으므로 (B)가 정답이다.

9. According to the passage, what did Menchú write?

(A) a textbook for soldiers
(B) a poem about life in Mexico
(C) **a book about village life and war**
(D) a manual to train nurses and doctors

해석 지문에 따르면, Menchú는 무엇을 썼는가?

(A) 군인들을 위한 교과서
(B) 멕시코의 삶에 관한 시
(C) 마을 생활과 전쟁에 관한 책
(D) 간호사와 의사 교육 설명서

유형 세부 내용 파악

풀이 'In 1982, she wrote a book about her experiences living in a poor village and dealing with the war.'에서 Menchú가 1982년에 과테말라 빈민촌에서의 생활과 전쟁에 관한 책을 썼다고 했으므로 (C)가 정답이다.

10. Which of the following is NOT mentioned in the passage?

(A) The war in Guatemala lasted for 36 years.
(B) Menchú received the Nobel Peace Prize in 1992.
(C) Menchú started a foundation with her prize money.
(D) **The Guatemalan president thanked Menchú personally.**

해석 다음 중 지문에 언급되지 않은 내용은 무엇인가?

(A) 과테말라 전쟁은 36년 동안 지속되었다.
(B) Menchú는 1992년에 노벨 평화상을 받았다.
(C) Menchú는 그녀의 상금으로 재단을 시작했다.
(D) 과테말라 대통령은 Menchú에게 개인적으로 감사를 표했다.

유형 세부 내용 파악

풀이 과테말라 대통령이 Menchú에게 개인적으로 감사를 표했다는 내용은 언급되지 않았으므로 (D)가 정답이다. (A)는 'Her country soon fell into a big war that started in 1960.'와 'The long war in Guatemala finally ended in 1996.'에서 과테말라 전쟁이 1960년에 시작되어 36년이 지난 1996년에 끝났다는 것을 알 수 있으므로 오답이다. (B)와 (C)는 '[...] she received the Nobel Peace Prize in 1992. She used her prize money to start the Rigoberta Menchú Tum Foundation to protect the rights of the Maya.'에서 확인할 수 있으므로 오답이다.

Listening Practice   ▶ J3-6   p.58

Rigoberta Menchú was born in a poor village in Guatemala in 1959. Her country soon fell into a big war that started in 1960. Menchú is part of a group of people called the Maya, and the government was <u>hostile</u> against them. Many people died, but she was able to <u>escape</u> to Mexico. There, she worked hard to save the Mayan people in Guatemala. In 1982, she wrote a book about her experiences living in a poor village and dealing with the war. This book was translated from Spanish into many other languages, making her famous all over the world. Because of her work to help the Maya and other people in her country, she received the Nobel Peace Prize in 1992. She used her prize money to start the Rigoberta Menchú Tum Foundation to <u>protect</u> the <u>rights</u> of the Maya. The long war in Guatemala finally ended in 1996. Since then, Menchú's book has been criticized, as some of the events in it did not happen. Still, Menchú continues to be a <u>representative</u> for many Mayan people and even ran for President of Guatemala twice! Her life proves that even someone born in a small village can have a giant <u>impact</u> on her country and the entire world.

1. hostile
2. escape
3. protect
4. rights
5. representative
6. impact

✎ Writing Practice   p.59

1. hostile
2. escape
3. protect
4. rights
5. representative for
6. have an impact on

🗎 Summary

Nobel Peace Prize Winner Rigoberta Menchú worked to <u>save</u> the Maya and other people in the country of <u>Guatemala</u> when they were suffering from poverty and <u>war</u>. She still has a giant <u>impact</u> on her country and the entire world.

노벨 평화상 수상자인 Rigoberta Menchú는 <u>과테말라</u>에 있던 마야인들과 다른 사람들이 가난과 <u>전쟁</u>으로 고통받을 때 그들을 <u>구하기</u> 위해 노력했다. 그녀는 여전히 그녀의 자국과 전 세계에 중대한 <u>영향</u>을 미치고 있다.

▦ Word Puzzle   p.60

Across	Down
4. hostile	1. rights
5. escape	2. protect
6. have an impact on	3. representative for

Listening Practice   p.66

1 plans	2 original
3 later on	4 curve
5 unusual	6 unique

Writing Practice   p.67

1 plans	2 original
3 later on	4 curve
5 unusual	6 unique

Summary **architects, buildings, unique, creativity**

Word Puzzle   p.68

Across

2 unusual	5 unique
6 original	

Down

1 plans	3 later on
4 curve	

🔆 Pre-reading Questions   p.61

Have you ever heard of Antoni Gaudi?

Look at the illustration.

What do you think Gaudi was known for?

Antoni Gaudi에 대해 들어본 적이 있나요?

삽화를 보세요.

Gaudi가 무엇으로 알려졌다고 생각하나요?

 Reading Passage   p.62

Antoni Gaudi

There are well-known architects from all over the world. However, one of the most famous of all is Antoni Gaudi. A very creative architect from Barcelona, Spain, Gaudi made many special buildings. One of his most famous buildings, La Sagrada Familia, is a giant Catholic church. Interestingly, Gaudi started building La Sagrada Familia in 1882, but the church is still not finished! Gaudi left plans for future architects to finish it. Another place designed by Gaudi is Park Güell. The original plan was for a set of buildings for a man named Güell. Güell hired Gaudi to make the buildings. But Güell did not have enough money to finish them. Therefore, they became a park later on. Another famous Gaudi building is Casa Milà (also called "La Pedrera"). Casa Milà was the last house Gaudi built, and it was finished in 1906. It has an interesting look because the walls curve. The outside walls are made from more than 6,000 blocks of stone joined with metal. But they do not look like plain blocks. Instead, they look like curvy waves. It is an unusual building to be downtown in a city. In 1984, UNESCO made it a special world site. These three unique places all show Gaudi's creativity as an architect.

Antoni Gaudi

세계 곳곳에는 유명한 건축가들이 있다. 하지만, 모두를 통틀어 가장 유명한 사람 중 한 명은 Antoni Gaudi이다. 스페인 바르셀로나 출신의 매우 창의적인 건축가인 Gaudi는 특별한 건물들을 많이 지었다. 그의 가장 유명한 건축물 중 하나인 La Sagrada Familia 는 거대한 가톨릭 교회이다. 흥미롭게도, Gaudi는 1882년에 La Sagrada Familia를 짓기 시작했지만, 그 교회는 아직도 완성되지 않았다! Gaudi는 미래의 건축가들이 그것을 완성하도록 설계도를 남겼다. Gaudi가 설계한 또 다른 장소는 Güell 공원이다. 본래 설계도는 Güell이라는 이름의 남자를 위한 일련의 건물을 위한 것이었다. Güell은 그 건물들을 짓는데 Gaudi를 고용했다. 하지만 Güell은 그것들을 완성하기에 충분한 돈이 없었다. 그 때문에, 그곳은 나중에 공원이 되었다. 또 다른 유명한 Gaudi의 건물은 Casa Milà(또는 "La Pedrera")이다. Casa Milà는 Gaudi가 지은 마지막 가옥이며, 1906년에 완공되었다. 그것은 벽이 구부러져 있어 흥미로운 외관을 띠고 있다. 외벽은 금속으로 연결된 6,000개 이상의 석재 블록으로 만들어졌다. 그러나 그것들은 평범한 블록처럼 보이지 않는다. 대신, 그것들은 구불거리는 물결처럼 보인다. 그것은 도시의 시내에 있기에는 특이한 건물이다. 1984년에, 유네스코는 그곳을 특별한 세계유산으로 지정했다. 이 독특한 세 장소는 모두 건축가로서 Gaudi의 창의력을 보여준다.

어휘 well-known 유명한, 잘 알려진 | creative 창의적인 | architect 건축가 | giant 거대한 | finish 완성하다, 마치다 | plan 설계도; 계획, 방안 | design 설계하다 | original 본래의 | a set of 일련의 | hire A to B A가 B하도록 고용하다 | later on 나중에 | curve 곡선을 이루다 | join 연결되다 | metal 금속 | plain 평범한, 보통의; 무늬가 없는 | curvy 구불구불한 | wave 물결 | unusual 특이한, 드문, 흔히 않은, 색다른 | downtown 시내에 | site 장소 | unique 독특한 | maker 제작자 | dotted 점으로 뒤덮인 | straight 똑바른 | tangerine 오렌지색인 | bumpy 울퉁불퉁한 | decorated 장식된 | private 사적인, 개인의 | knowledgeable 박식한, 많이 아는 | certified 인증된 | guide 가이드, 안내인 | detail 세부 사항, 디테일 | stairway 계단 | benefit 혜택 | skip the line 줄을 서지 않다 | directly 곧장 | book 예약하다 | available 가능한 | in advance 사전에 | minimum 최소한의 | deadline 기한, 마감 시간 | creativity 창조성, 창조력

🕐 Comprehension Questions   p.63

1. A: I started <u>making</u> this table last year.
   B: When will it be finished?

   (A) make
   (B) maker
   (C) making
   (D) to making

해석 A: 나는 작년에 이 테이블을 <u>만들기</u> 시작했어.
    B: 그것은 언제 완성되니?

   (A) 만들다
   (B) 제작자
   (C) 만들기
   (D) 어색한 표현

풀이 'V 하는 것을 시작하다'라는 뜻을 나타낼 때 동명사를 사용하여 'start + V-ing'라고 표현하므로 (C)가 정답이다. (D)는 'start'의 목적어가 되려면 to 부정사가 되어야 하므로 오답이다.

새겨 두기 해당 문장에서 'this table'은 'making'의 목적어이다.

새겨 두기 'start'의 목적어 자리에는 동명사(-ing)와 to 부정사가 모두 올 수 있다.

관련 문장 Interestingly, Gaudi started building La Sagrada Familia in 1882, but the church is still not finished!

2. A: Why is that architect in the news these days?
   B: He has designed <u>another</u> building.

   (A) other
   (B) another
   (C) other his
   (D) another his

해석 A: 왜 요즘 그 건축가가 뉴스에 나오니?
    B: 그가 <u>또 다른</u> 빌딩을 설계했어.

   (A) 다른
   (B) 또 다른
   (C) 어색한 표현
   (D) 어색한 표현

풀이 빈칸에는 'building'이라는 단수 명사를 꾸밀 수 있는 수식어가 들어가야 한다. 따라서 '또 하나 더, 다른 하나'를 뜻하는 한정사 'another'가 들어갈 수 있으므로 (B)가 정답이다. (A)는 'other'가 단독으로 단수 명사를 수식할 수 없으므로 오답이다.

새겨 두기 'other'가 정관사 'the'와 함께 쓰이는 경우와 그렇지 않은 경우의 차이점을 알아두자.

   other + 복수명사
   예) other buildings

   the other + 단수/복수 명사
   예) the other building(s)

관련 문장 Another place designed by Gaudi is Park Güell. Another famous Gaudi building is Casa Milà (also called "La Pedrera").

3. He puts a lot of <u>curvy</u> lines in his art.

   (A) black
   (B) curvy
   (C) dotted
   (D) straight

해석 그는 그의 예술작품에 <u>구부러진</u> 선들을 많이 넣는다.

   (A) 검은색의
   (B) 구부러진
   (C) 점으로 뒤덮인
   (D) 똑바른

풀이 구불구불한 곡선 그림이므로 (B)가 정답이다.

관련 문장 Instead, they look like curvy waves.

4. The walls in the room are <u>plain</u>.

   (A) plain
   (B) bumpy
   (C) decorated
   (D) tangerine

해석 그 방의 벽은 <u>무늬가 없다</u>.

   (A) 무늬가 없는
   (B) 울퉁불퉁한
   (C) 장식된
   (D) 오렌지색인

풀이 무늬가 없는 벽이므로 (A)가 정답이다.

관련 문장 But they do not look like plain blocks.

[5-6]

해석

Güell 공원 투어

박식하고 인증된 가이드와 함께하는 90분짜리 개인 투어.

• Gaudi가 지은 Güell 공원의 역사에 대해 배워보세요!

• 건축물의 디테일을 보세요—유명한 용의 계단(Dragon Stairway)을 포함해요.

기타 혜택: 줄을 서지 마세요—가이드와 함께 곧바로 공원으로 입장하세요.

2명에서 5명 규모의 투어	48시간 전까지 예약 가능	비용: 한 사람당 10유로로 5세 이하의 어린이는 무료

5. Which of the following is NOT mentioned about the tour?

(A) the price of the tour
(B) how long the tour lasts
(C) where to meet the guide
(D) the minimum number of people allowed

해석 다음 중 투어에 관해 언급되지 않은 내용은 무엇인가?

(A) 투어 비용
(B) 투어 진행 시간
(C) 가이드와 만날 장소
(D) 허용되는 최소 인원

풀이 투어 가이드와 어디에서 만나는지는 구체적으로 언급되지 않았으므로 (C)가 정답이다. (A)는 'Cost: 10 euro per person' 에서, (B)는 '90-minute private tours'에서, (D)는 'Tours of 2 to 5 people.'에서 확인할 수 있으므로 오답이다.

6. The Kim family wants to take a tour on Friday, April 10, 10 AM. When is their deadline to book it?

(A) Wednesday, April 8, 10 AM
(B) Thursday, April 9, 12 noon
(C) Friday, April 10, 8 AM
(D) Friday, April 10, 9 AM

해석 Kim 씨 가족은 4월 10일 금요일, 오전 10시에 투어하고 싶어 한다. 그들의 예약 마감 시간은 언제인가?

(A) 4월 8일 수요일, 오전 10시
(B) 4월 9일 목요일, 정오 12시
(C) 4월 10일 금요일, 오전 8시
(D) 4월 10일 금요일, 오전 9시

풀이 'Booking available up to 48 hours in advance.'에서 48 시간 전까지 예약할 수 있다고 나와 있다. 4월 10일 금요일 오전 10시에서 48시간 전은 4월 8일 수요일 오전 10시이므로 (A)가 정답이다.

There are well-known architects from all over the world. However, one of the most famous of all is Antoni Gaudi. A very creative architect from Barcelona, Spain, Gaudi made many special buildings. One of his most famous buildings, La Sagrada Familia, is a giant Catholic church. Interestingly, Gaudi started building La Sagrada Familia in 1882, but the church is still not finished! Gaudi left plans for future architects to finish it. Another place designed by Gaudi is Park Güell. The original plan was for a set of buildings for a man named Güell. Güell hired Gaudi to make the buildings. But Güell did not have enough money to finish them. Therefore, they became a park later on. Another famous Gaudi building is Casa Milà (also called "La Pedrera"). Casa Milà was the last house Gaudi built, and it was finished in 1906. It has an interesting look because the walls curve. The outside walls are made from more than 6,000 blocks of stone joined with metal. But they do not look like plain blocks. Instead, they look like curvy waves. It is an unusual building to be downtown in a city. In 1984, UNESCO made it a special world site. These three unique places all show Gaudi's creativity as an architect.

해석

세계 곳곳에는 유명한 건축가들이 있다. 하지만, 모두를 통틀어 가장 유명한 사람 중 한 명은 Antoni Gaudi이다. 스페인 바르셀로나 출신의 매우 창의적인 건축가인 Gaudi는 특별한 건물들을 많이 지었다. 그의 가장 유명한 건축물 중 하나인 La Sagrada Familia는 거대한 가톨릭 교회이다. 흥미롭게도, Gaudi는 1882년에 La Sagrada Familia를 짓기 시작했지만, 그 교회는 아직도 완성되지 않았다! Gaudi는 미래의 건축가들이 그것을 완성하도록 설계도를 남겼다. Gaudi가 설계한 또 다른 장소는 Güell 공원이다. 본래 설계도는 Güell 이라는 이름의 남자를 위한 일련의 건물을 위한 것이었다. Güell은 그 건물들을 짓는데 Gaudi를 고용했다. 하지만 Güell 은 그것들을 완성하기에 충분한 돈이 없었다. 그 때문에, 그곳은 나중에 공원이 되었다. 또 다른 유명한 Gaudi의 건물은 Casa Milà(또는 "La Pedrera")이다. Casa Milà는 Gaudi가 지은 마지막 가옥이며, 1906년에 완공되었다. 그것은 벽이 구부러져 있어 흥미로운 외관을 띠고 있다. 외벽은 금속으로 연결된 6,000개 이상의 석재 블록으로 만들어졌다. 그러나 그것들은 평범한 블록처럼 보이지 않는다. 대신, 그것들은 구불거리는 물결처럼 보인다. 그것은 도시의 시내에 있기에 특이한 건물이다. 1984년에, 유네스코는 그곳을 특별한 세계유산으로 지정했다. 이 독특한 세 장소는 모두 건축가로서 Gaudi의 창의력을 보여준다.

7. What is the main idea of the passage?

(A) Gaudi's buildings curve.
(B) Barcelona is a pretty city.
(C) Spain has beautiful buildings.
(D) Gaudi made special buildings.

해석 지문의 요지는 무엇인가?

(A) Gaudi의 건물들은 곡선을 이룬다.
(B) 바르셀로나는 예쁜 도시이다.
(C) 스페인에는 아름다운 건물들이 있다.
(D) Gaudi는 특별한 건물들을 지었다.

유형 전체 내용 파악

풀이 두 번째 문장에서 중심인물인 Antoi Gaudi를 소개하고, 이어서 Gaudi가 지은 유명 건축물 세 가지를 설명하고 있는 글이다. 마지막 문장 'These three unique places all show Gaudi's creativity as an architect.'에서 Gaudi가 독특하고 유명한 건축물을 지었다는 중심 내용을 다시 강조하며 글이 마무리되고 있다. 따라서 (D)가 정답이다.

8. According to the passage, what is NOT true about La Sagrada Familia?

(A) It is a Catholic church.
(B) It was Gaudi's last building.
(C) Future architects will finish it.
(D) Gaudi started building it in 1882.

해석 지문에 따르면, La Sagrada Familia에 관해 옳지 않은 설명은 무엇인가?

(A) 가톨릭 교회이다.
(B) Gaudi의 마지막 건물이었다.
(C) 미래의 건축가들이 완성할 것이다.
(D) Gaudi가 1882년에 짓기 시작했다.

유형 세부 내용 파악

풀이 'Casa Milà was the last house Gaudi built, and it was finished in 1906.'에서 Gaudi의 마지막 건축물은 La Sagrada Familia가 아니라 Casa Milà라는 사실을 알 수 있으므로 (B)가 정답이다. (A)는 'One of his most famous buildings, La Sagrada Familia, is a giant Catholic church.'에서, (C)와 (D)는 'Interestingly, Gaudi started building La Sagrada Familia in 1882, but the church is still not finished! Gaudi left plans for future architects to finish it.'에서 확인할 수 있으므로 오답이다.

9. According to the passage, how did Park Güell get its name?

(A) Güell paid Gaudi to build it.
(B) Güell was Gaudi's best friend.
(C) Güell died while building the park.
(D) Güell was the city Gaudi was born in.

해석 지문에 따르면, Güell 공원은 어떻게 그 이름을 얻게 되었는가?

(A) Güell이 Gaudi에게 돈을 지불해 짓도록 했다.
(B) Güell은 Gaudi의 가장 친한 친구였다.
(C) Güell이 공원이 지어지는 도중에 사망했다.
(D) Güell은 Gaudi가 태어난 도시였다.

유형 세부 내용 파악

풀이 'Another place designed by Gaudi is Park Güell. The original plan was for a set of buildings for a man named Güell. Güell hired Gaudi to make the buildings.'에서 Güell 공원이라는 이름은 Gaudi를 고용해서 건물을 짓도록 한 Güell 이라는 사람의 이름에서 왔다는 것을 알 수 있으므로 (A)가 정답이다.

10. Which place is also called La Pedrera?

(A) Barcelona
(B) Casa Milà
(C) Park Güell
(D) La Sagrada Familia

해석 다음 중 La Pedrera라고도 불리는 곳은 어디인가?

(A) 바르셀로나
(B) Casa Milà
(C) Güell 공원
(D) La Sagrada Familia

유형 세부 내용 파악

풀이 'Another famous Gaudi building is Casa Milà (also called "La Pedrera").'에서 La Pedrera는 Casa Milà의 또 다른 명칭임을 알 수 있으므로 (B)가 정답이다.

 Listening Practice   ▶ J3-7   p.66

There are well-known architects from all over the world. However, one of the most famous of all is Antoni Gaudi. A very creative architect from Barcelona, Spain, Gaudi made many special buildings. One of his most famous buildings, La Sagrada Familia, is a giant Catholic church. Interestingly, Gaudi started building La Sagrada Familia in 1882, but the church is still not finished! Gaudi left <u>plans</u> for future architects to finish it. Another place designed by Gaudi is Park Güell. The <u>original</u> plan was for a set of buildings for a man named Güell. Güell hired Gaudi to make the buildings. But Güell did not have enough money to finish them. Therefore, they became a park <u>later on</u>. Another famous Gaudi building is Casa Milà (also called "La Pedrera"). Casa Milà was the last house Gaudi built, and it was finished in 1906. It has an interesting look because the walls <u>curve</u>. The outside walls are made from more than 6,000 blocks of stone joined with metal. But they do not look like plain blocks. Instead, they look like curvy waves. It is an <u>unusual</u> building to be downtown in a city. In 1984, UNESCO made it a special world site. These three <u>unique</u> places all show Gaudi's creativity as an architect.

1. plans
2. original
3. later on
4. curve
5. unusual
6. unique

 Writing Practice   p.67

1. plans
2. original
3. later on
4. curve
5. unusual
6. unique

📄 **Summary**

Antoni Gaudi is one of the most famous <u>architects</u> in the world. He made many special <u>buildings</u> such as La Sagrada Familia, Park Güell, and Casa Milà. These three <u>unique</u> places all show Gaudi's <u>creativity</u> as an architect.

Antoni Gaudi는 세계에서 가장 유명한 <u>건축가들</u> 중 한 명이다. 그는 La Sagrada Familia, Güell 공원, Casa Milà와 같은 특별한 <u>건물</u>을 많이 지었다. 이 <u>독특한</u> 세 장소는 모두 건축가로서 Gaudi의 <u>창의력</u>을 보여준다.

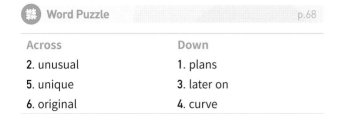

Word Puzzle   p.68

Across	Down
2. unusual	1. plans
5. unique	3. later on
6. original	4. curve

Unit 8 | Wangari Maathai   p.69

Part A. Sentence Completion   p.71

1 (D)   2 (D)

Part B. Situational Writing   p.71

3 (D)   4 (D)

Part C. Practical Reading and Retelling   p.72

5 (B)   6 (D)

Part D. General Reading and Retelling   p.73

7 (D)   8 (A)   9 (B)   10 (B)

Listening Practice   p.74

1 activist	2 veterinarians
3 founded	4 thanks
5 soil	6 influence

Writing Practice   p.75

1 activist	2 veterinarian
3 found	4 thanks to
5 soil	6 influence others

Summary environment, Belt, influence, trees

Word Puzzle   p.76

Across

1 activist	3 veterinarian
5 found	6 soil

Down

2 thanks to	4 influence others

Pre-reading Questions   p.69

Have you ever heard of Wangari Maathai?

Look at the illustration.

What do you think Maathai was known for?

Wangari Maathai에 대해 들어본 적이 있나요?

삽화를 보세요.

Maathai가 무엇으로 알려졌다고 생각하나요?

Reading Passage p.70

Wangari Maathai

Wangari Maathai was a respected scientist, politician, and environmental activist. She had college degrees in biology and science for veterinarians. A Kenyan, Maathai was also the first black African woman to receive a Nobel Prize. She led a lot of very important projects. These projects helped the environment and women. However, one of her most famous projects was related to trees. She founded something called the Green Belt Movement. Her idea was that women in villages could help create a source of fuel and at the same time stop deserts from spreading. To achieve this, Maathai said that women could plant trees. The organization began in 1977. By the year 2000, the Green Belt Movement had planted almost 30 million trees. Moreover, thanks to Maathai's leadership, people in other countries, including Tanzania, Ethiopia, and Zimbabwe, started similar projects with trees. Maathai famously said, "When we plant trees, we plant the seeds of hope." Along with hope, the Green Belt Movement has brought stronger soil, better ways of storing rainwater, firewood, food, and money. Maathai died in 2011. But her incredible story is a reminder of how much one person can influence others and begin long-lasting changes in the world.

Wangari Maathai

Wangari Maathai는 존경받는 과학자, 정치가, 그리고 환경운동가였다. 그녀는 생물학과 수의과학에서 대학 학위를 받았다. 케냐인인 Maathai는 또한 노벨상을 받은 최초 흑인 아프리카 여성이었다. 그녀는 매우 중요한 프로젝트들을 많이 이끌었다. 이 프로젝트들은 환경과 여성을 도왔다. 그런데, 그녀의 가장 유명한 프로젝트 중 하나는 나무와 관련이 있었다. 그녀는 그린벨트 운동이라 불리는 것을 설립했다. 그녀의 생각은 마을의 여성들이 연료 공급원을 창출하고 동시에 사막이 퍼지는 것을 막도록 도울 수 있다는 것이었다. 이를 달성하기 위해, Maathai는 여성들이 나무를 심을 수 있다고 말했다. 이 기관은 1977년에 시작되었다. 2000년쯤에, 그린벨트 운동은 거의 3천만 그루의 나무를 심었다. 게다가, Maathai의 지도력 덕분에, 탄자니아, 에티오피아, 그리고 짐바브웨를 포함한 다른 나라의 사람들이 나무로 비슷한 프로젝트를 시작했다. Maathai는 "우리가 나무를 심을 때, 우리는 희망의 씨앗을 심는 것입니다."라는 유명한 말을 했다. 희망과 함께, 그린벨트 운동은 더 강한 토양, 더 나은 빗물, 땔감, 음식, 그리고 돈을 비축하는 방법들을 가져왔다. Maathai는 2011년에 사망했다. 그러나 그녀의 놀라운 이야기는 한 사람이 다른 사람들에게 얼마나 많은 영향을 줄 수 있으며 세계에 오래 지속되는 변화를 시작할 수 있는지를 상기시켜준다.

 어휘 respected 존경받는 | politician 정치가 | environmental 환경의 | activist 운동가 | degree 학위 | veterinarian 수의사 | lead 이끌다; 지휘하다 | be related to ~와 관련있다 | found 설립하다 | movement 운동 | village 마을 | source 근원 | fuel 연료 | desert 사막 | spread 퍼지다, 확산되다 | achieve 달성하다 | plant 심다 | organization 기관 | leadership 지도력 | seed 씨앗 | hope 희망, 기대 | soil 토양 | rainwater 빗물 | firewood 땔감 | reminder 상기시키는 [생각나게 하는] 것 | influence 영향을 주다; 영향 | long-lasting 오래 지속하는 | prevent 예방하다 | charity 자선 | chemist 화학자 | landscaper 조경사 | pharmacist 약사 | teammate 팀원 | dislike 싫어하다 | childhood 어린 시절 | improve 개선하다 | storage 저장 | cross 가로지르다 | width 너비 | structure 구조 | barrier 장벽, 장애물 | reef 암초 | at present 현재는, 지금은 | heal 치유하다 | ruin 폐허로 만들다 | secure 확보하다 | currently 현재 | complete 완료된 | wind farm 풍력 발전 단지 | aid 돕다

Comprehension Questions p.71

1. A: The earth is getting warmer. Can we stop that?
   B: Maybe we can prevent the problem <u>from</u> getting worse.

   (A) in
   (B) on
   (C) as
   (D) from

해석 A: 지구가 점점 따뜻해지고 있어. 우리가 멈출 수 있을까?
   B: 어쩌면 우리가 문제가 악화되는 것<u>으로부터</u> 막을 수 있을지도.

   (A) ~ 안에
   (B) ~ 위에
   (C) ~처럼
   (D) ~로부터

풀이 'A가 V하는 것을 막다[예방하다/방지하다]'라는 뜻을 나타낼 때 'prevent A from V-ing'이라고 표현하므로 (D)가 정답이다.

새겨 두기 'from'은 전치사이므로 뒤에 동명사를 쓴다.

관련 문장 Her idea was that women in villages could help create a source of fuel and at the same time stop deserts from spreading.

2. A: What has your charity program done this year?
   B: We have <u>brought</u> books to kids in poor countries.

   (A) bring
   (B) brang
   (C) bringed
   (D) **brought**

해석 A: 올해 너희 자선 프로그램은 무엇을 했니?
    B: 우리는 가난한 나라의 아이들에게 책을 <u>가져다주었어</u>.

   (A) 가져오다
   (B) 어색한 표현
   (C) 어색한 표현
   (D) 가져왔다

풀이 화자 A가 'have + p.p(과거분사)'의 현재 완료 시제로 물어보고,
     화자 B도 현재 완료 시제로 답하고 있다. 따라서 'have' 뒤
     빈칸에는 알맞은 과거분사 형태가 들어가야 하므로 (D)가
     정답이다.

관련 문장 Along with hope, the Green Belt Movement has
         brought stronger soil, better ways of storing
         rainwater, firewood, food, and money.

3. My uncle is a <u>veterinarian</u>.

   (A) chemist
   (B) landscaper
   (C) pharmacist
   (D) **veterinarian**

해석 우리 삼촌은 <u>수의사</u>이다.

   (A) 화학자
   (B) 조경사
   (C) 약사
   (D) 수의사

풀이 강아지를 진료하고 있는 수의사의 모습이이므로 (D)가 정답이다.

관련 문장 She had college degrees in biology and science for
         veterinarians.

4. She is <u>respected</u> by her teammates.

   (A) taught
   (B) disliked
   (C) annoyed
   (D) **respected**

해석 그녀는 팀 동료들에게 <u>존경을 받는다</u>.

   (A) 가르침 받는
   (B) 미움받는
   (C) 짜증이 난
   (D) 존경받는

풀이 동료들이 엄지를 치켜세우고 있으므로 존경을 받는다고 하는
     것이 그림과 가장 어울린다. 따라서 (D)가 정답이다.

관련 문장 Wangari Maathai was a respected scientist, politician,
         and environmental activist.

[5-6]

해석

거대한 녹색 벽(The Great Green Wall)

- 목표: 사하라 사막 인근, 아프리카 전체 너비를 가로지르는
  8,000km의 자연경관
- 시작 날짜: 2007년
- 완성되면 세계 최대 규모의 살아있는 구조물이 될 것임
  (호주 대보초(Great Barrier Reef)의 3배 규모)
- 현재 15% 완성됨
- 기대: 훼손된 경관 복구, 식량 확보, 일자리 창출

5. According to the information, what is true about the
   Great Green Wall?

   (A) It was first begun in 2009.
   (B) **It is currently 15% complete.**
   (C) It was founded by Wangari Maathai.
   (D) It is the same size as the Great Barrier Reef.

해석 정보에 따르면, 거대한 녹색 벽에 관해 옳은 설명은 무엇인가?

   (A) 2009년에 처음 시작되었다.
   (B) 현재 15% 완성되었다.
   (C) Wangari Maathai에 의해 설립되었다.
   (D) 대보초와 같은 크기이다.

풀이 '15% finished at present'에서 현재 거대한 녹색 벽 프로젝트가
     15% 달성되었다고 하였으므로 (B)가 정답이다. (A)는 2007년에
     시작했다고 나와 있으므로 오답이다. (D)는 거대한 녹색 벽이
     완성되면 대보초의 3배 규모라고 하였으므로 오답이다.

6. Which is specifically listed as a hope for the Great Green Wall?

(A) creating a wind farm
(B) connecting Asia and Africa
(C) bringing tourists to the Sahara
(D) aiding in making jobs for people

해석 다음 중 거대한 녹색 벽과 관련해 기대 효과로서 구체적으로 열거된 내용은 무엇인가?

(A) 풍력 발전 단지 개발
(B) 아시아와 아프리카 연결
(C) 사하라로 관광객 끌기
(D) 일자리 창출에 도움

풀이 'Hope: Heal ruined landscapes, secure food, create jobs'에 나타난 녹색 벽 프로젝트 기대 효과에 일자리 창출('create jobs') 이 있으므로 (D)가 정답이다.

[7-10]

Wangari Maathai was a respected scientist, politician, and environmental activist. She had college degrees in biology and science for veterinarians. A Kenyan, Maathai was also the first black African woman to receive a Nobel Prize. She led a lot of very important projects. These projects helped the environment and women. However, one of her most famous projects was related to trees. She founded something called the Green Belt Movement. Her idea was that women in villages could help create a source of fuel and at the same time stop deserts from spreading. To achieve this, Maathai said that women could plant trees. The organization began in 1977. By the year 2000, the Green Belt Movement had planted almost 30 million trees. Moreover, thanks to Maathai's leadership, people in other countries, including Tanzania, Ethiopia, and Zimbabwe, started similar projects with trees. Maathai famously said, "When we plant trees, we plant the seeds of hope." Along with hope, the Green Belt Movement has brought stronger soil, better ways of storing rainwater, firewood, food, and money. Maathai died in 2011. But her incredible story is a reminder of how much one person can influence others and begin long-lasting changes in the world.

해석

Wangari Maathai는 존경받는 과학자, 정치가, 그리고 환경운동가였다. 그녀는 생물학과 수의과학에서 대학 학위를 받았다. 케냐인인 Maathai는 또한 노벨상을 받은 최초 흑인 아프리카 여성이었다. 그녀는 매우 중요한 프로젝트들을 많이 이끌었다. 이 프로젝트들은 환경과 여성을 도왔다. 그런데, 그녀의 가장 유명한 프로젝트 중 하나는 나무와 관련이 있었다. 그녀는 그린벨트 운동이라 불리는 것을 설립했다. 그녀의 생각은 마을의 여성들이 연료 공급원을 창출하고 동시에 사막이 퍼지는 것을 막도록 도울 수 있다는 것이었다. 이를 달성하기 위해, Maathai는 여성들이 나무를 심을 수 있다고 말했다. 이 기관은 1977년에 시작되었다. 2000년쯤에, 그린벨트 운동은 거의 3천만 그루의 나무를 심었다. 게다가, Maathai의 지도력 덕분에, 탄자니아, 에티오피아, 그리고 짐바브웨를 포함한 다른 나라의 사람들이 나무로 비슷한 프로젝트를 시작했다. Maathai는 "우리가 나무를 심을 때, 우리는 희망의 씨앗을 심는 것입니다."라는 유명한 말을 했다. 희망과 함께, 그린벨트 운동은 더 강한 토양, 더 나은 빗물, 땔감, 음식, 그리고 돈을 비축하는 방법들을 가져왔다. Maathai는 2011년에 사망했다. 그러나 그녀의 놀라운 이야기는 한 사람이 다른 사람들에게 얼마나 많은 영향을 줄 수 있으며 세계에 오래 지속되는 변화를 시작할 수 있는지를 상기시켜준다.

7. What is the passage mainly about?

(A) Wangari Maathai's childhood
(B) Wangari Maathai's studies in college
(C) Wangari Maathai's influence after death
(D) Wangari Maathai's Green Belt Movement

해석 지문은 주로 무엇에 관한 내용인가?

(A) Wangari Maathai의 어린 시절
(B) Wangari Maathai의 대학시절 공부
(C) Wangari Maathai의 사후 영향
(D) Wangari Maathai의 그린벨트 운동

유형 전체 내용 파악

풀이 초반부에 'Wangari Maathai'라는 중심인물의 이력을 간략히 서술한 뒤, 'However, one of her most famous projects was related to trees. She founded something called the Green Belt Movement.'를 통해 Maathai가 전개했던 그린벨트 운동이라는 중심 소재를 드러내고 있다. 이어서 그린벨트 운동의 의의와 목적, 시작 연도, 내용, 영향 등을 자세히 소개하고 있는 글이므로 (D)가 정답이다.

8. What country did Maathai come from?

(A) Kenya
(B) Ethiopia
(C) Tanzania
(D) Zimbabwe

해석 Maathai는 어느 국가 출신인가?

(A) 케냐
(B) 에티오피아
(C) 탄자니아
(D) 짐바브웨

유형 세부 내용 파악

풀이 'A Kenyan, Maathai was also the first black African woman to win a Nobel Prize.'에서 Maathai가 케냐인이라는 사실을 알 수 있으므로 (A)가 정답이다.

9. What Green Belt Movement effect is NOT mentioned in the passage?

(A) getting stronger soil
(B) saving animal homes
(C) creating a fuel source
(D) improving rainwater storage

해석 지문에 그린벨트 운동의 효과로 언급되지 않은 것은 무엇인가?

(A) 더 강한 토양 얻기
(B) 동물의 거주지 보전
(C) 연료 공급원 창출
(D) 빗물 저장 개선

유형 세부 내용 파악

풀이 그린벨트 운동의 효과로 동물의 거주지 보전은 언급되지 않았으므로 (B)가 정답이다. (A)와 (D)는 'Along with hope, the Green Belt Movement has brought stronger soil, better ways of storing rainwater, firewood, food, and money.'에서, (C)는 중반부의 'She founded something called the Green Belt Movement. Her idea was that women in villages could help create a source of fuel [...].'에서 확인할 수 있으므로 오답이다.

10. Which is most similar to Maathai's quote in the passage?

(A) Pine trees are strong.
(B) Trees can bring hope.
(C) Each tree has secrets.
(D) Money does not grow on trees.

해석 다음 중 지문에서 Maathai의 인용문과 가장 비슷한 것은 무엇인가?

(A) 소나무는 강하다.
(B) 나무는 희망을 가져올 수 있다.
(C) 나무는 저마다 비밀이 있다.
(D) 돈은 나무에서 자라지 않는다.

유형 세부 내용 파악 & 추론하기

풀이 지문에 언급된 Maathai의 인용문 'Maathai famously said, "When we plant trees, we plant the seeds of hope."'에서, 나무 심기가 곧 희망의 씨앗을 심는 행위라는 말은 나무가 희망을 가져온다는 문장과 일맥상통하므로 (B)가 정답이다.

Wangari Maathai was a respected scientist, politician, and environmental <u>activist</u>. She had college degrees in biology and science for <u>veterinarians</u>. A Kenyan, Maathai was also the first black African woman to receive a Nobel Prize. She led a lot of very important projects. These projects helped the environment and women. However, one of her most famous projects was related to trees. She <u>founded</u> something called the Green Belt Movement. Her idea was that women in villages could help create a source of fuel and at the same time stop deserts from spreading. To achieve this, Maathai said that women could plant trees. The organization began in 1977. By the year 2000, the Green Belt Movement had planted almost 30 million trees. Moreover, <u>thanks</u> to Maathai's leadership, people in other countries, including Tanzania, Ethiopia, and Zimbabwe, started similar projects with trees. Maathai famously said, "When we plant trees, we plant the seeds of hope." Along with hope, the Green Belt Movement has brought stronger <u>soil</u>, better ways of storing rainwater, firewood, food, and money. Maathai died in 2011. But her incredible story is a reminder of how much one person can <u>influence</u> others and begin long-lasting changes in the world.

1. activist
2. veterinarians
3. founded
4. thanks
5. soil
6. influence

 Writing Practice p.75

1. activist
2. veterinarian
3. found
4. thanks to
5. soil
6. influence others

📄 Summary

Among the many projects Nobel Prize winner Wangari Maathai did to save the <u>environment</u>, the Green <u>Belt</u> Movement is the most famous. She has had an incredible <u>influence</u> in getting people to plant <u>trees</u>.

노벨상 수상자인 Wangari Maathai가 <u>환경</u>을 지키려고 했던 많은 프로젝트 가운데, 그린<u>벨트</u> 운동이 가장 유명하다. 그녀는 사람들이 <u>나무</u>를 심도록 하는 데 엄청난 <u>영향</u>을 미쳤다.

🔲 Word Puzzle p.76

Across

1. activist
3. veterinarian
5. found
6. soil

Down

2. thanks to
4. influence others

Foreign Accent Syndrome

Winners of the Nobel Prize in Medicine have helped the world with all kinds of medical problems. However, there are still many unsolved mysteries about health and the human body. One of these mysteries is foreign accent syndrome.

People suffering from foreign accent syndrome tend to have had head injuries. Sometimes sufferers get hit in the head and then wake up. When they wake up, suddenly they sound like they are speaking with a foreign accent. In one case, a woman from Norway started to sound like she had German accent. In another, a native English-speaking man from the UK sounded like a native Spanish speaker.

In the past, doctors thought that the condition was psychological. However, new technology has helped medical scientists to learn more about the brain. Now it is thought that damage to a certain part of the brain causes foreign accent syndrome.

What is not certain, though, is why some people with foreign accent syndrome can use an accent they have never heard before. Medical scientists think this has to do with listeners. In fact, people suffering from foreign accent syndrome do not speak a new language. They just have trouble making some sounds. It seems that listeners hear sufferers and think they sound like they have a foreign accent. However, no one knows for sure what is happening in foreign accent syndrome. It is one of life's many medical mysteries.

외국 억양 증후군

노벨 의학상 수상자들은 모든 종류의 의학 문제들과 관련해 세상에 도움이 되어 왔다. 하지만, 건강과 인체에 관해 풀리지 않은 미스터리가 여전히 많다. 이러한 미스터리 중 하나는 외국 억양 증후군이다.

외국 억양 증후군을 앓고 있는 사람들은 머리에 상처를 입었던 경향이 있다. 때때로 환자들은 머리를 부딪힌 다음 깨어난다. 그들이 깨어나면, 갑자기 그들은 외국 억양으로 말하는 것처럼 들린다. 한 사례에서는, 노르웨이의 한 여성이 (말하는 것이) 독일 억양을 가진 것처럼 들리기 시작했다. 또 다른 예로는, 영국 출신의 영어 원어민 남성이 (말하는 것이) 스페인어 원어민처럼 들렸다.

과거에는, 의사들이 이 상태가 심리적인 것이라고 생각했다. 하지만, 새로운 기술은 의과학자들이 뇌에 관해 더 많이 배울 수 있도록 도와주었다. 이제는 뇌의 특정 부위 손상이 외국 억양 증후군을 일으킨다고 생각된다.

그런데, 확실하지 않은 것은, 왜 외국 억양 증후군을 가진 몇몇 사람이 이전에 전혀 들어본 적 없는 억양을 사용할 수 있는가이다. 의학자들은 이것이 청자와 관련이 있다고 생각한다. 사실, 외국 억양 증후군을 앓고 있는 사람들은 새로운 언어를 말하는 것이 아니다. 그들은 그저 어떤 소리를 내는 데 어려움을 겪을 뿐이다. 청자가 환자들(이 말하는 것)을 듣고 나서 그들이 마치 외국 억양을 가진 것처럼 들린다고 생각하는 듯 보인다. 하지만, 아무도 외국 억양 증후군과 관련해 무엇이 일어나는지 확실히 알지 못한다. 그것은 많은 의학 미스터리 중 하나이다.

Chapter 3. **Famous People 3**

☀ Pre-reading Questions   p.79

Have you ever heard of Mary Jackson?

Look at the illustration.

What do you think Jackson was known for?

Mary Jackson에 대해 들어본 적이 있나요?

삽화를 보세요.

Jackson이 무엇으로 알려졌다고 생각하나요?

📖 Reading Passage   p.80

Mary Jackson

Mary Jackson was an engineer and mathematician who worked at NASA. She was born in 1921. Where she lived at that time, black people were not allowed to go to school with white people. The schools for black people were often bad in quality, so she had to study extra hard to receive a good education. After university, she started working as a "computer" — someone who solved difficult math problems on Earth when rockets were sent into space. Jackson worked on a team called the "West Area Computers." They were a group of black women who used data to decide the best way for spaceships to fly. Eventually, Mary Jackson trained to become an engineer. This made her the first black woman to become an engineer at NASA. She was an intelligent and hard worker, but her bosses would not make her a manager. Many people thought only white men could become managers. Jackson decided to change her job and became the head of NASA's women's program. There, she worked to give women more opportunities in all parts of the space program. Thanks to Mary Jackson and others like her, now anyone can work at any job in NASA if they have the right skills and work hard.

Mary Jackson

Mary Jackson은 NASA에서 일했던 공학자 겸 수학자였다. 그녀는 1921년에 태어났다. 당시 그녀가 살았던 곳에서는, 흑인은 백인과 함께 학교에 다니는 것이 허용되지 않았다. 흑인을 위한 학교는 종종 질이 나빴고, 그래서 그녀는 좋은 교육을 받기 위해서 더 열심히 공부해야 했다. 대학 졸업 후, 그녀는 "컴퓨터"—로켓이 우주로 보내졌을 때 지구에서 어려운 수학 문제들을 푸는 사람이었던—로 일하기 시작했다. Jackson은 "서쪽 컴퓨터들(West Area Computers)"라고 불리는 팀에서 일했다. 그들은 데이터를 이용하여 우주선이 비행하는 최적의 진로를 결정하는 흑인 여성 집단이었다. 결국, Mary Jackson은 공학자가 되기 위해 교육을 받았다. 이로 인해 그녀는 NASA의 공학자가 된 최초의 흑인 여성이 되었다. 그녀는 똑똑하고 열심히 일하는 사람이었지만, 상사들은 그녀를 관리자로 만들려고 하지 않았다. 많은 사람들이 오직 백인 남성만이 관리자가 될 수 있다고 생각했다. Jackson은 직책을 바꾸기로 결심했고 NASA에 있는 여성 프로그램의 책임자가 되었다. 그곳에서, 그녀는 우주 프로그램의 모든 부분에서 여성들에게 더 많은 기회를 주기 위해 노력했다. Mary Jackson과 그녀 같은 다른 사람들 덕분에, 이제는 알맞은 기술을 가지고 있고 열심히 일한다면 누구나 NASA의 어떤 직무에서도 일할 수 있다.

어휘 engineer 공학자; 기술자 | quality 질(質); 우수함 | extra 추가로, 더 | receive 받다 | education 교육 | solve 해결하다 | space 우주 | spaceship 우주선 | eventually 결국 | train 교육[훈련]받다 | intelligent 똑똑한 | boss 상사 | manager 관리자 | head 책임자 | thanks to ~ 덕분에 | right 알맞은 | volunteer 자원봉사자 | department 부서 | assistant 조수 | satellite 인공위성 | basement 지하 | found 설립하다 | strict 엄격한 | invent 발명하다 | join 접합하다 | part 부품; 부분 | race 인종 | ban 금지하다 | break (짧은) 휴가 | adventure 모험 | program 프로그램을 만들다[짜다] | simulate 시뮬레이션하다, 모의 실험하다 | plan 계획하다 | mock 모의의 | flight 비행 | attend ~에 다니다 | graduation ceremony 수료식 | optional 선택적인 | overnight 밤사이에, 하룻밤 동안 | stay 머무름, 방문 | attendee 참여자 | former 과거[이전]의 | astronaut 우주비행사 | astronomy 천문학 | counselor 상담사 | last 지속하다 | workshop 워크숍, 연수회 | extremely 극도로, 극히

Comprehension Questions p.81

1. A: What does your sister do?
   B: She is training <u>to become</u> a software engineer.

   (A) became
   (B) to become
   (C) be become
   (D) will become

해석 A: 너의 여동생은 무슨 일을 하니?
   B: 그녀는 소프트웨어 기술자가 <u>되기 위해</u> 교육을 받고 있어.

   (A) 되었다
   (B) 되기 위해
   (C) 어색한 표현
   (D) 될 것이다

풀이 'V 하기 위해 교육[훈련] 받다'라는 뜻을 나타낼 때 동사 'train'과 to 부정사를 사용하여 'train to V'라고 표현하므로 (B)가 정답이다.

관련 문장 Eventually, Mary Jackson trained to become an engineer.

2. A: What is <u>the best</u> way to get into that program?
   B: Study extra hard and do lots of volunteer work.

   (A) best
   (B) the best
   (C) the most good
   (D) the most better

해석 A: 그 프로그램에 들어가는 <u>최고의</u> 방법은 무엇일까?
   B: 공부를 더 열심히 하고 봉사활동을 많이 해.

   (A) 가장 (잘)
   (B) 최고의
   (C) 어색한 표현
   (D) 어색한 표현

풀이 '가장 좋은 A(명사)'라는 최상급 의미를 나타낼 때 정관사 'the'를 같이 사용하여 'the best A(명사)'라고 표현하므로 (B)가 정답이다.

새겨 두기 'good'의 비교급과 최상급은 불규칙적이므로 외워두자.
   good(좋은) - better(더 좋은) - best(가장 좋은)

관련 문장 They were a group of black women who used data to decide the best way for spaceships to fly.

3. Jan is the <u>head</u> of our department.

   (A) head
   (B) lowest
   (C) funniest
   (D) assistant

해석 Jan은 우리 부서의 <u>책임자</u>이다.

   (A) 책임자
   (B) 가장 낮은
   (C) 가장 재미있는
   (D) 조수

풀이 조직도에서 Jan이 가장 위에 있으므로 Jan은 부서의 책임자라는 것을 알 수 있다. 따라서 (A)가 정답이다.

관련 문장 Jackson decided to change her job and became the head of NASA's women's program.

4. There is going to be a <u>spaceship</u> launch tonight.

   (A) satellite
   (B) building
   (C) basement
   (D) spaceship

해석 오늘 밤 <u>우주선</u> 발사가 있을 예정이다.

   (A) 인공위성
   (B) 건물
   (C) 지하
   (D) 우주선

풀이 우주선이 발사 대기를 하고 있으므로 (D)가 정답이다.

관련 문장 They were a group of black women who used data to decide the best way for spaceships to fly.

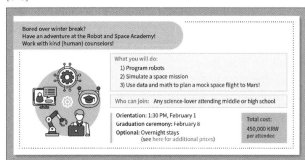

해석

겨울방학 내내 지루하신가요?

로봇 우주 아카데미에서 모험하세요!

친절한 (인간) 상담사들과 활동하세요!

하게 될 것:

1) 로봇 프로그램 짜기

2) 우주 임무 시뮬레이션하기

3) 데이터 및 수학을 이용하여 화성으로 가는 모의 우주
비행 계획하기!

참여 가능한 자: 중학교 또는 고등학교에 다니고 과학을
사랑하는 누구나

설명회: 2월 1일, 　　　오후 1시 30분	총 비용: 참여자 1인당
수료식: 2월 8일	450,000원
선택: 숙박 　　(추가 비용에 대해서는 　　여기를 보세요)	

5. For whom is the ad most likely written?

(A) a former astronaut who wants to teach

(B) **a high schooler interested in the planets**

(C) a preschooler who wants to build robots

(D) a college student who studies astronomy

해석 광고의 대상으로 가장 적절할 사람은 누구인가?

(A) 가르치고자 하는 전직 우주비행사

(B) 행성에 관심이 있는 고등학생

(C) 로봇을 만들고 싶은 미취학 아동

(D) 천문학을 공부하는 대학생

풀이 'Who can join: Any science-lover attending middle or high
school'에서 아카데미 참여 대상이 과학에 관심이 많은 중학생과
고등학생이라고 했으므로 (B)가 정답이다.

6. What is true about the academy?

(A) The counselors are robots.

(B) **The academy lasts one week.**

(C) The attendees must stay overnight.

(D) The workshops occur during summer.

해석 아카데미에 관해 옳은 설명은 무엇인가?

(A) 상담사들은 로봇이다.

(B) 아카데미는 일주일 동안 진행된다.

(C) 참여자들은 숙박해야만 한다.

(D) 워크숍은 여름 동안 진행된다.

풀이 'Orientation'(설명회)이 2월 1일, 'Graduation ceremony'
(수료식)이 2월 8일에 있는 것으로 보아 아카데미는 일주일 동안
진행된다는 것을 알 수 있으므로 (B)가 정답이다. (A)는 '(human)
counselors'에서 인간 상담사라고 했으므로 오답이다. (C)는
숙박은 선택('Optional')이라고 나와 있으므로 오답이다. (D)는
'Bored over winter break?' 등에서 아카데미가 겨울에
열린다는 것을 알 수 있으므로 오답이다.

[7-10]

Mary Jackson was an engineer and mathematician who worked at NASA. She was born in 1921. Where she lived at that time, black people were not allowed to go to school with white people. The schools for black people were often bad in quality, so she had to study extra hard to receive a good education. After university, she started working as a "computer" — someone who solved difficult math problems on Earth when rockets were sent into space. Jackson worked on a team called the "West Area Computers." They were a group of black women who used data to decide the best way for spaceships to fly. Eventually, Mary Jackson trained to become an engineer. This made her the first black woman to become an engineer at NASA. She was an intelligent and hard worker, but her bosses would not make her a manager. Many people thought only white men could become managers. Jackson decided to change her job and became the head of NASA's women's program. There, she worked to give women more opportunities in all parts of the space program. Thanks to Mary Jackson and others like her, now anyone can work at any job in NASA if they have the right skills and work hard.

해석

Mary Jackson은 NASA에서 일했던 공학자 겸 수학자였다. 그녀는 1921년에 태어났다. 당시 그녀가 살았던 곳에서는, 흑인은 백인과 함께 학교에 다니는 것이 허용되지 않았다. 흑인을 위한 학교는 종종 질이 나빴고, 그래서 그녀는 좋은 교육을 받기 위해서 더 열심히 공부해야 했다. 대학 졸업 후, 그녀는 "컴퓨터"—로켓이 우주로 보내졌을 때 지구에서 어려운 수학 문제들을 푸는 사람이었던—로 일하기 시작했다. Jackson은 "서쪽 컴퓨터들(West Area Computers)"라고 불리는 팀에서 일했다. 그들은 데이터를 이용하여 우주선이 비행하는 최적의 진로를 결정하는 흑인 여성 집단이었다. 결국, Mary Jackson은 공학자가 되기 위해 교육을 받았다. 이로 인해 그녀는 NASA의 공학자가 된 최초의 흑인 여성이 되었다. 그녀는 똑똑하고 열심히 일하는 사람이었지만, 상사들은 그녀를 관리자로 만들려고 하지 않았다. 많은 사람들이 오직 백인 남성만이 관리자가 될 수 있다고 생각했다. Jackson은 직책을 바꾸기로 결심했고 NASA에 있는 여성 프로그램의 책임자가 되었다. 그곳에서, 그녀는 우주 프로그램의 모든 부분에서 여성들에게 더 많은 기회를 주기 위해 노력했다. Mary Jackson과 그녀 같은 다른 사람들 덕분에, 이제는 알맞은 기술을 가지고 있고 열심히 일한다면 누구나 NASA의 어떤 직무에서도 일할 수 있다.

7. According to the passage, which of the following is true?

(A) Mary Jackson founded NASA.
(B) Mary Jackson went into outer space.
(C) Mary Jackson was born in the 1920s.
(D) Mary Jackson went to an all-white school.

해석 지문에 따르면, 다음 중 옳은 설명은 무엇인가?

(A) Mary Jackson이 NASA를 설립했다.
(B) Mary Jackson이 우주 공간에 갔다.
(C) Mary Jackson은 1920년대에 태어났다.
(D) Mary Jackson은 백인 전용 학교에 다녔다.

유형 세부 내용 파악

풀이 'She was born in 1921.'에서 Jackson이 1920년대에 태어났다는 사실을 알 수 있으므로 (C)가 정답이다. (D)는 'Where she lived at that time, black people were not allowed to go to school with white people.'에서 당시 그녀가 살았던 곳에서 흑인과 백인은 서로 다른 학교에 다녔다는 사실을 알 수 있으므로 오답이다.

8. According to the passage, why did Jackson study extra hard for a good education?

(A) Her parents were extremely strict.
(B) Her regular school was low in quality.
(C) She was very sick when she was a child.
(D) She started school later than most children.

해석 지문에 따르면, 왜 Jackson이 좋은 교육을 위해 더 열심히 공부했는가?

(A) 그녀의 부모님이 극도로 엄격했다.
(B) 그녀의 정규 학교는 질이 낮았다.
(C) 그녀는 어린아이였을 때 매우 아팠다.
(D) 그녀는 대부분의 아이들보다 늦게 학교에 입학했다.

유형 세부 내용 파악

풀이 'The schools for black people were often bad in quality, so she had to study extra hard to receive a good education.'에서 흑인이었던 Jackson이 당시 다녀야 했던 흑인 학교들은 (교육의) 질이 낮아서 Jackson이 좋은 교육을 받으려고 더 열심히 공부했다는 사실을 알 수 있으므로 (B)가 정답이다.

9. What did the West Area Computers do?

    (A) invent talking robots
    (B) use data to help spaceships fly
    (C) hire white women as programmers
    (D) join metal spaceship parts together

해석   서쪽 컴퓨터들은 무엇을 하였는가?

    (A) 말하는 로봇 개발하기
    (B) 우주선 비행을 돕기 위해 데이터 이용하기
    (C) 프로그래머로 백인 여성들을 고용하기
    (D) 우주선 금속 부품들 접합하기

유형   세부 내용 파악

풀이   'Jackson worked on a team called the "West Area Computers". They were a group of black women who used data to decide the best way for spaceships to fly.' 에서 데이터를 이용하여 우주선의 비행 항로를 결정하는 것이 'West Area Coumpters'라는 팀의 업무였음을 알 수 있으므로 (B)가 정답이다.

10. Which of the following is most likely true?

    (A) Jackson disliked science.
    (B) Jackson walked on the moon.
    (C) Jackson helped women of any race.
    (D) Jackson banned NASA's women's program.

해석   다음 중 옳은 설명으로 적절한 것은 무엇인가?

    (A) Jackson은 과학을 싫어했다.
    (B) Jackson은 달 위를 걸었다.
    (C) Jackson은 모든 인종의 여성들을 도왔다.
    (D) Jackson은 NASA의 여성 프로그램을 금지했다.

유형   세부 내용 파악 & 추론하기

풀이   'There, she worked to give women more opportunities in all parts of the space program.'과 마지막 문장 'Thanks to Mary Jackson and others like her, now anyone can work at any job in NASA if they have the right skills and work hard.'에서 Jackson이 NASA 여성 프로그램의 책임자가 되어 여성들에게 기회를 주기 위해 노력했고, 그녀와 같은 인물 덕분에 능력만 있으면 NASA에서 어떤 일이든 할 수 있게 되었음을 알 수 있다. 따라서 Jackson이 모든 여성에게 평등한 기회를 주려고 노력한 인물이며, 이는 모든 인종의 여성을 도왔다는 말과 일맥상통하므로 (C)가 정답이다. (A)는 Jackson이 흑인 여성 최초로 NASA의 공학자가 되고, NASA 여성 프로그램 책임자로 일한 점 등을 보아 과학을 싫어했다고 보기는 어려우므로 오답이다.

 Listening Practice   ▶ J3-9   p.84

Mary Jackson was an engineer and mathematician who worked at NASA. She was born in 1921. Where she lived at that time, black people were not allowed to go to school with white people. The schools for black people were often bad in quality, so she had to study extra hard to receive a good education. After university, she started working as a "computer" — someone who solved difficult math problems on Earth when rockets were sent into space. Jackson worked on a team called the "West Area Computers." They were a group of black women who used data to decide the best way for spaceships to fly. Eventually, Mary Jackson trained to become an engineer. This made her the first black woman to become an engineer at NASA. She was an intelligent and hard worker, but her bosses would not make her a manager. Many people thought only white men could become managers. Jackson decided to change her job and became the head of NASA's women's program. There, she worked to give women more opportunities in all parts of the space program. Thanks to Mary Jackson and others like her, now anyone can work at any job in NASA if they have the right skills and work hard.

1. quality
2. spaceships
3. Eventually
4. trained
5. head of
6. opportunities

 Writing Practice   p.85

1. bad in quality
2. spaceship
3. eventually
4. train to
5. head of
6. opportunity

📄 Summary

Mary Jackson was the first black woman to become an engineer at NASA. She became the head of NASA's women's program. Then, she worked hard to give women more opportunities in all parts of the space program.

Mary Jackson은 NASA의 공학자가 된 최초의 흑인 여성이었다. 그녀는 NASA에 있는 여성 프로그램의 책임자가 되었다. 그런 다음, 그녀는 우주 프로그램의 모든 부분에서 여성들에게 더 많은 기회를 주기 위해 열심히 노력했다.

🧩 Word Puzzle   p.86

Across

2. spaceship
6. eventually

Down

1. opportunity
3. bad in quality
4. train to
5. head of

Unit 10 | Isabel Allende   p.87

Part A. Sentence Completion   p.89

1 **(B)**   2 **(D)**

Part B. Situational Writing   p.89

3 **(B)**   4 **(D)**

Part C. Practical Reading and Retelling   p.90

5 **(D)**   6 **(D)**

Part D. General Reading and Retelling   p.91

7 **(C)**   8 **(C)**   9 **(B)**   10 **(B)**

Listening Practice   p.92

1 generals   2 took over
3 based   4 bestseller
5 translated   6 worldwide

Writing Practice   p.93

1 general   2 take over
3 be based on   4 bestseller
5 translate   6 worldwide

Summary authors, book, translated, languages

Word Puzzle   p.94

Across

5 translate   6 take over

Down

1 be based on   2 bestseller
3 worldwide   4 general

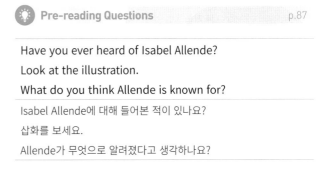

💡 Pre-reading Questions   p.87

Have you ever heard of Isabel Allende?
Look at the illustration.
What do you think Allende is known for?

Isabel Allende에 대해 들어본 적이 있나요?
삽화를 보세요.
Allende가 무엇으로 알려졌다고 생각하나요?

Isabel Allende

Isabel Allende was born in 1942. Her family was very powerful in the government of Chile, and her cousin Salvador Allende was even president! However, some Chileans did not like Salvador Allende, especially some generals in the military. They took over the government in 1973, and Isabel Allende escaped from Chile to Venezuela so she would not be put in prison or killed. In 1981, she heard that her 99-year-old grandfather was sick. She began writing a letter to him. The letter became so long that she turned it into a book called *The House of Spirits*. The book is based on her life and the life of her family living in Chile. Allende mixed in elements of magic and fantasy as part of a genre called *magical realism*. *The House of Spirits* was a bestseller immediately and has been translated into almost 40 different languages. Because of this and other works, Isabel Allende has received many awards, including the National Prize for Literature in Chile and the Presidential Medal of Freedom in the United States. She even held a flag in the opening ceremony of the 2006 Turin Winter Olympics. These honors, along with worldwide book sales, make her one of the most famous female Latin American authors ever.

Isabel Allende

Isabel Allende는 1942년에 태어났다. 그녀의 가족은 칠레 정권에서 매우 영향력이 있었고, 그녀의 사촌인 Salvador Allende는 심지어 대통령이었다! 하지만, 일부 칠레인들, 특히 군대의 일부 장군들은 Salvador Allende를 좋아하지 않았다. 그들은 1973년에 정권을 찬탈했고, Isabel Allende는 투옥되거나 죽임을 당하지 않기 위해 칠레에서 베네수엘라로 탈출하였다. 1981년에, 그녀는 99세의 할아버지가 편찮으시다는 것을 들었다. 그녀는 그에게 편지를 쓰기 시작했다. 편지는 너무 길어져서 그녀는 그것을 영혼의 집(*The House of Spirits*)이라는 책으로 바꾸었다. 그 책은 그녀의 삶과 칠레에 사는 그녀 가족의 삶에 바탕을 두고 있다. Allende는 환상적 리얼리즘이라고 불리는 장르의 일환으로 마술과 환상 요소를 더했다. 영혼의 집은 즉시 베스트셀러가 되었고, 거의 40개의 다른 언어들로 번역되었다. 이것과 다른 작품들로 인해, Isabel Allende는 칠레 국가 문학상 및 미국의 대통령 자유 훈장을 포함하여 많은 상을 받았다. 그녀는 심지어 2006년 토리노 동계 올림픽의 개회식에서 깃발을 들기도 했다. 전 세계적인 책 판매와 함께, 이러한 명예는 그녀를 가장 유명한 여성 라틴아메리카 작가로 만들었다.

어휘 powerful 영향력 있는; 권력 있는; 강력한 | government 정부 | president 대통령 | general 장군, 장성 | take over (정권을) 찬탈하다; 인수하다 | escape 탈출하다 | prison 감옥 | based on ~에 바탕을 둔 | mix in ~을 더하다 | element 요소 | magical realism 환상적 리얼리즘, 마술적 사실주의(실제 사건과 환상이 뒤섞인 글을 쓰는 방식) | fantasy 환상, 판타지 | genre 장르 | bestseller 베스트셀러, 잘 나가는 상품 | immediately 즉시 | translate 번역하다 | award (부상이 딸린) 상 | national 국가의 | literature 문학 | presidential 대통령의 | freedom 자유 | flag 깃발 | opening ceremony 개회식 | honor 명예 | worldwide 전 세계적인 | sale 판매, 매출(량) | author 작가 | holiday 공휴일 | crocodile 악어 | feed 먹이를 주다 | trap 가두다, 함정에 빠뜨리다 | elect 선출하다 | race (특히 정권을 잡거나 무엇을 처음 성취하기 위한) 경쟁 | speech 연설 | awful 끔찍한 | talented 재능있는 | set 세트, 배경 | realistic 현실적인 | yet 게다가, 그것에 더하여 | transform 완전히 바꾸다, 변형시키다 | colorful 다채로운 | melodrama 멜로드라마 (비현실적일 정도로 과장된 사건·인물들을 그린 이야기·연극·소설) | dull 따분한 | critic 비평가 | feature 특별히 포함하다, 특징으로 삼다 | cast 출연진 | costume 의상 | original 원래의 | attend 참석하다

 Comprehension Questions   p.89

1. A: Was this book first written in Vietnamese?
   B: Yes. But then it was translated <u>into</u> English.
   (A) for
   (B) into
   (C) from
   (D) under

해석 A: 이 책은 처음에 베트남어로 쓰였니?
   B: 응. 그런데 그 다음에 영어로 번역되었어.
   (A) ~을 위한
   (B) ~으로
   (C) ~에서부터
   (D) ~ 아래에

풀이 'A를 B로 번역하다'라는 뜻을 나타낼 때 전치사 'into'를 사용하여 'translate A into B'라고 표현할 수 있으므로 (B)가 정답이다.

관련 문장 *The House of Spirits* was a bestseller immediately, and has been translated into almost 40 different languages.

2. A: I love this author.
    B: Me, too. She has received <u>many</u> awards for her great writing.

    (A) bit
    (B) least
    (C) each
    (D) many

해석 A: 나는 이 작가를 아주 좋아해.
    B: 나도. 그녀는 훌륭한 글로 <u>많은</u> 상을 받았어.

    (A) 조금
    (B) 가장 적은
    (C) 각각의
    (D) 많은

풀이 빈칸에는 복수 명사 'awards'를 꾸밀 수 있는 수식어가 들어가야 하므로 셀 수 있는 복수 명사를 수식하는 한정사 (D)가 정답이다. (C)는 'each'가 단수 명사만을 수식하므로 오답이다.

관련 문장 Because of this and other works, Isabel Allende has received many awards, [...]

3. This song is popular <u>worldwide</u>.

    (A) yearly
    (B) worldwide
    (C) for holidays
    (D) under water

해석 이 노래는 <u>전 세계적으로</u> 인기가 있다.

    (A) 해마다
    (B) 전 세계적으로
    (C) 공휴일로
    (D) 물속에서

풀이 악보가 지구를 돌고 있는 그림이다. 따라서 문맥상 전 세계적으로 인기 있다는 내용이 가장 어울리므로 (B)가 정답이다.

관련 문장 These honors, along with worldwide book sales, make her one of the most famous female Latin American authors ever.

4. The man is trying to <u>escape from</u> the crocodile.

    (A) feed
    (B) trap
    (C) run toward
    (D) escape from

해석 그 남자는 악어로부터 <u>달아나려</u> 하고 있다.

    (A) 먹이를 주다
    (B) 가두다
    (C) ~을 향해 달리다
    (D) ~로부터 달아나다

풀이 남자가 악어로부터 도망치고 있는 모습이므로 (D)가 정답이다.

관련 문장 They took over the government in 1973, and Isabel Allende escaped from Chile to Venezuela so she would not be put in prison or killed.

[5-6]

해석

영화 후기	영혼의 집

리뷰어: Chen Jianguo

영혼의 집 같은 흥미진진한 책이 이렇게 끔찍한 영화가 될 거라고 누가 상상이나 했을까요? 배우들이 재능이 있었나요? 물론이죠, 하지만 그들 중 단 한 명도 라틴아메리카 출신이 아니었습니다. 세트가 아름다웠냐고요? 네, 그러나 그것들은 현실적이지 않았습니다. 게다가, 어찌 된 일인지 이 영화는 책의 다채로운 멜로드라마를 매우 따분한 것으로 바꾸어 놓았네요.

리뷰어: Makiko Fujimoto

많은 평론가들이 이 영화를 좋아하지 않는다는 것을 알지만, 저는 괜찮았다고 생각했습니다. 그것은 훌륭한 출연진, 아름다운 의상, 그리고 인상적인 배경을 특징으로 합니다. 만약 영화가 (영화보다 나은) 원작 소설에 더 가까웠다면 더 좋았을 것입니다. 하지만, 여전히 제법 괜찮았습니다.

5. What is true about both reviewers?

    (A) They strongly disliked a book.
    (B) They strongly disliked a movie.
    (C) They liked a movie better than a book.
    (D) They liked a book better than a movie.

해석 두 리뷰어에 관해 모두 옳은 설명은 무엇인가?

    (A) 책을 매우 싫어했다.
    (B) 영화를 매우 싫어했다.
    (C) 책보다 영화를 더 좋아했다.
    (D) 영화보다 책을 더 좋아했다.

풀이 리뷰어 1은 'Who would imagine that such an exciting book as *The House of the Spirits* could become such an awful movie?', 'Yet, somehow this movie transformed the book's colorful melodrama into something very dull.' 등에서 흥미롭고 다채로운 원작 소설을 영화에서 끔찍하게('awful') 망쳐 놓았다고 비판하고 있다. 리뷰어 2는 영화가 괜찮았다고는 하였으나, 'It would have been good if the movie were closer to the original novel (which was better than the film).'을 통해 리뷰어 1과 마찬가지로 원작 소설이 영화보다 더 낫다고 생각하고 있음을 알 수 있으므로 (D)가 정답이다. (B)는 리뷰어 1에만 해당하는 사항이므로 오답이다.

6. What change to the movie would Chen Jianguo most likely want?

(A) beautiful sets
(B) less melodrama
(C) fewer bright colors
(D) Latin American actors

해석 Chen Jianguo가 원하는 영화의 변화로 가장 적절한 것은 무엇인가?

(A) 아름다운 배경
(B) 더 적은 (양의) 멜로드라마
(C) 더 적은 (수의) 밝은 색깔
(D) 라틴아메리카 배우들

풀이 'Were the actors talented? Sure, but not a single one of them was from Latin America.'에서 배우 중 라틴 아메리카 출신이 한 명도 없었다고 비판하고 있다. 이는 Chen Jianguo가 라틴아메리카 배우들의 출연을 원한다고 볼 수 있으므로 (D)가 정답이다. (A)는 'Were the sets beautiful? Yes, [...]'에서 영화의 배경은 이미 아름답다고 인정하였으므로 오답이다. (B)는 'the book's colorful melodrama'에서 Chen Jianguo가 멜로드라마 요소를 긍정적으로 여기고 있으므로 오답이다.

[7-10]

Isabel Allende was born in 1942. Her family was very powerful in the government of Chile, and her cousin Salvador Allende was even president! However, some Chileans did not like Salvador Allende, especially some generals in the military. They took over the government in 1973, and Isabel Allende escaped from Chile to Venezuela so she would not be put in prison or killed. In 1981, she heard that her 99-year-old grandfather was sick. She began writing a letter to him. The letter became so long that she turned it into a book called *The House of Spirits*. The book is based on her life and the life of her family living in Chile. Allende mixed in elements of magic and fantasy as part of a genre called *magical realism*. *The House of Spirits* was a bestseller immediately and has been translated into almost 40 different languages. Because of this and other works, Isabel Allende has received many awards, including the National Prize for Literature in Chile and the Presidential Medal of Freedom in the United States. She even held a flag in the opening ceremony of the 2006 Turin Winter Olympics. These honors, along with worldwide book sales, make her one of the most famous female Latin American authors ever.

해석

Isabel Allende는 1942년에 태어났다. 그녀의 가족은 칠레 정권에서 매우 영향력이 있었고, 그녀의 사촌인 Salvador Allende는 심지어 대통령이었다! 하지만, 일부 칠레인들, 특히 군대의 일부 장군들은 Salvador Allende를 좋아하지 않았다. 그들은 1973년에 정권을 찬탈했고, Isabel Allende는 투옥되거나 죽임을 당하지 않기 위해 칠레에서 베네수엘라로 탈출하였다. 1981년에, 그녀는 99세의 할아버지가 편찮으시다는 것을 들었다. 그녀는 그에게 편지를 쓰기 시작했다. 편지는 너무 길어져서 그녀는 그것을 영혼의 집(*The House of Spirits*)이라는 책으로 바꾸었다. 그 책은 그녀의 삶과 칠레에 사는 그녀 가족의 삶에 바탕을 두고 있다. Allende는 환상적 리얼리즘이라고 불리는 장르의 일환으로 마술과 환상 요소를 더했다. 영혼의 집은 즉시 베스트셀러가 되었고, 거의 40개의 다른 언어들로 번역되었다. 이것과 다른 작품들로 인해, Isabel Allende는 칠레 국가 문학상 및 미국의 대통령 자유 훈장을 포함하여 많은 상을 받았다. 그녀는 심지어 2006년 토리노 동계 올림픽의 개회식에서 깃발을 들기도 했다. 전 세계적인 책 판매와 함께, 이러한 명예는 그녀를 가장 유명한 여성 라틴아메리카 작가로 만들었다.

7. Which would be the best title for the passage?

(A) The Oldest Writer in Venezuela
(B) The President of Chile Writes a Book
(C) **A Prize-winning Author from Latin America**
(D) An International Lawyer and Part-time Magician

해석 지문에 가장 알맞은 제목은 무엇인가?

(A) 베네수엘라에서 가장 오래된 작가
(B) 칠레의 대통령이 책을 쓰다
(C) 라틴아메리카 출신 수상 작가
(D) 국제 변호사 겸 시간제 마술사

유형 전체 내용 파악

풀이 첫 문장에서부터 칠레인이었던 Isabel Allende라는 중심인물을 소개하고 있다. 이어서 Allende가 1973년 베네수엘라로 탈출하고, 거기서 할아버지에게 쓴 편지를 바탕으로 지은 저서로 명성을 얻는 등, 남미 출신의 저명한 수상 작가였던 Isabel Allende의 업적을 다루고 있다. 따라서 (C)가 정답이다.

8. According to the passage, what happened in Chile in 1973?

(A) Isabel Allende was put in prison.
(B) Isabel Allende was elected president.
(C) **Military generals took over the government.**
(D) Military soldiers helped the Allendes get back into Chile.

해석 지문에 따르면, 1973년 칠레에 무슨 일이 일어났는가?

(A) Isabel Allende가 감옥에 갔다.
(B) Isabel Allende가 대통령으로 선출되었다.
(C) 군대의 장군들이 정권을 찬탈했다.
(D) 군인들이 Allende 가족이 칠레로 돌아가는 것을 도왔다.

유형 세부 내용 파악

풀이 'However, some Chileans did not like Salvador Allende, especially some generals in the military. They took over the government in 1973, and Isabel Allende escaped from Chile to Venezuela so she would not be put in prison or killed.'에서 1973년에 칠레에서 군대의 장군들이 정권을 찬탈했다는 사실을 알 수 있으므로 (C)가 정답이다. (A)는 Isabel Allende가 투옥되지 않고 베네수엘라로 탈출하였으므로 오답이다.

9. How did Isabel Allende start writing *The House of Spirits*?

(A) by meeting a magician
(B) **as a letter to her grandfather**
(C) by attending a language class
(D) as a traditional song from Chile

해석 Isabel Allende는 어떻게 영혼의 집을 쓰기 시작했는가?

(A) 마술사를 만나면서
(B) 할아버지에게 쓴 편지로
(C) 언어 수업에 참여하면서
(D) 칠레의 전통 음악으로

유형 세부 내용 파악

풀이 'She began writing a letter to him. The letter became so long that she turned it into a book called *The House of Spirits*.'에서 Allende가 아픈 할아버지를 위해 편지를 쓰기 시작했고, 편지가 길어지자 이를 영혼의 집이란 책으로 엮어냈다는 것을 알 수 있으므로 (B)가 정답이다.

10. What did Isabel Allende do at the 2006 Olympics?

(A) win a race
(B) **hold a flag**
(C) give a speech
(D) travel to Japan

해석 Isabel Allende가 2006년 올림픽에서 한 일은 무엇인가?

(A) 경주에서 승리하기
(B) 깃발 들기
(C) 연설하기
(D) 일본으로 여행 가기

유형 세부 내용 파악

풀이 'She even held a flag in the opening ceremony of the 2006 Turin Winter Olympics.'에서 Allende가 2006년 토리노 동계 올림픽에서 깃발을 들었다고 했으므로 (B)가 정답이다.

Listening Practice   ▶ J3-10   p.92

Isabel Allende was born in 1942. Her family was very powerful in the government of Chile, and her cousin Salvador Allende was even president! However, some Chileans did not like Salvador Allende, especially some <u>generals</u> in the military. They <u>took over</u> the government in 1973, and Isabel Allende escaped from Chile to Venezuela so she would not be put in prison or killed. In 1981, she heard that her 99-year-old grandfather was sick. She began writing a letter to him. The letter became so long that she turned it into a book called *The House of Spirits*. The book is <u>based</u> on her life and the life of her family living in Chile. Allende mixed in elements of magic and fantasy as part of a genre called *magical realism*. *The House of Spirits* was a <u>bestseller</u> immediately and has been <u>translated</u> into almost 40 different languages. Because of this and other works, Isabel Allende has received many awards, including the National Prize for Literature in Chile and the Presidential Medal of Freedom in the United States. She even held a flag in the opening ceremony of the 2006 Turin Winter Olympics. These honors, along with <u>worldwide</u> book sales, make her one of the most famous female Latin American authors ever.

1. generals
2. took over
3. based
4. bestseller
5. translated
6. worldwide

✏️ Writing Practice   p.93

1. general
2. take over
3. be based on
4. bestseller
5. translate
6. worldwide

 Summary

Isabel Allende is one of the most famous female Latin American <u>authors</u>. Her prize-winning <u>book</u>, *The House of Spirits*, has been <u>translated</u> into many <u>languages</u>.

Isabel Allende는 가장 유명한 여성 라틴 아메리카 <u>작가</u> 중 한 명이다. 그녀의 수상작인 영혼의 집은 많은 <u>언어</u>로 <u>번역되었다</u>.

🧩 Word Puzzle   p.94

Across
5. translate
6. take over

Down
1. be based on
2. bestseller
3. worldwide
4. general

Pre-reading Questions p.95

Have you ever heard of Pius "Mau" Piailug?

Look at the illustration.

What do you think Mau was known for?

Pius "Mau" Piailug에 대해 들어본 적이 있나요?

삽화를 보세요.

Mau가 무엇으로 알려졌다고 생각하나요?

Reading Passage p.96

Pius Mau Piailug

Pius "Mau" Piailug was born in 1932 on Satawal, a small island in the nation of Micronesia. He learned traditional methods for sailing that were used before GPS and maps. Instead, Mau looked at the stars, clouds, winds, water movements, and even animals to know his location and his direction. By the age of 18, he had become a "palu," a master in traditional sailing techniques. As Mau grew older, the lifestyle of his people on Satawal began to change. Young people were going to newly-built schools to learn Western subjects, and traditional life began to disappear and be forgotten. This made Mau worried. In order to prove the value of traditional sailing techniques, he teamed up with some researchers to sail from Hawaii to Tahiti using only the knowledge he received in his village. No modern technology would be used. The trip took 34 days, but it was successful. This proved that ancient people could travel long distances without maps or computers. In addition, interest in traditional Micronesian and Polynesian culture increased after the trip. Mau's efforts helped save knowledge from many centuries from disappearing forever, and people still celebrate his efforts today.

Pius Mau Piailug

Pius "Mau" Piailug는 1932년 미크로네시아 나라의 작은 섬인, Satawal에서 태어났다. 그는 GPS와 지도 이전에 사용되었던 전통적인 항해 기법을 배웠다. 대신, Mau는 그의 위치와 방향을 알기 위해 별, 구름, 바람, 물의 움직임, 그리고 심지어 동물들까지 관찰했다. 18살 무렵, 그는 전통 항해 기술의 달인인 "팔루(palu)"가 되었다. Mau가 나이가 들면서, Satawal에 사는 그의 사람들의 생활 방식이 변하기 시작했다. 젊은 사람들은 신축 학교에 다니며 서양 과목들을 배우고 있었고, 전통적인 생활은 사라지고 잊히기 시작했다. 이는 Mau를 걱정시켰다. 전통 항해 기술의 가치를 증명하기 위해, 그는 일부 연구원들과 협력하여 오직 그가 그의 마을에서 얻은 지식만을 사용하여 하와이에서부터 타히티까지 항해하기로 했다. 어떠한 현대 기술도 사용되지 않을 것이었다. 여행은 34일이 걸렸지만, 성공적이었다. 이것은 고대 사람들이 지도나 컴퓨터 없이도 장거리 여행을 할 수 있었다는 것을 증명했다. 게다가, 미크로네시아와 폴리네시아 문화에 관한 관심도 그 여행 후에 증가했다. Mau의 노력은 수 세기 동안 쌓아온 지식이 영영 사라지지 않도록 보존하는 데 일조했고, 사람들은 오늘날에도 여전히 그의 노력을 기념한다.

어휘 island 섬 | nation 나라 | traditional 전통적인 | method 기법 | sailing 항해(술) | movement 움직임 | location 위치 | direction 방향 | technique 기술 | lifestyle 생활 방식 | Western (특히 유럽 및 북아메리카와 관련된) 서양의 | subject 과목 | disappear 사라지다 | prove 증명하다 | value 가치 | team up with ~와 협력하다 | sail 항해하다 | modern 현대의 | ancient 고대의 | distance 거리 | culture 문화 | increase 증가하다 | effort 노력 | celebrate 기념하다 | master 달인 | impressive 인상적인 | row 노를 젓다 | tumble 크게 떨어지다, 폭삭 무너지다 | stabilize 안정되다 | decrease 감소하다 | global warming 지구온난화 | polluted 오염된 | sink 가라앉다 | smoke 연기 | signal 신호 | compass 나침반 | divide 나누다[가르다]; 구분[구별]하다 | quarter 구역 | horizon 수평선 | passage 경로, 길

⏱ Comprehension Questions

1. A: Why is he called a master?
   B: He knows a lot of impressive traditional <u>techniques</u>.

   (A) technique
   (B) **techniques**
   (C) a technique
   (D) his technique

해석 A: 그는 왜 달인이라고 불리니?
   B: 그는 많은 인상적인 전통 <u>기술들</u>을 알고 있어.

   (A) 기술
   (B) 기술들
   (C) (하나의) 기술
   (D) 그의 기술

풀이 빈칸에는 수식어구 'a lot of impressive traditional'이 꾸밀 수 있는 명사가 들어가야 한다. 'a lot of'는 불가산 명사나 복수 명사를 수식할 수 있으므로 (B)가 정답이다.

관련 문장 In order to prove the value of traditional sailing techniques, […].

2. A: Was your grandmother always good at art?
   B: Yes. By the age of ten, she <u>had already sold</u> a painting.

   (A) already sells
   (B) already selling
   (C) has already sell
   (D) **had already sold**

해석 A: 너희 할머니는 항상 예술에 소질이 있으셨니?
   B: 응. 열 살 무렵에, 그녀는 <u>이미</u> 그림을 <u>팔아 보셨어</u>.

   (A) 이미 팔다
   (B) 이미 팔기
   (C) 어색한 표현
   (D) 이미 팔았다

풀이 대화에서 열 살 무렵('By the age of ten')은 과거이며, 할머니가 그림을 판 것은 열 살 무렵이라는 시점에서 이미 이루어진 완료 사건이다. 따라서 과거 완료 시제를 써야 알맞으므로 (D)가 정답이다.

새겨 두기 'sell a painting' (과거 이전에 한 일)
   → 'the age of ten' (과거)

새겨 두기 '~ 쯤에, ~까지, ~ 무렵' 등을 뜻하는 전치사 'by'는 완료 시제와 자주 쓰인다.

관련 문장 By the age of 18, he had become a "palu," a master in traditional sailing techniques.

3. They are <u>sailing</u> by the islands.

   (A) **sailing**
   (B) rowing
   (C) running
   (D) swimming

해석 그들은 섬 주위를 <u>항해하는</u> 중이다.

   (A) 항해하는
   (B) 노를 젓는
   (C) 달리는
   (D) 헤엄치는

풀이 배를 타고 섬 주위를 항해하고 있으므로 (A)가 정답이다. (B)는 노를 젓고 있지는 않으므로 오답이다.

관련 문장 In order to prove the value of traditional sailing techniques, […]

4. Last year, prices <u>increased</u>.

(A) fell
(B) stabilized
(C) increased
(D) decreased

해석 작년에, 가격이 <u>상승했다</u>.

(A) 떨어졌다
(B) 안정되었다
(C) 상승했다
(D) 감소했다

풀이 달러 가격을 나타내는 화살표가 위로 올라가고 있으므로 (C)가 정답이다.

관련 문장 In addition, interest in traditional Micronesian and Polynesian culture increased after the trip.

[5-6]

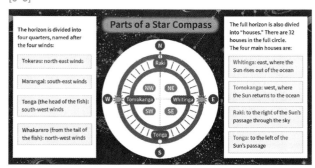

해석

<table>
<tr><td colspan="2" align="center">별 나침반의 구역</td></tr>
<tr><td colspan="2">수평선은 바람 네 개의 이름을 딴 구역 네 개로 나누어진다:</td></tr>
<tr><td colspan="2">Tokerau: 북동풍</td></tr>
<tr><td colspan="2">Marangai: 남동풍</td></tr>
<tr><td colspan="2">Tonga (물고기의 머리): 남서풍</td></tr>
<tr><td colspan="2">Whakararo (물고기의 꼬리로부터): 북서풍</td></tr>
<tr><td colspan="2">북 (N)   남 (S)   동 (E)   서 (W)</td></tr>
<tr><td colspan="2">북서 (NW)   북동 (NE)   남서 (SW)   남동 (SE)</td></tr>
<tr><td colspan="2">수평선 전체는 또한 "하우스(house)"들로 나누어진다. 전체 원 안에 32개의 하우스가 있다. 주요 하우스 네 개는 다음과 같다:</td></tr>
<tr><td colspan="2">Whitinga: 동쪽, 태양이 바다 밖으로 떠오르는 곳</td></tr>
<tr><td colspan="2">Tomokanga: 서쪽, 태양이 바다로 돌아가는 곳</td></tr>
<tr><td colspan="2">Raki: 하늘을 지나는 태양 경로의 오른쪽</td></tr>
<tr><td colspan="2">Tonga: 태양 경로의 왼쪽</td></tr>
</table>

5. If the star compass included labels for major winds, where would the "head of the fish" be located?

(A) top left
(B) top right
(C) bottom left
(D) bottom right

해석 별 나침반에 주요 바람 표시가 포함된다면, "물고기의 머리"는 어디에 위치하겠는가?

(A) 왼쪽 상단
(B) 오른쪽 상단
(C) 왼쪽 하단
(D) 오른쪽 하단

풀이 'head of the fish'는 Tonga 구역을 가리킨다. Tonga 구역은 남서풍('south-west winds')이라고 나와 있으므로 남쪽과 서쪽의 중간, 즉 왼쪽 하단에 위치한다는 것을 알 수 있다. 따라서 (C)가 정답이다.

6. From which house does the Sun rise?

(A) Whitinga
(B) Tomokanga
(C) Raki
(D) Tonga

해석 어떤 하우스에서 태양이 뜨는가?

(A) Whitinga
(B) Tomokanga
(C) Raki
(D) Tonga

풀이 'Whitinga: east, where the Sun rises out of the ocean'에서 태양이 뜨는 하우스는 동쪽에 있는 Whitinga 하우스라는 것을 알 수 있으므로 (A)가 정답이다.

[7-10]

Pius "Mau" Piailug was born in 1932 on Satawal, a small island in the nation of Micronesia. He learned traditional methods for sailing that were used before GPS and maps. Instead, Mau looked at the stars, clouds, winds, water movements, and even animals to know his location and his direction. By the age of 18, he had become a "palu," a master in traditional sailing techniques. As Mau grew older, the lifestyle of his people on Satawal began to change. Young people were going to newly-built schools to learn Western subjects, and traditional life began to disappear and be forgotten. This made Mau worried. In order to prove the value of traditional sailing techniques, he teamed up with some researchers to sail from Hawaii to Tahiti using only the knowledge he received in his village. No modern technology would be used. The trip took 34 days, but it was successful. This proved that ancient people could travel long distances without maps or computers. In addition, interest in traditional Micronesian and Polynesian culture increased after the trip. Mau's efforts helped save knowledge from many centuries from disappearing forever, and people still celebrate his efforts today.

해석

Pius "Mau" Piailug는 1932년 미크로네시아 나라의 작은 섬인, Satawal에서 태어났다. 그는 GPS와 지도 이전에 사용되었던 전통적인 항해 기법을 배웠다. 대신, Mau는 그의 위치와 방향을 알기 위해 별, 구름, 바람, 물의 움직임, 그리고 심지어 동물들까지 관찰했다. 18살 무렵, 그는 전통 항해 기술의 달인인 "팔루(palu)"가 되었다. Mau가 나이가 들면서, Satawal에 사는 그의 사람들의 생활 방식이 변하기 시작했다. 젊은 사람들은 신축 학교에 다니며 서양 과목들을 배우고 있었고, 전통적인 생활은 사라지고 잊히기 시작했다. 이는 Mau를 걱정시켰다. 전통 항해 기술의 가치를 증명하기 위해, 그는 일부 연구원들과 협력하여 오직 그가 그의 마을에서 얻은 지식만을 사용하여 하와이에서부터 타히티까지 항해하기로 했다. 어떠한 현대 기술도 사용되지 않을 것이었다. 여행은 34일이 걸렸지만, 성공적이었다. 이것은 고대 사람들이 지도나 컴퓨터 없이도 장거리 여행을 할 수 있었다는 것을 증명했다. 게다가, 미크로네시아와 폴리네시아 문화에 관한 관심도 그 여행 후에 증가했다. Mau의 노력은 수 세기 동안 쌓아온 지식이 영영 사라지지 않도록 보존하는 데 일조했고, 사람들은 오늘날에도 여전히 그의 노력을 기념한다.

7. Which of Mau's worries is mentioned in the passage?

(A) global warming
(B) oceans becoming polluted
(C) traditional life being forgotten
(D) islands sinking into the ocean

해석 다음 중 지문에 언급된 Mau의 걱정은 무엇인가?

(A) 지구온난화
(B) 오염되고 있는 해양
(C) 잊히고 있는 전통 생활
(D) 바닷속으로 가라앉고 있는 섬

유형 세부 내용 파악

풀이 'Young people were going to newly-built schools to learn Western subjects, and traditional life began to disappear and be forgotten. This made Mau worried.'에서 생활 방식이 변하고 전통이 사라지고 잊히는 현상이 Mau를 걱정스럽게 했다고 서술하고 있으므로 (C)가 정답이다.

8. According to the passage, which of the following did Mau use to find his direction?

(A) radios
(B) clouds
(C) paper maps
(D) smoke signals

해석 지문에 따르면, 다음 중 Mau가 방향을 찾으려고 활용한 것은 무엇인가?

(A) 라디오
(B) 구름
(C) 종이 지도
(D) 연기 신호

유형 세부 내용 파악

풀이 'Instead, Mau looked at the stars, clouds, winds, water movements, and even animals to know his location and his direction.'에서 Mau가 위치와 방향을 찾으려고 활용한 것 중에 구름이 포함되었으므로 (B)가 정답이다. (C)는 '[...] traditional methods for sailing that were used before GPS and maps.'에서 Mau는 GPS나 지도 이전에 사용된 전통 기법을 활용했다고 언급되었으므로 오답이다.

9. According to the passage, how long was Mau's journey?

(A) a week
(B) half a month
(C) just over a month
(D) two months

해석 지문에 따르면, Mau의 여행은 얼마나 걸렸는가?

(A) 일주일
(B) 보름
(C) 한 달 조금 넘게
(D) 두 달

유형 세부 내용 파악

풀이 'The trip took 34 days, but it was successful.'에서 Mau의 여행이 한 달이 조금 넘게 걸렸다는 것을 알 수 있으므로 (C)가 정답이다.

10. What does the underlined "Mau's efforts" most likely mean?

(A) Mau helped animals be free.
(B) Mau spoke several languages.
(C) **Mau helped save ancient knowledge.**
(D) Mau brought Western subjects to schools.

해석 밑줄 친 "Mau의 노력"이 의미하는 내용으로 가장 적절한 것은 무엇인가?

(A) Mau는 동물들이 자유로워지도록 도왔다.
(B) Mau는 여러 언어를 구사했다.
(C) Mau는 고대 지식을 보존하는 데 도움을 줬다.
(D) Mau는 학교에 서양 과목들을 도입했다.

유형 세부 내용 파악

풀이 'Mau's efforts helped save knowledge from many centuries from disappearing forever […]'에서 Mau의 노력이 수 세기 동안 쌓아온 전통 지식을 보존하는 데 일조했다고 언급하였다. 따라서 (C)가 정답이다.

 Listening Practice ▶ J3-11 p.100

Pius "Mau" Piailug was born in 1932 on Satawal, a small island in the nation of Micronesia. He learned traditional methods for sailing that were used before GPS and maps. Instead, Mau looked at the stars, clouds, winds, water movements, and even animals to know his location and his direction. By the age of 18, he had become a "palu," a master in traditional sailing techniques. As Mau grew older, the lifestyle of his people on Satawal began to change. Young people were going to newly-built schools to learn Western subjects, and traditional life began to disappear and be forgotten. This made Mau worried. In order to prove the value of traditional sailing techniques, he teamed up with some researchers to sail from Hawaii to Tahiti using only the knowledge he received in his village. No modern technology would be used. The trip took 34 days, but it was successful. This proved that ancient people could travel long distances without maps or computers. In addition, interest in traditional Micronesian and Polynesian culture increased after the trip. Mau's efforts helped save knowledge from many centuries from disappearing forever, and people still celebrate his efforts today.

1. sailing
2. prove
3. ancient
4. distances
5. interest in
6. increased

 Writing Practice p.101

1. sailing
2. prove
3. increase
4. ancient
5. long distance
6. interest in

📄 Summary

Pius Mau Piailug was a "palu," a master of traditional sailing techniques that were used before GPS and maps. He teamed up with some researchers to sail using only traditional methods, saving traditional knowledge from disappearing forever.

Pius Mau Piailug는 GPS와 지도 이전에 사용되었던 전통 항해 기술의 달인인 "팔루"였다. 그는 연구원들과 협력해 오직 전통 기법만을 활용해 항해했으며, 전통 지식이 영원히 사라지는 것을 막았다.

Word Puzzle p.102

Across	Down
3. ancient	1. interest in
4. sailing	2. long distance
6. prove	5. increase

1 cliffs	2 skeleton
3 fossils	4 dug up
5 traded	6 on her

Writing Practice   p.109

1 skeleton	2 cliff
3 fossil	4 dig up
5 trade	6 look down on

Summary   fossils, down, work, decades

Word Puzzle   p.110

Across

1 cliff	3 skeleton
6 dig up	

Down

2 fossil	4 look down on
5 trade	

 Pre-reading Questions   p.103

Have you ever heard of Mary Anning?

Look at the illustration.

What do you think Anning was known for?

Mary Anning에 대해 들어본 적이 있나요?

삽화를 보세요.

Anning이 무엇으로 알려졌다고 생각하나요?

Reading Passage   p.104

Mary Anning

Mary Anning was born in 1799 in a small English town near the sea called Lyme Regis. Her family was very poor, and her father died when she was still young. In order to make money for her family, she would walk along the beach looking for things that she could sell. One day, Anning and her brother were at some cliffs when they found a skeleton. At first they thought it was a crocodile, but they realized it was an animal they had never seen. Mary Anning and her brother had found an *ichthyosaur* fossil. It was the largest and most complete one found at that time. Mary Anning found many more fossils in the cliffs, and the area became known as the "Jurassic Coast." In the early 1800s, people were only starting to research dinosaurs. Mary Anning dug up and traded them, making her very important in the beginning of *paleontology*. She never studied the subject in school, but she knew more about fossils than many of the scientists of the time. However, because she was a woman, many male scientists looked down on her and stole her research. It was not until many decades after her death that the importance of Mary Anning's work was recognized.

Mary Anning

Mary Anning은 1799년에 Lyme Regis라고 불리는 바다 근처에 있는 작은 영국 마을에서 태어났다. 그녀의 가족은 매우 가난했고, 그녀의 아버지는 그녀가 아직 어렸을 때 돌아가셨다. 가족을 위해 돈을 벌기 위해서, 그녀는 팔 수 있을 만한 것을 찾아다니면서, 해변을 따라 걷곤 했다. 어느 날, Anning과 그녀의 오빠는 해골을 발견했을 때 어떤 절벽에 있었다. 처음에 그들은 그것이 악어라고 생각했지만, 그들은 그것이 한 번도 본 적 없는 동물이라는 것을 깨달았다. Mary Anning과 그녀의 오빠는 어룡 화석을 찾은 것이었다. 그것은 당시 발견된 것 중 가장 크고 완전한 것이었다. Mary Anning은 그 절벽에서 더 많은 화석을 발견했고, 그 구역은 "쥐라기(Jurassic) 해안"으로 알려지게 되었다. 1800년대 초반, 사람들은 공룡을 겨우 연구하기 시작했다. Mary Anning은 그것들을 파내어 교환했고, 이로써 그녀는 고생물학 초기에 매우 중요한 사람이 되었다. 그녀는 학교에서 그 학문을 공부한 적은 없었지만, 그녀는 당시 많은 과학자보다 화석에 관해 더 많이 알고 있었다. 하지만, 그녀는 여성이었기 때문에, 많은 남성 과학자들은 그녀를 얕봤고 그녀의 연구를 훔쳤다. 그녀가 죽은 지 수십 년이 지나서야 Mary Anning이 남긴 업적의 중요성이 인정되었다.

어휘 cliff 절벽 | skeleton 해골 | crocodile 악어(동남아 열대지역·
아프리카 악어) | realize 깨닫다 | fossil 화석 | complete
완전한, 전부의 | coast 해안 | dinosaur 공룡 | dig up 파다 |
trade 교환하다 | paleontology 고생물학 | look down on
~을 얕보다 | It was not until S1 that S2. S1이 되어서야 S2가
일어나다. | decade 십 년 | work 노력; 업적 | recognize
인정하다 | edge 끝, 가장자리 | scale 비늘 | crystal 수정 |
jellyfish 해파리 | display 전시 | shell 껍데기 | amusement
park 놀이공원 | bury 묻다 | battleship 전함 | thick 두꺼운 |
fill A with B A를 B로 채우다 | discover 발견하다 |
acknowledge 인정하다

⏱ **Comprehension Questions**   p.105

1. A: Where did they find your wallet?
    B: My sister and her friend <u>were</u> just walking down the
       street and saw it.

    (A) has
    (B) was
    (C) have
    (D) were

해석 A: 걔네들은 네 지갑 어디서 찾았니?
      B: 내 여동생이랑 여동생 친구가 그냥 길을 걷고 <u>있다</u>가 그것을
         보았어.

    (A) ~했다
    (B) ~였다
    (C) ~했다
    (D) ~였다

풀이 빈칸 뒤에 나온 동사 활용형 'walking down'은 능동의 뜻을
      가지므로 'be + -ing' 동사구를 사용해야 한다. 또한 주어가
      복수이고 시제가 과거이므로 이에 모두 알맞은 be 동사 (D)가
      정답이다. (B)는 단수 주어와 어울리는 be 동사이므로 오답이다.

관련 문장 In order to make money for her family, she would
         walk along the beach, looking for things that she
         could sell.

2. A: Why should I listen to you about history?
    B: Hey! I know more about it <u>than</u> you do.

    (A) as
    (B) for
    (C) than
    (D) when

해석 A: 내가 왜 역사에 관해 네 말을 들어야 하니?
      B: 이봐! 네가 아는 것<u>보다</u> 내가 그것에 관해 더 많이 알아.

    (A) ~인 듯이
    (B) ~이기에
    (C) ~보다
    (D) ~할 때

풀이 비교급을 나타내는 부사 'more'(더 많이)이 있으므로 이와
      어울리는 비교급 접속사 'than'(~보다)이 들어갈 수 있다. 따라서
      (C)가 정답이다.

새겨 두기 여기서 'you do'는 'you know about it'을 나타낸다.

관련 문장 She never studied the subject in school, but she knew
         more about fossils than many of the scientists of the
         time.

3. Mr. Perez is standing near the edge of the <u>cliff</u>.

    (A) cliff
    (B) wall
    (C) table
    (D) water

해석 Perez 씨는 <u>절벽</u> 끝 근처에 서 있다.

    (A) 절벽
    (B) 벽
    (C) 탁자
    (D) 물

풀이 절벽 끝 근처에 남자가 서 있으므로 (A)가 정답이다.

관련 문장 Anning and her brother were at some cliffs when they
         found a skeleton.

4. The team is digging up <u>fossils</u>.

    (A) fossils
    (B) scales
    (C) crystals
    (D) diamonds

해석 그 팀은 <u>화석</u>을 파내고 있다.

    (A) 화석
    (B) 비늘
    (C) 수정
    (D) 다이아몬드

풀이 동식물의 유해인 화석을 파내고 있으므로 (A)가 정답이다.

관련 문장 Mary Anning and her brother had found an
         ichthyosaur fossil. [...] Mary Anning found many more
         fossils in the cliffs, [...] she knew more about fossils
         than many of the scientists of the time.

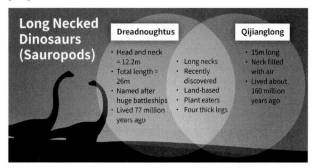

6. According to the diagram, which of the following is true?

(A) Both dinosaurs were meat eaters.
(B) Both dinosaurs were discovered in the 19th century.
(C) The qijianglong lived on the earth more recently than the dreadnoughtus.
(D) **The qijianglong's body is longer than the dreadnoughtus' head and neck.**

해석 도표에 따르면, 다음 중 옳은 설명은 무엇인가?

(A) 두 공룡 모두 육식 동물이다.
(B) 두 공룡 모두 19세기에 발견되었다.
(C) 치장롱은 드레드노투스보다 더 최근에 지구에 살았다.
(D) 치장롱의 몸은 드레드노투스의 머리와 목보다 더 길다.

풀이 치장롱의 몸 길이(15m)가 드레드노투스의 머리 및 목 길이 (12.2m)보다 더 기므로 (D)가 정답이다. (A)는 두 공룡 모두 초식 동물('Plant eaters')이므로 오답이다. (B)는 두 공룡 모두 19세기가 아니라 최근에 발견되었다고 나와 있으므로 오답이다. (C)는 드레드노투스(7,700만 년 전)가 치장롱(대략 1억 6천만 년 전)보다 더 최근에 살았던 동물이므로 오답이다.

해석

목이 긴 공룡들(용각류)		
드레드노투스 (Dreadnoughtus)		치장롱 (Qijianglong)
• 머리와 목 = 12.2m • 총길이= 26m • 거대한 전함의 이름을 땀 • 7,700만 년 전에 살았음	• 긴 목 • 최근에 발견됨 • 지상에 살았음 • 초식 동물 • 두꺼운 네 다리	• 길이 15m • 공기로 채워진 목 • 대략 1억 6천만 년 전에 살았음

5. According to the diagram, which dinosaur got its name from a type of ship?

(A) **the dreadnoughtus**
(B) the qijianglong
(C) both
(D) neither

해석 도표에 따르면, 어떤 공룡이 배에서 이름을 따왔는가?

(A) 드레드노투스
(B) 치장롱
(C) 둘 다
(D) 둘 다 아님

풀이 'Named after huge battleships'에서 드레드노투스가 거대한 전함의 이름 따서 명명되었다고 나와 있다. 전함은 배의 일종이므로 (A)가 정답이다.

[7-10]

Mary Anning was born in 1799 in a small English town near the sea called Lyme Regis. Her family was very poor, and her father died when she was still young. In order to make money for her family, she would walk along the beach looking for things that she could sell. One day, Anning and her brother were at some cliffs when they found a skeleton. At first they thought it was a crocodile, but they realized it was an animal they had never seen. Mary Anning and her brother had found an *ichthyosaur* fossil. It was the largest and most complete one found at that time. Mary Anning found many more fossils in the cliffs, and the area became known as the "Jurassic Coast." In the early 1800s, people were only starting to research dinosaurs. Mary Anning dug up and traded them, making her very important in the beginning of *paleontology*. She never studied the subject in school, but she knew more about fossils than many of the scientists of the time. However, because she was a woman, many male scientists looked down on her and stole her research. It was not until many decades after her death that the importance of Mary Anning's work was recognized.

해석

Mary Anning은 1799년에 Lyme Regis라고 불리는 바다 근처에 있는 작은 영국 마을에서 태어났다. 그녀의 가족은 매우 가난했고, 그녀의 아버지는 그녀가 아직 어렸을 때 돌아가셨다. 가족을 위해 돈을 벌기 위해서, 그녀는 팔 수 있을 만한 것을 찾아다니면서, 해변을 따라 걷곤 했다. 어느 날, Anning과 그녀의 오빠는 해골을 발견했을 때 어떤 절벽에 있었다. 처음에 그들은 그것이 악어라고 생각했지만, 그들은 그것이 한 번도 본 적 없는 동물이라는 것을 깨달았다. Mary Anning과 그녀의 오빠는 *어룡* 화석을 찾은 것이었다. 그것은 당시 발견된 것 중 가장 크고 완전한 것이었다. Mary Anning은 그 절벽에서 더 많은 화석을 발견했고, 그 구역은 "쥐라기(Jurassic) 해안"으로 알려지게 되었다. 1800년대 초반, 사람들은 공룡을 겨우 연구하기 시작했다. Mary Anning은 그것들을 파내어 교환했고, 이로써 그녀는 고생물학 초기에 매우 중요한 사람이 되었다. 그녀는 학교에서 그 학문을 공부한 적은 없었지만, 그녀는 당시 많은 과학자보다 화석에 관해 더 많이 알고 있었다. 하지만, 그녀는 여성이었기 때문에, 많은 남성 과학자들은 그녀를 얕봤고 그녀의 연구를 훔쳤다. 그녀가 죽은 지 수십 년이 지나서야 Mary Anning이 남긴 업적의 중요성이 인정되었다.

7. According to the passage, which is true about Mary Anning?
   (A) She was born in 1788.
   (B) She came from a town near the sea.
   (C) Her mother died when Anning was young.
   (D) Her family was among the richest in town.

해석 지문에 따르면, 다음 중 Mary Anning에 관해 옳은 설명은 무엇인가?
   (A) 그녀는 1788년에 태어났다.
   (B) 그녀는 바다 주변 마을 출신이다.
   (C) 그녀의 어머니는 Anning이 어렸을 때 돌아가셨다.
   (D) 그녀의 가족은 마을에서 가장 부유한 가족 중 하나였다.

유형 세부 내용 파악

풀이 'Mary Anning was born in 1799 in a small English town near the sea called Lyme Regis.'에서 Mary Anning이 Lyme Regis라는 바다 근처 마을에서 태어났다고 했으므로 (B)가 정답이다. (A)는 Anning이 1799년에 태어났으므로 오답이다. (C)는 그녀가 어렸을 때 아버지가 돌아가신 것이므로 오답이다. (D)는 'Her family was very poor, [...]'에서 그녀의 가족이 가난했다고 했으므로 오답이다.

8. According to the passage, what did Anning and her brother think the fossil was at first?
   (A) a turtle
   (B) a jellyfish
   (C) a crocodile
   (D) an elephant

해석 지문에 따르면, Anning과 그녀의 오빠는 처음에 화석이 무엇이라고 생각했는가?
   (A) 거북이
   (B) 해파리
   (C) 악어
   (D) 코끼리

유형 세부 내용 파악

풀이 'Anning and her brother were at some cliffs when they found a skeleton. At first they thought it was a crocodile, [...]'에서 Anning과 그녀의 오빠가 화석을 보고 처음에 악어('crocodile')인 줄 알았다고 하였으므로 (C)가 정답이다.

9. According to the passage, what was the "Jurassic Coast"?

(A) a cliff area with many fossils
(B) a museum with dinosaur displays
(C) an ocean beach with pretty shells
(D) an amusement park started by Anning

해석 지문에 따르면, "쥐라기 해안"은 무엇이었는가?

(A) 화석이 많이 있는 절벽 지역
(B) 공룡 전시가 있는 박물관
(C) 예쁜 껍데기들이 있는 바다 해변
(D) Anning이 개장한 놀이공원

유형 세부 내용 파악

풀이 'Mary Anning and her brother had found an *ichthyosaur* fossil. [...] Mary Anning found many more fossils in the cliffs, and the area became known as the "Jurassic Coast".'에서 '쥐라기 해안'은 Mary Anning이 화석을 많이 발견한 절벽 지역이라는 것을 알 수 있으므로 (A)가 정답이다.

10. Which of the following is most likely a reason Anning's work was not recognized?

(A) She buried the fossils.
(B) Men stole her research.
(C) Anning only studied in school.
(D) People thought dinosaurs were boring.

해석 다음 중 Anning의 업적이 인정되지 않았던 이유로 가장 적절한 것은 무엇인가?

(A) 그녀가 화석들을 묻어버렸다.
(B) 남자들이 그녀의 연구를 훔쳤다.
(C) Anning은 학교에서 오직 공부만 하였다.
(D) 사람들은 공룡이 지루한 것이라고 생각했다.

유형 세부 내용 파악 & 추론하기

풀이 'However, because she was a woman, many male scientists looked down on her and stole her research.'에서 남성 과학자들이 Anning의 업적을 얕보고 훔쳤다고 하였으므로 (B)가 정답이다.

 Listening Practice   J3-12   p.108

Mary Anning was born in 1799 in a small English town near the sea called Lyme Regis. Her family was very poor, and her father died when she was still young. In order to make money for her family, she would walk along the beach looking for things that she could sell. One day, Anning and her brother were at some <u>cliffs</u> when they found a <u>skeleton</u>. At first they thought it was a crocodile, but they realized it was an animal they had never seen. Mary Anning and her brother had found an *ichthyosaur* fossil. It was the largest and most complete one found at that time. Mary Anning found many more <u>fossils</u> in the cliffs, and the area became known as the "Jurassic Coast." In the early 1800s, people were only starting to research dinosaurs. Mary Anning <u>dug up</u> and <u>traded</u> them, making her very important in the beginning of *paleontology*. She never studied the subject in school, but she knew more about fossils than many of the scientists of the time. However, because she was a woman, many male scientists looked down <u>on her</u> and stole her research. It was not until many decades after her death that the importance of Mary Anning's work was recognized.

1. cliffs
2. skeleton
3. fossils
4. dug up
5. traded
6. on her

Writing Practice   p.109

1. skeleton
2. cliff
3. fossil
4. dig up
5. trade
6. look down on

Summary

Mary Anning found, researched, and traded <u>fossils</u>. However, because she was a woman, many male scientists looked <u>down</u> on her and stole her research. The importance of her <u>work</u> was acknowledged many <u>decades</u> after her death.

Mary Anning은 화석들을 발견하고, 연구하고, 교환했다. 하지만, 그녀가 여성이었기 때문에, 많은 남성 과학자들이 그녀를 얕보고 연구를 훔쳤다. 그녀가 남긴 업적의 중요성은 그녀의 죽음 이후 수십 년이 지나서 인정되었다.

▦ Word Puzzle   p.110

Across	Down
1. cliff	2. fossil
3. skeleton	4. look down on
6. dig up	5. trade

AMAZING STORIES   p.111

Agatha Christie's Mysterious Disappearance

The biggest prize for writers of mystery stories is the "The Agatha Award," named after the famous author, Agatha Christie. Christie's work life was all about writing incredible mystery stories. However, her personal life was also filled with mystery—in particular, the mystery of the author's disappearance.

On December 3, 1926, Christie left home in her car. The next day the car was discovered hanging over a cliff. In it were Christie's fur coat and driver's licence, but no Christie. Over one thousand police officers and 15,000 volunteers searched for the missing writer, but they could not find her. Rumors started to go around. One rumor was that Christie had disappeared to advertise her novels. Another rumor was that Christie was hiding in London disguised in men's clothing. Eventually, Christie appeared. She was at a hotel in the countryside.

Christie said she could not remember anything that had happened during the ten days she was missing. However, when she checked in at the hotel she used the name "Theresa Neele." Later, after Christie and her husband had divorced, it turned out that her husband had had a girlfriend. That girlfriend's name was Theresa Neele.

Some people think Christie really could not remember what happened. Others think that Christie crashed her car on purpose. In fact, nobody really knows why Agatha Christie disappeared for ten days in 1926.

Agatha Christie의 불가사의한 실종

추리소설 작가들에게 가장 큰 상은 유명 작가 Agatha Christie의 이름을 딴, "Agatha상"이다. Christie의 작업 생활은 온통 엄청난 추리소설 쓰기에 관한 것이었다. 그런데, 그녀의 사생활도 또한 미스터리로 가득 차 있었다—특히, 작가의 실종에 대한 미스터리로 말이다.

1926년 12월 3일, Christie는 자신의 차를 타고 집을 나섰다. 다음날 그 차는 절벽에 매달려 있는 채로 발견되었다. 그 안에는 Christie의 털코트와 운전면허증이 있었지만, Christie는 없었다. 천 명이 넘는 경찰관들과 15,000명의 자원봉사자들이 실종된 작가를 찾았지만, 그들은 그녀를 발견할 수 없었다. 소문이 돌기 시작했다. 한 가지 소문은 Christie가 자신의 소설을 광고하려고 사라졌다는 것이었다. 또 다른 소문은 Christie가 남성복을 입고 변장한 채 런던에서 숨어있다는 것이었다. 결국에는, Christie가 나타났다. 그녀는 시골의 한 호텔에 있었다.

Christie는 그녀가 실종된 열흘 동안 있었던 일이 아무것도 기억나지 않는다고 말했다. 그런데, 그녀가 호텔에서 체크인할 때 "Theresa Neele"이라는 이름을 사용했다. 후에, Christie와 그녀의 남편이 이혼한 후, 그녀의 남편에게 여자친구가 있었다는 사실이 밝혀졌다. 그 여자친구의 이름은 Theresa Neele였다.

몇몇 사람들은 Christie가 정말로 무슨 일이 일어났는지 기억하지 못했다고 생각한다. 다른 이들은 Christie가 고의로 차를 충돌시켰다고 생각한다. 실제로는, 아무도 왜 Agatha Christie가 1926년에 열흘 동안 사라졌는지 정말로 알지 못한다.

MEMO

MEMO

MEMO